Aspekte

Mittelstufe Deutsch

Lehrbuch 2

von
Ute Koithan
Helen Schmitz
Tanja Sieber
Ralf Sonntag

Filmseiten von Ralf-Peter Lösche

D1456028

Langenscheidt

Berlin · Madrid · München · Warschau · Wien · Zürich

Von
Ute Koithan, Helen Schmitz, Tanja Sieber, Ralf Sonntag
Filmseiten von Ralf-Peter Lösche

Redaktion: Cornelia Rademacher und Carola Jeschke
Gestaltungskonzept und Layout: Andrea Pfeifer
Umschlaggestaltung: Andrea Pfeifer; Umschlag-Fotos: Getty
Zeichnungen: Daniela Kohl
Satz und Litho: kaltner verlagsmedien GmbH, Bobingen

Verlag und Autoren danken Evelyn Farkas, Margarete Rodi und Rita Tuggener für die Begutachtung
sowie allen weiteren Kolleginnen und Kollegen, die *Aspekte* erprobt und mit wertvollen Anregungen
zur Entwicklung des Lehrwerks beigetragen haben.

Aspekte Band 2 – Materialien

Lehrbuch 2	47481
Lehrbuch 2 mit DVD	47484
Arbeitsbuch 2 mit CD-ROM	47482
Lehrerhandreichungen 2	47483
Audio-CDs 2	47486
DVD 2	47485

Symbole in Aspekte

1.2   Hören Sie auf der CD 1 zum Lehrbuch bitte Track 2.

▶ Ü 1   Hierzu gibt es eine Übung im entsprechenden Arbeitsbuchmodul.

   Rechercheaufgabe mit weiterführenden Links auf der Homepage

   Diese Aufgabe macht Sie mit den Aufgabenformaten des B2-Zertifikats
         des Goethe-Instituts 🄿 oder von TELC 🄿 vertraut.
                          GI   TELC

Übungstest *Österreichisches Sprachdiplom Deutsch (ÖSD)* auf der Homepage:
www.langenscheidt.de/aspekte

© 2008 Langenscheidt KG, Berlin und München

Druck und Bindung: Stürtz GmbH, Würzburg

Lehrbuch 2   978-3-468-47481-1
Lehrbuch 2 mit DVD   978-3-468-47484-2

Inhalt

Inhalt

Inhalt

Inhalt

Inhalt

Heimat ist ...

1a Was verbinden Sie mit dem Begriff „Heimat"? Was würden Sie fotografieren, um Heimat darzustellen?

b Begründen Sie Ihre Auswahl.

Wenn ich Schnee und Berge sehe, denke ich an meine Heimat, deswegen würde ich den Winter in den Bergen fotografieren.

Am wohlsten fühle ich mich in meinem eigenen Bett, hier fühle ich mich sicher und geborgen. Aus diesem Grund ...

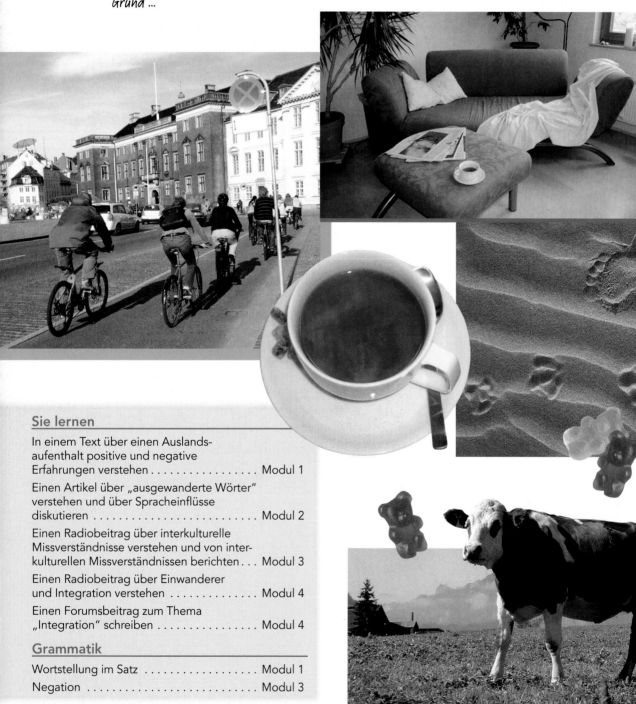

2 Geruch, Geräusch, Geschmack ... – wann denken Sie an Heimat?

Immer wenn ich ... rieche, ...   *Das Geräusch von ... erinnert mich immer an ...*
Wenn ich ... fühle, dann ...   *Jedes Mal wenn ich ... sehe, ...*
Beim Geschmack von ... denke ich immer an ...

3 Welches Gefühl ist Ihnen vertrauter: Heimweh oder Fernweh? Erzählen Sie.

Neue Heimat

1 Lesen Sie die Überschrift des Artikels und sehen Sie sich das Bild an.
Um welche Textsorte handelt es sich?

☐ Sachtext ☐ Reportage

☐ Erfahrungsbericht ☐ Werbetext

2a Lesen Sie den Text. Was empfindet Doris bei ihrem Auslandsaufenthalt als positiv, was eher als negativ? Erstellen Sie eine Tabelle.

Mein Glück in der neuen Heimat

1 Kann ich es wirklich riskieren? Die Wohnung aufgeben, den Freundeskreis verlassen und in einem anderen Land komplett von vorne anfangen? Ich habe es gewagt: Ich bin vor einigen Jahren aus beruflichen
5 Gründen relativ spontan nach Neuseeland gezogen.

Fernweh hatte ich eigentlich nie und ich bin auch kein besonders abenteuerlicher Typ. Doch dann passierte Folgendes: Ich verlor plötzlich meinen Job. Nach endlos vielen erfolglosen Bewerbungen war ich frus-
10 triert. Dann fragte mich ein Freund, ob ich mir nicht vorstellen könnte, ins Ausland zu gehen. Tja, und jetzt lebe ich schon seit einer ganzen Weile ziemlich zufrieden in Wellington und arbeite als Krankenschwester.

Doch vorher gab es einiges zu erledigen: Zeugnisse
15 übersetzen lassen, Bewerbungen auf Englisch schreiben und meine Wohnung auflösen. Glücklicherweise habe ich schon nach kurzer Zeit eine Stelle gefunden und dann ging alles ganz schnell.

Als ich meinem Nachmieter dann die Schlüssel
20 übergeben hatte und im Januar 2006 ziemlich nervös im Flugzeug saß, fragte ich mich natürlich, ob das die richtige Entscheidung war. Aber ich muss sagen, ich habe es nicht bereut. Ich habe die Erfahrung gemacht, dass es wirklich Zeit braucht, bis man sich in einem fremden
25 Land eingelebt hat, und dass man sich diese Zeit auch geben muss. Es ist ein gutes Gefühl, noch einmal ganz von vorne anzufangen und es wirklich allein zu schaffen. So eine Auslandserfahrung erweitert einfach den eigenen Horizont. Man lernt die Kultur eines anderen
30 Landes kennen und lernt dadurch auch viel über die eigene Kultur. Am Anfang hatte ich Probleme mit der Sprache, aber mittlerweile ist mein Englisch richtig gut. Außerdem ist das Leben hier wirklich angenehm. Das Wetter und die Landschaft sind einfach super. Und ich
35 genieße es sehr, am Meer zu sein. Überraschend für mich war, dass das Leben hier lockerer als in Deutschland ist. Die Leute sind nicht immer so gestresst und viel freundlicher und ich habe schnell viele neue Freunde gefunden. In Deutschland dauert das ja oft ein bisschen
40 länger ... Aber natürlich habe ich auch Heimweh und vermisse oft meine vertraute Umgebung, meine alten Freunde und meine Familie. Besonders am Anfang war das schlimm: Ich schickte meiner besten Freundin jeden Tag aus Heimweh mehrere E-Mails ins Büro. Und dann
45 wartete ich sehnsüchtig in meinem kleinen Zimmer auf Nachrichten.

Meine Erfahrungen haben mir gezeigt, dass man sich auch selber besser kennenlernt, wenn man ins Ausland geht. Hier habe ich erst gemerkt, wie deutsch
50 ich eigentlich bin. Und manchmal ist es schwer, dass ich eigentlich nie in meiner Muttersprache sprechen kann. Auch wenn ich jetzt wirklich gut Englisch spreche, kann ich trotzdem nicht immer ganz genau das ausdrücken, was ich denke oder fühle. Und, es klingt banal, aber mir
55 fehlt das deutsche Essen, besonders das Brot. Ob ich für immer hier bleibe, weiß ich noch nicht. Vielleicht ist das Heimweh ja auch irgendwann zu stark ...

b Markieren Sie im Text alle Redemittel, mit denen Doris über ihre Erfahrungen spricht und sammeln Sie weitere im Kurs.

3 Waren Sie schon einmal länger im Ausland? Berichten Sie von Ihren Erfahrungen.

▶ Ü 1–2 *Ich habe ähnliche Erfahrungen wie Doris gemacht und zwar war ich für ein Jahr in ...*
Im Gegensatz zu Doris / Während Doris ..., habe ich ...

4 Im Deutschen ist die Wortstellung im Satz bis auf die Position des Verbs relativ frei. Es gibt jedoch einige „Faustregeln".

a Ergänzungen im Mittelfeld. Lesen Sie die Sätze. Wo steht die Dativ-, wo die Akkusativ-Ergänzung? Markieren Sie.

Ich hatte meinem Nachmieter die Schlüssel übergeben. – Ich hatte ihm die Schlüssel übergeben. – Ich hatte sie meinem Nachmieter übergeben. – Ich hatte sie ihm übergeben.

> G
>
> Die Dativ-Ergänzung steht normalerweise _____ der Akkusativ-Ergänzung.
>
> Ist die Akkusativ-Ergänzung ein Pronomen, steht sie _____ der Dativ-Ergänzung.

▶ Ü 3–4

b Angaben im Mittelfeld. Für die Reihenfolge der Angaben im Mittelfeld gibt es keine festen Regeln. In der Tabelle finden Sie einen Satz, der die häufigste Reihenfolge zeigt. Ordnen Sie den Angaben die richtige Bezeichnung zu und ergänzen Sie die Regel.

| **ka**usal (warum?) | **lo**kal (wo? woher? wohin?) | **te**mporal (wann?) | **mo**dal (wie?) |

> G

Ich	bin		Mittelfeld			
		vor einigen Jahren	aus beruflichen Gründen	relativ spontan	nach Neuseeland	gezogen.
		temporal				

> G
>
> Die Angaben im Mittelfeld folgen häufig der Reihenfolge: _____ vor _____
>
> vor _____ vor _____ ➔ Merkformel: tekamolo.
>
> Wenn man eine Angabe besonders betonen möchte, kann man sie z.B. auf Position 1 stellen:
> *Vor einigen Jahren bin ich aus beruflichen Gründen relativ spontan nach Neuseeland gezogen.*

▶ Ü 5

c Ergänzungen und Angaben im Mittelfeld. Lesen Sie die Sätze und ergänzen Sie die Regel.

Ich schickte meiner besten Freundin jeden Tag aus Heimweh mehrere E-Mails ins Büro.
Und dann wartete ich sehnsüchtig in meinem kleinen Zimmer auf Nachrichten.

> G
>
> Gibt es im Satz Ergänzungen und Angaben, steht die Dativ-Ergänzung _____ oder nach
>
> der temporalen Angabe und die Akkusativ-Ergänzung _____ der lokalen Angabe.
>
> Präpositional-Ergänzungen stehen normalerweise _____ den Angaben, am Ende des
>
> Mittelfelds.

▶ Ü 6

5 Schreiben Sie einen Satz mit Ergänzungen und Angaben auf ein Blatt. Zerschneiden Sie den Satz in Satzglieder, mischen Sie die Zettel und geben Sie sie an Ihren Nachbarn / Ihre Nachbarin weiter. Er/Sie bringt die einzelnen Zettel wieder in eine korrekte Reihenfolge.

6 Jemand möchte in Ihr Land auswandern. Stellen Sie wichtige Informationen zusammen.

Ausgewanderte Wörter

1a Im Deutschen werden viele Wörter aus dem Englischen (Anglizismen) und anderen Sprachen verwendet.
Sammeln Sie im Kurs Anglizismen, die Ihnen einfallen.

Sales account manager Germany

Job-Beschreibung:

Wir suchen einen **Sales account manager(in)**, mit einer Schlüsselposition als Key account manager kombiniert mit einer regio...
Sie sind verantwortlich für ...
das Verkaufen der komple...
Metris Gesamtlösungen fü...

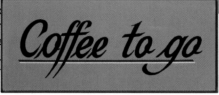

BEAUTY COTTAGE
WELLNESSFARM &
BEAUTY SPA

b Im Zusammenhang mit dem Gebrauch von Anglizismen sprechen manche Menschen abwertend von „Denglisch" (zusammengesetzt aus „Deutsch" und „Englisch"), andere sehen die Verwendung englischer Begriffe positiv. Lesen Sie die Zitate und besprechen Sie sie mit Ihrem Partner / Ihrer Partnerin. Diskutieren Sie dann im Kurs.

> *Mich regen die Leute auf, die sich wichtig machen, indem sie möglichst viele englische Wörter verwenden. Ich finde das peinlich!*

Rainer Buck (Radio- und TV-Sprecher)

> *Sprachen sind offene Systeme, immer im Fluss. Das müssen sie sein, denn sie sind dazu da, alles auszudrücken, was wir denken können.*

Florian Coulmas (Sprachforscher)

eine Meinung ausdrücken
Ich denke, man kann das (nicht) so sehen, denn ...
Meiner Meinung nach ist das Unsinn, denn ...
Ich finde, dass man zwar einerseits ..., andererseits ist es aber auch wichtig zu sehen, dass ...
Ich bin da geteilter Meinung. Auf der einen Seite ..., auf der anderen Seite ...

▶ Ü 1

2 Gegen die Diskussionen über den angeblichen „Untergang der deutschen Sprache" startete der deutsche Sprachrat eine Aktion.

a Lesen Sie den ersten Abschnitt des Textes auf Seite 13 und erklären Sie die Aktion.

b Lesen Sie dann den ganzen Text und erstellen Sie eine Übersicht. Benutzen Sie auch ein Wörterbuch.

Sprache	Wort	Bedeutung	deutsches Wort
Kiswahili ...	nusu kaput	die Narkose	kaputt

Trotz „noiroze" zur „arubaito"

Erstaunlich viele deutsche Wörter haben den Sprung in eine andere Sprache geschafft

Von Thomas Häusler

1 Wer kennt sie nicht, die Klage vom Niedergang der deutschen Kultursprache, bedingt durch die vielen neuen Wörter aus anderen Sprachen, die im Deutschen verwendet
5 werden. Der deutsche Sprachrat hatte das Klagen satt und forderte die Menschen weltweit auf, nach aus dem Deutschen „ausgewanderten Wörtern" zu suchen und sie nach München zu melden.

10 Die sportliche Idee des Rats hat sich ausgezahlt – sechstausendfach. So viele Wortmeldungen gingen ein. Eine Bereicherung: Neben den bekannten Klassikern wie *sauerkraut*, *kindergarten* und *weltschmerz* tauchte eine Vielzahl
15 neuer Wörter auf. Das schönste Beispiel ist vielleicht der Begriff *nusu kaput* aus dem ostafrikanischen Kiswahili. In der Sprache bedeutet *nusu* so viel wie ‚halb', *kaput* eben ‚kaputt', und als Summe ergibt das: ‚Narkose'.

20 Das Beispiel zeigt, wie die meisten Wörter den Sprung in eine andere Sprache schaffen. Nämlich dann, wenn es für etwas (Neues) noch kein Wort in dieser Sprache gibt. Besonders ins Russische sind deutsche Wörter
25 ausgewandert. Vom *vorschmack* (Hering-Vorspeise) bis zum *butterbrot* (Sandwich, allerdings ohne Butter).

Die ausgewanderten Wörter spiegeln oft jenes Bild wider, das sich viele Völker von
30 den Deutschen machen. So grenzen Finnen gerne die *besservisseri* aus, genauso wie die serbischen Schüler den *štreber*. Ihre Hausmeister nennen die Finnen *vahtimestari* (von Wachtmeister), während die Japaner mit der
35 *arubaito* eine Teilzeitarbeit bezeichnen, die neben dem Hauptjob verrichtet wird. Die Engländer wiederum kommandieren ihre Hunde bevorzugt auf Deutsch herum: *Platz! Pfui!*
40 Besonders erfolgreich waren und sind die Wörter aus dem Oktoberfest-Komplex. *Kipp es!* heißt auf Finnisch und in Argentinien so viel wie ‚Prost!'. Das Wort *gemütlichkeit* bedeutet im Amerikanischen ‚Volksfest', und
45 wenn ein Tscheche eine *runda* spendiert, so bekommt jeder im Lokal was zu trinken. Die Japaner bestellen ab und zu ein *kirushuwassa* (Kirschwasser), und wenn die Franzosen *un schnaps* zu viel hatten, beschimpfen sie ihren
50 Freund schon mal als *blödman*.

Eine gewisse Freude kann der Sprachrat nicht verbergen, wenn er meldet, dass es ein deutsches Wort sogar in die britische Jugendsprache geschafft hat: Statt *mega* heißt es in
55 London und Liverpool nun *uber*. Sogar in der Computerdomäne konnten sich deutsche Ausdrücke festsetzen: Israeli nennen das @-Zeichen *strudel*, und die Russen sagen *brandmauer* für die Schutzsoftware, die neu-
60 deutsch ‚Firewall' genannt wird.

Den größten Triumph im Wettstreit der Sprachen hat für uns aber das Wort *Handy* errungen. Es wurde nämlich im deutschen Sprachraum erfunden, auch wenn es englisch
65 klingt. Doch nun sind immer mehr Amerikaner zu hören, die ihr *mobile* auch *handy* nennen. Ist das nicht cool?

3a Gibt es in Ihrer Sprache deutsche Wörter? Überlegen und sammeln Sie gemeinsam im Kurs.

b Welche deutschen Wörter würden Sie gerne in Ihrer Sprache „aufnehmen"? Gibt es deutsche Wörter, die Sie besonders schön finden oder die etwas bezeichnen, wofür es in Ihrer Sprache kein Wort gibt? Wählen Sie drei Wörter und stellen Sie sie vor.

Missverständliches

1.2

1a Dass man irgendwo fremd ist, merkt man oft an Missverständnissen. Hören Sie vier Beispiele von interkulturellen Missverständnissen und machen Sie Notizen.

Beispiel 1: in Deutschland, Berlin; Gast aus Frankreich; Schild „Taxi frei" …

b Welche interkulturellen Missverständnisse haben Sie erlebt, von welchen haben Sie gehört? Berichten Sie.

über interkulturelle Missverständnisse berichten
In … gilt es als sehr unhöflich, …   Ich habe gelesen, dass man in … nicht …
Von einem Freund aus … weiß ich, dass man dort leicht missverstanden wird, wenn man …
Als ich einmal in … war, ist mir etwas sehr Unangenehmes/Lustiges passiert. …
Wir hatten einmal Besuch von Freunden aus …   Wir konnten nicht verstehen, warum/dass …

▶ Ü 1

2a Lesen Sie den Artikel und finden Sie Überschriften zu den drei Absätzen (Zeile 6–43).

Lerne die Regeln und verstehe das Spiel

1 **Stellen Sie sich einen Mannschaftssport vor – Basketball, Fußball oder Baseball –, den Sie schon seit Jahren spielen. Wie für jede Sportart gibt es Regeln, die, egal wo man spielt, gleich**
5 **sind.**

Das Phänomen Kultur ist damit vergleichbar: Man spielt in einem Team. Wie für jedes Spiel gibt es bestimmte Regeln. Für das „Spiel" Kultur gilt jedoch, ändert man den Wohnort und damit das
10 Team, dann verändern sich auch die Spielregeln. Im Gegensatz zum Sport gibt es keine Regeln, die immer und überall gültig sind. In jedem Land gelten andere Regeln. Daher müssen Sitten und Gebräuche anderer Kulturen erlernt und erfahren
15 werden. Ansonsten kann es passieren, dass man Fußball spielen möchte, während alle anderen Basketball spielen.

Auf die kurze Frage „Was ist eigentlich Kultur?" gibt es keine einfache Antwort. Nimmt man jedoch
20 die am häufigsten gebrauchte Definition, besteht Kultur aus den Werten, Normen und Verhaltensweisen, die von den Mitgliedern einer Gesellschaft geteilt werden und ihr Verhalten beeinflussen. Diese geteilten Werte einer Gesellschaft sind er
25 lernt und werden nicht biologisch vererbt. Durch die Erziehung in einer Kultur lernen wir die wichtigsten Regeln und Verhaltensweisen, um den Erwartungen dieser Gesellschaft gerecht zu werden.

Jede Kultur hat eigene Vorstellungen davon,
30 wie sich ein Mensch „richtig" oder „falsch" verhält, da es kulturspezifische Verhaltensmuster sind. Wenn Menschen aus mehreren Kulturen aufeinandertreffen, begegnen sich auch unterschiedliche Weltansichten. Fehlinterpretationen, Missver
35 ständnisse und Probleme entstehen oft deshalb, weil jede Seite dazu tendiert, die andere Gruppe aus der eigenen kulturellen Sicht zu betrachten. Für das bessere Verständnis anderer Kulturen ist es daher wichtig, sich darüber bewusst zu werden. Es
40 gibt in der Auseinandersetzung mit einer anderen Kultur kein „richtig oder falsch", sondern das Verhalten und die Sitten sind anders und unterschiedlich.

b Was sagt der Text zu den Ausdrücken: Spielregel, Kultur und Verhaltensmuster? Machen Sie Notizen.

c Warum ist es für das bessere Verständnis anderer Kulturen wichtig, kulturelle Unterschiede zu erkennen? Diskutieren Sie.

▶ Ü 2–3

3 Verstehen – missverstehen: Welche Möglichkeiten kennen Sie, im Deutschen etwas zu verneinen? Sammeln Sie, nutzen Sie auch die Redemittel aus Aufgabe 1b.

kein, niemand, autofrei, …

a Verneinen Sie die unterstrichenen Wörter.

1. Hast du schon einmal ein interkulturelles Missverständnis erlebt?
2. Ist das Getränk mit Alkohol?
3. Er hat ihr etwas Neues erzählt.
4. Hat denn jemand eine Idee?
5. Wir können heute noch fertig werden.
6. Wir machen jetzt eine Pause.
7. So etwas kann man überall kaufen.
8. Ich finde die Reaktion total verständlich.
9. Wir haben immer über diese Missverständnisse gesprochen.
10. Ich finde ihr Verhalten sehr tolerant.

1. Hast du noch nie …

b Negation mit Wortbildung. Ergänzen Sie Beispiele in der Tabelle. Ⓖ

	Verb	Substantiv	Adjektiv
un- in- des-/dis- a-/ab- non-		*die Unsicherheit*	
miss-			
-los/-frei -leer			

▶ Ü 4–5

4a Position von *nicht*. Lesen Sie die Sätze. Kreuzen Sie an, was verneint ist: ein Satzteil oder der ganze Satz?

	Satzteil	Satz
1. Sie kommt heute nicht.	☐	☐
2. Nicht sie ist heute gekommen, sondern ihre Freundin.	☐	☐
3. Sie ist heute nicht gekommen.	☐	☐
4. Sie ist heute nicht zu früh gekommen.	☐	☐
5. Sie kommt heute nicht zu uns.	☐	☐

b Ergänzen Sie die Regel. Ⓖ

Nicht verneint einen ganzen Satz: Es steht am _____ des Satzes bzw. _____ dem zweiten Teil der Satzklammer (z.B. Partizip, Infinitiv, trennbarer Verbteil), vor Adjektiven (z.B. *gut, früh, teuer*), _____ Präpositional-Ergänzungen (z.B. *Ich interessiere mich nicht für …*) und Lokalangaben (z.B. *Sie kommt nicht dorthin.*)

Nicht verneint einen Satzteil: Es steht direkt _____ diesem Satzteil.

▶ Ü 6

5 Notieren Sie einen Satz, mit oder ohne Negation, auf einem Zettel. Alle Zettel werden gemischt. Ziehen Sie einen Zettel, lesen Sie den Satz vor und sagen Sie dann das Gegenteil.

Zu Hause in Deutschland

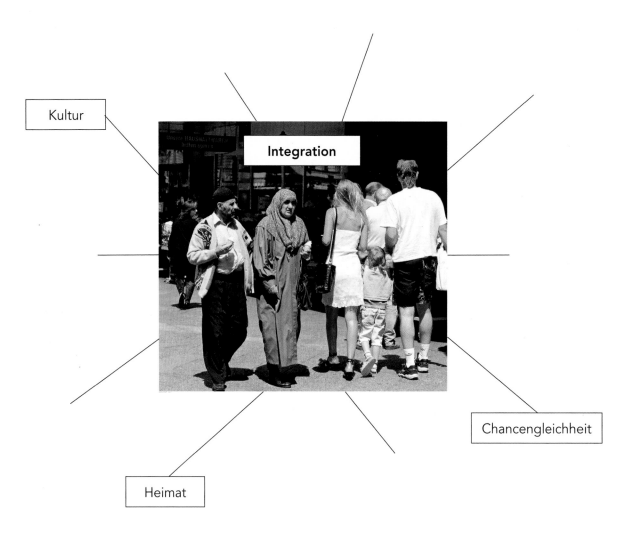

Kultur

Integration

Chancengleichheit

Heimat

1   Klären Sie, was die Begriffe mit Integration zu tun haben, und ergänzen Sie weitere Begriffe. Was bedeutet für Sie Integration? Diskutieren Sie.

1.6

2a Hören Sie einen Radiobeitrag zum Thema „Integration". Der Beitrag ist in drei Abschnitte aufgeteilt. Was ist der Schwerpunkt der einzelnen Abschnitte? Geben Sie jedem Abschnitt eine passende Überschrift.

Abschnitt 1: _____

Abschnitt 2: _____

Abschnitt 3: _____

b   Hören Sie den Beitrag noch einmal in Abschnitten.

1.6

Abschnitt 1: Ergänzen Sie die Informationen.

Anzahl der Menschen in Deutschland mit Migrationshintergrund: _____

Davon deutsche Staatsbürgerschaft: _____

Herkunftsland mit den meisten Zuwanderern: _____

keinen Schulabschluss: _____   keinen Berufsabschluss: _____   Arbeitslosenquote: _____

1.7

Abschnitt 2: Notieren Sie zu jeder Aussage einen Schlüsselbegriff und erläutern Sie anhand der Begriffe die Meinungen der befragten Personen.

Person 1:	Person 2:	Person 3:
Sprache		

Person 4:	Person 5:	Person 6:

Abschnitt 3: Ergänzen Sie die Zusammenfassung.
1.8

Mit diesem Projekt sollen _____ gefördert werden. Das Projekt findet

vorerst an _____ Schulen in _____ statt. Die Schüler absolvieren nicht nur

verschiedene Berufspraktika, sondern erhalten auch _____

_____.

Ziel ist die Verbesserung _____ und damit die Verhinderung

_____.

▶ Ü 1

3a **Hören Sie Abschnitt 2 noch einmal. Wie drücken die befragten Personen ihre Meinung aus? Notieren Sie die Redemittel und sammeln Sie weitere.**
1.9

eine Meinung äußern	auf Meinungen reagieren
	Da hast du / haben Sie völlig recht.
	Ich bin ganz deiner/Ihrer Meinung.
	Ich stimme dir/Ihnen zu.
	Der Meinung bin ich auch, aber ...
	Das ist sicher richtig, allerdings ...
	Ich sehe das (etwas/völlig) anders, denn ...
	Da muss ich dir/Ihnen aber widersprechen.
	Ich bezweifle, dass ...

▶ Ü 2

b **Diskutieren Sie über den Radiobeitrag. Was müssen Staat, Gesellschaft und der Einzelne leisten, damit Integration gelingen kann? Berichten Sie auch von eigenen Erfahrungen und verwenden Sie die gesammelten Redemittel.**

▶ Ü 3

Zu Hause in Deutschland

4a Arbeiten Sie zu dritt. Jeder liest einen Text und markiert die wichtigsten Informationen.

Koko N'Diabi Roubatou Affo-Tenin kann ihre Herkunft nicht verbergen, allerdings läge ihr auch nichts ferner: Ihr Haar, in Zöpfchen geflochten, bindet die Togoerin auf dem Rücken zusammen; in ihrem Kleid leuchtet sie farbenfroh inmitten hellgrauer Häuser. „Ich trage nur afrikanische Kleidung, weil ich mich darin wohlfühle."

Zweimal floh sie vor der eigenen Familie: Wanderarbeiter, die das Mädchen an einen Fremden verheiraten wollten. Sie besucht in der nächsten Stadt die Schule, wird schwanger, muss für den kleinen Sohn sorgen, verkauft Feuerholz und selbstgebackene Kekse. Aber Koko will mehr. Nach einer Odyssee durch die Wüste und übers Meer erreicht sie ihr Traumziel Berlin, studiert Betriebswirtschaft.

Heute leitet sie mit ihrem Mann eine Hausverwaltung in Berlin; ihr Sohn ist Ingenieur, Koko fühlt sich zu Hause: „Ich hatte Glück, Diskriminierung habe ich nicht erlebt. Noch nicht", fügt sie nachdenklich an. Ihr Selbstbewusstsein ist vielleicht der beste Schutz: „Ich bin Deutsch-Afrikanerin und will zeigen, dass Deutschland nicht nur blond und blauäugig ist."

Ivan Novoselić kam vor fünfzehn Jahren mit seiner Familie aus Kroatien nach Bochum und arbeitet in der Produktion eines großen Automobilherstellers. Seine Kinder gehen in Deutschland zur Schule, seine jüngste Tochter wurde hier geboren. „Aber trotzdem fühle ich mich hier nicht wirklich zu Hause. Wir werden immer Ausländer bleiben. Ich habe das Gefühl, wir können machen, was wir wollen. Nachbarn und Kollegen sehen uns immer als ‚die Fremden'." Die meisten Freunde der Familie stammen auch aus Kroatien. Private Kontakte zu Deutschen gibt es kaum. Seine Kinder kennen Kroatien nur aus dem Urlaub, aber hier sind sie auch nicht zu Hause. Sie fühlen sich zerrissen, leben zwischen zwei Kulturen. Ivan Novoselić denkt oft darüber nach, ob er wieder nach Kroatien gehen soll. „Bis zur Rente bleibe ich noch hier, aber dann will ich zurück. Die Kinder sind dann alt genug. Sie können dann selbst entscheiden, wo sie leben wollen."

Sandeep Singh Jolly, Gründer der Berliner Software- und Telekomfirma teta, wird nach 24 Jahren in Deutschland immer noch gelegentlich gefragt, wann er denn „wieder mal nach Hause" fahre. „Ich sage dann gern: ‚Jeden Abend!'"

Als er 1982 nach Deutschland kam, wurde sein Schulabschluss von einer Elite-Highschool in Bombay nicht anerkannt. Nachdem er in Windeseile Deutsch gelernt, die Hochschulreife nachgeholt und nebenbei noch das Charlottenburger Gewürz- und Gemüsegeschäft der Familie geführt hatte, ließ man ihn wegen einer Ausländerquote ein Jahr lang warten, bis er endlich Informatik studieren durfte. Doch Sandeep Jolly ließ sich nicht ausbremsen. Während des zweiten Semesters gründete er mit Kommilitonen eine erste Firma. Und dann ging es eigentlich immer so weiter.

Was ist das Geheimnis seines Erfolgs? „Ich habe mich von Anfang an für Deutschland entschieden", sagt er. Zurückgehen war keine Option, und Scheitern kam nicht infrage. Er musste um jeden Preis in dem fremden Land zurechtkommen.

Fragt man Herrn Jolly, der längst deutscher Staatsbürger ist, nach seiner Identität, dann sagt er: „Ich bin Deutsch-Inder." An der deutschen Unternehmenskultur liebt er das rationale Planen und Projektieren, an der indischen die Flexibilität und Gelassenheit. Es falle ihm oft schwer, die „deutsche Zaghaftigkeit, den mangelnden Kampfgeist und den Sozialneid" zu verstehen.

b Notieren Sie die wichtigsten Informationen zu „Ihrer" Person.

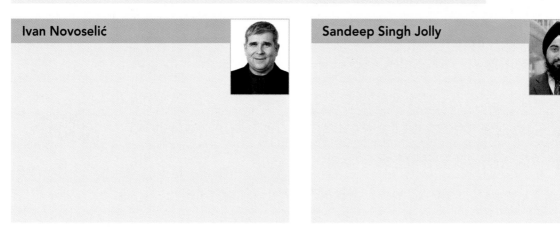

Koko N'Diabi Roubatou Affo-Tenin

kommt aus Togo

Ivan Novoselić

Sandeep Singh Jolly

c Stellen Sie „Ihre" Person vor. Ihre Partner notieren die Informationen in dem entsprechenden Kasten.

d Was sagen die drei Personen zum Thema „Identität" oder „Migration"? Welche Aussage finden Sie besonders interessant?

▶ Ü 4

5 Schreiben Sie in einem Forum einen Beitrag zum Thema „Integration". Gehen Sie dabei auf folgende Punkte ein:

– Beschreiben Sie, was für Sie persönlich Integration bedeutet.
– Welche Maßnahmen müssen erfolgen, damit Integration funktioniert?
– Wie ist die Situation in Ihrem Land?
– Berichten Sie von eigenen Erfahrungen.

6 Ihre Sprachschule veranstaltet einmal pro Jahr ein großes Fest, das den ganzen Tag dauert. Dieses Jahr soll es ein multikulturelles Fest sein. Sie sollen zu zweit dieses Fest planen. Überlegen Sie, was für ein Programm Sie anbieten können, wer welche Aufgaben übernimmt und was Sie alles brauchen und organisieren müssen. Machen Sie Ihrem Partner / Ihrer Partnerin Vorschläge und entwickeln Sie dann gemeinsam ein Programm.

TELC

Vorschläge machen
Wie wär's, wenn ...?   Was hältst du von folgendem Vorschlag: ...?   Ich hätte da eine Idee: ...
Wir könnten doch ... / Wir sollten auch ...   Ich könnte mir vorstellen, dass wir ...

▶ Ü 5

Porträt

Fatih Akın (* 25. August 1973 in Hamburg)

Filmregisseur

Fatih Akın

Fatih Akın ist deutscher Filmregisseur, Drehbuchautor, Schauspieler und Produzent türkischer Abstammung. Sein Vater übersiedelte 1965 nach Deutschland. Seine Mutter folgte drei Jahre später. Geboren und aufgewachsen ist Akın im multikulturellen Hamburger Stadtteil Altona. Im Alter von 16 Jahren stand für ihn nach ersten Schauspielerfahrungen auf der Schule fest, dass er ins Filmgeschäft will. Erste Videoproduktionen mit Freunden und einer Super-8-Kamera entstanden und er wurde Mitglied einer Off-Theatergruppe am Hamburger Thalia Theater. Seit seiner Schulzeit schreibt Akın Kurzgeschichten und kurze Drehbücher.

1993 begann Akın mit Aushilfstätigkeiten vor und hinter den Filmkulissen und arbeitete zunehmend als Autor, Regisseur und Schauspieler. 1994–2000 absolvierte er das Studium „Visuelle Kommunikation" an der Hamburger Hochschule für bildende Künste. Aus der Zusammenarbeit mit dem Produzenten Ralph Schwingel gingen zunächst zwei Kurzfilme hervor; vier preisgekrönte Spielfilme sollten folgen. 1998 debütierte Akın als Spielfilmregisseur mit „Kurz und schmerzlos". 1999 hatte er eine Hauptrolle im Thriller „Kismet".

2004 gewann Fatih Akıns Film „Gegen die Wand" den Goldenen Bären auf dem Berliner Filmfest. Als ungewöhnlich frühe Anerkennung seines Filmschaffens wurde Fatih Akın 2005 in die Jury der Filmfestspiele von Cannes eingeladen, dem wichtigsten europäischen Filmfestival. 2005 veröffentlichte Fatih Akın seinen Film „Crossing the Bridge – The Sound of Istanbul", einen Film über die Musik Istanbuls. Mit seinem Film „Auf der anderen Seite" gewann Akın 2007 im Wettbewerb des 60. Filmfestivals von Cannes den Drehbuchpreis.

Akın erklärte die besondere Perspektive von Regisseuren nicht-deutscher Herkunft in einem Interview: „Unser Blick auf die deutsche Gesellschaft ist ein anderer. Und dadurch auch der auf das Kino. Wir haben noch einen zweiten Blick, den unserer Herkunftsländer. Darum sehen wir das Land durch ganz andere Augen. Wir sehen Sachen, die andere Leute nicht mehr wahrnehmen. Das macht unsere Filme anders."

Mit seiner deutsch-mexikanischen Frau Monique Obermüller und seinem Sohn wohnt Akın in Hamburg. Obermüller ist Schauspielerin, sie tritt in einigen seiner Filme auf und unterstützt ihren Mann organisatorisch. Akıns älterer Bruder Cem Akın arbeitet hauptberuflich im türkischen Konsulat und tritt gelegentlich als Darsteller in seinen Filmen auf. Fatih Akın gilt als zielstrebig und temperamentvoll. In seiner Freizeit legt er in Szene-Kneipen Platten auf.

Mehr Informationen zu Fatih Akın

Sammeln Sie Informationen über Persönlichkeiten aus dem In- und Ausland, die zum Thema „Heimat" interessant sind, und stellen Sie sie im Kurs vor. Sie können dazu die Vorlage „Porträt" im Anhang verwenden. Beispiele aus dem deutschsprachigen Bereich: Feridun Zaimoglu – Minh-Khai Phan-Thi – Goran Kovačević – Gerald Asamoa – Wladimir Kaminer – Patricia Kaas

1 Wortstellung im Satz

Dativ- und Akkusativ-Ergänzungen

Dativ-Ergänzungen stehen vor Akkusativ-Ergänzungen.	*Ich gebe dem Mann die Schlüssel.*
Aber: Ist die Akkusativ-Ergänzung ein Pronomen, steht sie **vor** der Dativ-Ergänzung.	*Ich gebe sie dem Mann / ihm.*

Reihenfolge der Angaben im Mittelfeld

		Mittelfeld				
Ich	bin	vor einigen Jahren	aus beruflichen Gründen	relativ spontan	nach Neuseeland	gezogen.
		temporal	**kausal**	**modal**	**lokal**	

Will man eine Angabe betonen, so ändert sich die Reihenfolge. Man kann z.B. das, was man betonen möchte, auf Position 1 stellen.
Aus beruflichen Gründen bin ich vor einigen Jahren spontan nach Neuseeland gezogen.

Reihenfolge von Ergänzungen und Angaben im Mittelfeld

		Mittelfeld					
Ich	habe	meiner besten Freundin	jeden Tag	aus Heimweh	mehrere E-Mails	ins Büro	geschickt.
		Dativ	**temporal**	**kausal**	**Akkusativ**	**lokal**	

Die Dativergänzung kann auch nach der Temporalangabe stehen.
Ich habe jeden Tag meiner besten Freundin aus Heimweh mehrere E-Mails ins Büro geschickt.
Präpositional-Ergänzungen stehen normalerweise nach den Angaben.

2 Negation

Negationswörter

etwas	↔	nichts	schon/bereits	↔	noch nicht
jemand	↔	niemand	schon/bereits einmal	↔	noch nie
irgendwo	↔	nirgendwo/nirgends	immer	↔	nie/niemals
			(immer) noch	↔	nicht mehr

Negation mit Wortbildung

miss-	verneint Verben, Substantive und Adjektive
un-, in-, des-/dis-, a-/ab-, non-	verneinen Substantive und Adjektive
-los/-frei, -leer	verneinen Adjektive

Position von *nicht*

Wenn *nicht* einen ganzen Satz verneint, steht es im Satz ganz hinten oder vor dem zweiten Verbteil (z.B. Partizip, Infinitiv, trennbarer Verbteil), vor Adjektiven (*gut, früh, teuer, …*) und vor Präpositional-Ergänzungen (*Ich interessiere mich nicht für …*) sowie lokalen Angaben (*Sie kommt nicht dorthin.*). Wenn *nicht* einen Satzteil verneint, steht es direkt vor diesem Satzteil.

Ganz von vorn beginnen

1a Was bedeutet das Wort „Auswandern"? Erklären Sie.

  b Warum verlassen Menschen dauerhaft ihr Heimatland, ihre Familie und Freunde? Sammeln Sie Gründe.

  c Können Sie sich vorstellen, selbst einmal auszuwandern? Wohin würden Sie gehen? Welche Schwierigkeiten könnten mit der Zeit auftreten?

Eva

Uwe

Yvonne

Denise

Janine

2a Sehen Sie den ganzen Film. Fassen Sie den Inhalt kurz zusammen.

  b Was sagen die Personen im Film zu ihrem Neubeginn? Notieren Sie die Namen.

1. _____ Und dann war es so, dass ich ein kleines Geschäft in Deutschland hatte, und ... Computerbereich lief nicht mehr so gut.

2. _____ Ich kannte hier keinen und ich konnte auch gar kein Spanisch, und da waren so viele Kinder und alle sprechen halt in Spanisch.

3. _____ Ich war noch klein, und ich war erst zwölfeinhalb, und da musste ich halt mit. Ich konnte mich ja nicht dagegen wehren.

4. _____ Noch sind wir in einem Alter, wo man noch mal was Neues anfangen kann, und da haben wir das in Angriff genommen.

5. _____ Wir kommen im nächsten Jahr runter, machen erst mal Urlaub und dann gucken wir uns das mal an.

  c Wie finden Sie die Familie?

3 Klären Sie die Bedeutung folgender Wörter und Wendungen aus dem Film:

1 etwas in Angriff nehmen	a	traurig werden
2 sich durchbeißen	b	der Lebens- oder Ehepartner
3 ein „Mann für alle Fälle"	c	die Jahre nach dem Arbeitsleben
4 das Herz wird schwer	d	jemand, der vielfältig begabt ist
5 die „bessere Hälfte"	e	beginnen, etwas zu tun
6 der Lebensabend	f	etwas trotz Widerständen durchsetzen

1 **4** Bilden Sie zwei Gruppen. Sehen Sie die erste Sequenz des Films und beantworten Sie die Fragen. Tauschen Sie die Ergebnisse im Kurs aus.

> **Gruppe A:**
> Was haben die Eltern in Deutschland beruflich gemacht? Welche Motive hatten sie, Bielefeld zu verlassen? Warum haben sie Spanien gewählt?

> **Gruppe B:**
> Wie haben die jüngsten Kinder der Knells (Yvonne und Denise) reagiert, als sie von den Auswanderungsplänen ihrer Eltern erfahren haben?

2 **5a** Sehen Sie die zweite Filmsequenz und machen Sie Notizen zur Situation der Knells in Alicante: Wohnverhältnisse, Arbeit und Einkommen, Schule, Sprache, Behörden, Integration, ... Sprechen Sie dann im Kurs.

b Was machen die Knells Ihrer Meinung nach gut und was sollten sie anders machen?

c Was glauben Sie: Warum zögert die älteste Tochter (Janine) noch, zu ihren Eltern nach Spanien zu ziehen?

6 Sprechen Sie mit Ihrem Partner / Ihrer Partnerin über die Grafik.

a Was sagt die Statistik zu den Zahlen deutscher Auswanderer aus? Welche Gründe für die Veränderungen vermuten Sie?

b Wie erklären Sie sich die Rangfolge der beliebtesten Auswanderungsländer?

c Diskutieren Sie Ihre Vermutungen zu Aufgabe 6a und b im Kurs.

d Welche Länder sind in Ihrer Heimat beliebte Auswanderungsziele?

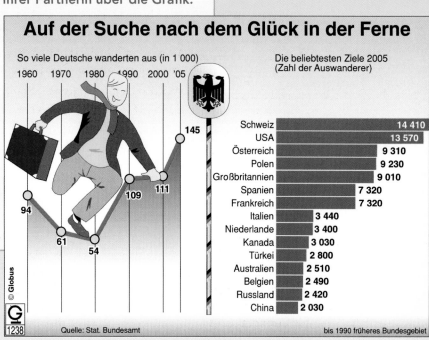

Sprich mit mir!

1 Sind Sie fit in Kommunikation? Bearbeiten Sie die Aufgaben A bis F. Manchmal gibt es mehrere Antworten.

A Sehen Sie sich die Zeichnung an. Was will Marie ihrem Mann sagen? Notieren Sie eine „Übersetzung".

_____

_____

_____

_____

_____

_____

Ach, schau mal ... Paris. Das wär doch schön.

B Sehen Sie sich das gleiche Bild aus zwei unterschiedlichen Perspektiven an. Wie wirkt die Frau auf Bild A? Wie auf Bild B? Notieren Sie je ein passendes Adjektiv.

_____   _____

Sie lernen

Einen Fachtext zum Thema „Nonverbale Kommunikation" verstehen . . . . Modul 1

Über einen Text zum Thema „Frühes Fremdsprachenlernen" diskutieren . . . . Modul 2

Verschiedene Smalltalks hören und beurteilen und Einstiege in Smalltalks üben . . . . Modul 3

Aussagen zu positiver und negativer Kritik verstehen . . . . Modul 4

In einem Rollenspiel einen Streit konstruktiv führen . . . . Modul 4

Grammatik

Vergleichssätze mit *als*, *wie* und *je ...*, *desto/umso* . . . . Modul 1

das Wort *es* . . . . Modul 3

C Was bedeuten diese Piktogramme? Was soll, kann, darf man hier (nicht) tun?

_____   _____

_____   _____

D Welche Informationen transportieren diese Augen und Münder?

1 _____ 2 _____ 3 _____

4 _____ 5 _____ 6 _____

E Was sagen Ihnen die folgenden Blumen? Notieren Sie ein Stichwort.

F Hören Sie zu und kreuzen Sie an. Welche Szene bedeutet etwas Positives (+)? Welche etwas Negatives (-)?

1.10

	+	–		+	–
Szene A	☐	☐	Szene G	☐	☐
Szene B	☐	☐	Szene H	☐	☐
Szene C	☐	☐	Szene I	☐	☐
Szene D	☐	☐	Szene J	☐	☐
Szene E	☐	☐	Szene K	☐	☐
Szene F	☐	☐	Szene L	☐	☐

2 Vergleichen Sie Ihre Ergebnisse im Kurs. Gibt es Unterschiede? Wenn ja, wie können Sie diese erklären?

3a Wir kommunizieren auf unterschiedlichen Wegen. Welche wurden bisher angesprochen?

b Kennen Sie noch andere Wege, über die wir Botschaften senden und empfangen? Recherchieren Sie im Internet mithilfe der Stichworte „zwischenmenschliche Kommunikation" und „nonverbale Kommunikation".

Gesten sagen mehr als tausend Worte ...

1a Was könnten diese Handbewegungen bedeuten? Ordnen Sie die Bedeutungen a–d den Bildern zu.

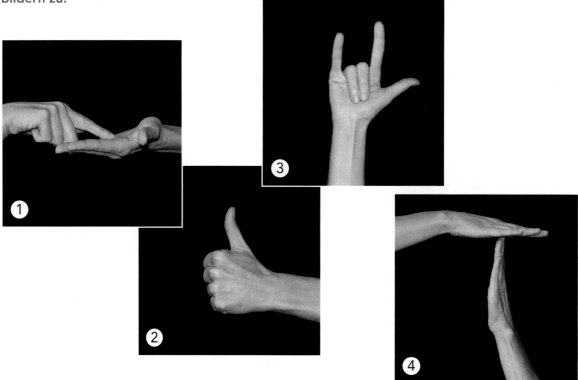

a Diese Geste kommt aus dem American Football und bedeutet *time out* (Auszeit).	**c** Die gebräuchlichste Bedeutung dieser Geste ist das *o.k.* In Japan dagegen bedeutet sie *Mann*.
b Diese Geste stammt aus Israel und bedeutet: *Bevor ich dir das glaube, wächst mir Gras aus der Hand.*	**d** Diese Geste stammt aus der Gebärdensprache und bedeutet: *Ich liebe dich.*

▶ Ü 1   **b Kennen Sie noch andere Gesten? Zeigen Sie sie und lassen Sie die anderen Kursteilnehmer raten, was sie bedeuten.**

2a Was ist Körpersprache? Muss man sie lernen?

1.11   **b Hören Sie einen Beitrag zum Thema „Körpersprache". Welche Aspekte werden genannt?**

c Hören Sie noch einmal und ergänzen Sie die Satzanfänge.

    a Körpersprache drückt sich aus in _____

    b Menschen verraten ihre Emotionen, weil _____

    c Fast alle Erdbewohner benutzen _____

    d Jedes Baby versteht Lächeln als _____

    e Gesten sind _____

▶ Ü 2–3   f Körpersignale aus anderen Kulturen _____

3a Vergleiche anstellen. Ergänzen Sie in den Sätzen *als* oder *wie*.

1. Botschaften der Körpersprache nehmen wir genauso schnell wahr, _____ wir gesprochene
   Sprache aufnehmen.

2. Instinktiv achten wir viel mehr auf Körpersprache, _____ wir meinen.

3. Körpersignale aus anderen Kulturen bedeuten oft etwas anderes, _____ man denkt.

1.12
b Hören Sie zur Kontrolle nochmals drei Sätze aus dem Beitrag zur Körpersprache.

c Ergänzen Sie die Regel.

G

| 1. *so/genauso* + Grundform + _____ | 2. Komparativ + _____ | 3. *anders* + _____ |

▶ Ü 4–5

**d Unterstreichen Sie in den folgenden Sätzen die Verben. Bestimmen Sie Haupt- und
Nebensatz.**

1. Je eindeutiger die Signale sind, desto besser verstehen wir sie.

2. Je länger ein Gespräch dauert, umso klarer wird das Ausdrucksmuster von Körpersignalen.

e Markieren Sie in jedem Teilsatz die Konnektoren. Ergänzen Sie dann die Regel.

G

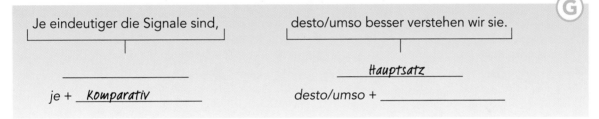

Je eindeutiger die Signale sind,   desto/umso besser verstehen wir sie.

_____   ___Hauptsatz___

je + ___Komparativ___   desto/umso + _____

4 Bilden Sie Vergleichssätze mit *je ... , desto/umso*.

1. Man versteht Körpersprache gut. Es gibt wenig Missverständnisse. 2. Man nimmt Körpersignale schnell wahr. Man kann angemessen reagieren. 3. Man erkennt Reaktionen des Kunden
leicht. Man kann Verkaufsverhandlungen optimieren. 4. …

▶ Ü 6–7

5 Stellen Sie ein Gefühl pantomimisch dar. Die anderen raten.

Früh übt sich ...

1 Welche Fremdsprachen sprechen Sie? Wann haben Sie begonnen, eine Sprache zu lernen? Welches Alter ist Ihrer Meinung nach das beste, um eine Sprache zu lernen?

2a Lesen Sie den Text. Welche Meinung hat der Autor zum Thema „Frühes Fremdsprachenlernen"?

Früh übt sich – auch beim Fremdsprachenlernen

1 Frühes Lehren und Lernen fremder Sprachen in der Grundschule ist nichts Neues. Die Waldorfschulen praktizieren es bereits seit 1919. Je früher man einem Kind nämlich die Gelegenheit gibt,
5 mehrere Sprachen zu hören, umso früher beginnt es auch, diese Sprachen zu verstehen und zu sprechen. Dass beim frühen Lernen eine bessere Sprachbeherrschung erreicht werden kann, wird häufig mit zwei Argumenten bestritten. Kinder, so
10 heißt es, brauchten Zeit zum Spielen; Lernen könnten sie später. Außerdem sollten sie zunächst ihre Muttersprache „richtig" können, ehe sie sich mit anderen Sprachen befassen.

Beide Argumente sind falsch. Es ist wissen-
15 schaftlich nachgewiesen, dass die Möglichkeiten und die Bereitschaft zum Lernen gerade in der frühen Kindheit am stärksten ausgeprägt sind und darum weit mehr als heute üblich genutzt werden sollten; der Muttersprachenerwerb ist in
20 der Regel spätestens im fünften Lebensjahr grundlegend abgeschlossen. Kinder, die zwei- oder mehrsprachig aufwachsen, können die Sprachen, die sie lernen, zwar kurzfristig „mischen"; aber es ist nicht richtig, dass sie bei der Kenntnis zweier
25 oder mehrerer Sprachen keine von ihnen so gut beherrschen wie Kinder, die einsprachig aufwachsen. Langfristig verfügen sie nämlich über einen größeren Wortschatz in all den Sprachen, die sie kennen, sie sind vielseitiger in ihrer allgemeinen
30 Lernbereitschaft, und sie sind in ihrer Auffassungsgabe einsprachig aufwachsenden Kindern überlegen.

Kinder sind also kleine Sprachgenies, und zwar nicht nur dann, wenn sie ihre Muttersprache lernen.
35 Auch in der Grundschule ist ihr Sprachtalent noch immer stark ausgeprägt, und sie können hier fremde Sprachen schneller und besser erwerben, als es später jemals möglich sein wird. Auf eine einfache Formel gebracht kann man deshalb sagen: Je früher
40 man einem Kind Gelegenheit gibt, zwei oder mehr Sprachen zu hören, umso früher beginnt es auch, diese Sprachen zu verstehen und zu sprechen.

Ein zweiter Grund, der für frühes Fremdsprachenlernen spricht, ist die Tatsache, dass Kin-
45 der perfekte Imitatoren sind. Was sie hören, sprechen sie perfekt nach, und dabei ist es ihnen völlig gleichgültig, ob es sich um ihre Muttersprache oder um eine andere Sprache handelt.

Authentische Sprachvorbilder sind deshalb die
50 beste Voraussetzung für ein richtiges „Einhören" in eine andere Sprache. Im Idealfall sollte früher Fremdsprachenunterricht darum von Lehrerinnen und Lehrern erteilt werden, die Muttersprachler sind. Deutsche Fremdsprachenlehrer, die eine an-
55 dere Sprache selbst als Fremdsprache gelernt haben, sind nur selten in der Lage, in Aussprache, Intonation und spontaner Sprachbeherrschung so perfekt zu sein wie jemand, der eine Sprache von klein auf benutzt hat. Hier liegt eine der gegen-
60 wärtigen Schwachstellen bei der Einführung von Fremdsprachen in der Grundschule. Die meisten Lehrerinnen und Lehrer erteilen zurzeit Unterricht in einer fremden Sprache, ohne dafür ausreichend – wenn überhaupt – vorbereitet worden zu
65 sein. Nur wenige Grundschullehrer können mit ihrem Examen zugleich auch die Lehrbefähigung für eine Fremdsprache erwerben. Die meisten unterrichten dieses Fach darum bis jetzt mit viel Begeisterung, mit grundschulpädagogischem En-
70 gagement, aber ohne ausreichende fremdsprachliche Kompetenz.

b Notieren Sie aus dem Text:

Pro-Argumente	Contra-Argumente	jetzige Situation
Sprachen früher lernen → Sprachen besser beherrschen		

c Notieren Sie Informationen aus Ihrer Perspektive:

– Für Sie interessante Aspekte und Argumente aus dem Text
– Eigene Erfahrungen
– Ihre Meinung

d Arbeiten Sie in zwei Gruppen. Jede Gruppe sammelt Redemittel zu einem Bereich. Tauschen Sie anschließend Ihre Redemittel aus.

A Sich über einen Text äußern

Ein Thema angeben	Interessante Inhalte benennen	Eigene Argumente nennen
In dem Text geht es um ...	Ich finde besonders interessant, ...	Ich möchte noch ergänzen, ...

B Diskutieren

Zustimmung ausdrücken	Ablehnung ausdrücken	Zweifel ausdrücken
Ja, das stimmt.	Ich bin anderer Meinung ...	Ich bin da nicht sicher ...

TELC

e Diskutieren Sie mit Ihrem Partner / Ihrer Partnerin über den Inhalt des Textes, bringen Sie Ihre Erfahrungen ein und äußern Sie Ihre Meinung. Begründen Sie Ihre Argumente. Sprechen Sie über mögliche Lösungen.

▶ Ü 1–2

Smalltalk – die Kunst der kleinen Worte _____

1a Stellen Sie sich folgende Situation vor: Sie sind bei der Arbeit und warten in einem Besprechungsraum auf jemanden, der einen Vortrag halten soll. Mit Ihnen sind noch zwei Personen im Raum, die Sie nicht kennen. Wie kommen Sie mit den anderen ins Gespräch? Sammeln Sie im Kurs Ideen für geeignete Themen. Sammeln Sie auch Themen, die man lieber vermeiden sollte.

b Lesen Sie den Text und machen Sie Notizen. Welche Tipps gibt der Text zu den Punkten: „Gespräche beginnen", „Themenwahl" und „Sympathie gewinnen"?

Geschickt Smalltalken

1 Sie sitzen bei einem geschäftlichen Dinner und ausgerechnet Ihr Tischnachbar ist ein Langeweiler. Worüber sollen Sie mit dem reden? Später wird Ihnen der Chef Ihres Mannes vorgestellt. Was erzählen Sie dem? Die Kunst des Smalltalkens will gelernt sein.
Jürgen Hesse, Gründer und Inhaber des „Büros für Berufsstrategie", gibt Seminare zum Thema
5 Smalltalk und hat zwei Bücher darüber geschrieben:

Es ist wirklich eine hohe Kunst, ein Gespräch zu eröffnen und damit das Ping-Pong-Spiel Kommunikation zu starten. Es kann immer mal passieren, dass Sie bei einer Party neben dem langweiligsten Tisch-
10 nachbarn sitzen, jemand, bei dem Sie keine Ahnung haben, worüber Sie sich mit ihm unterhalten sollen. Dann ist es am einfachsten, Sie greifen etwas aus der unmittelbaren Umgebung heraus. „Wie schmeckt Ihnen der Schweinebraten?" Dazu kann jeder was
15 sagen. Beginnen Sie das Gespräch aber nie direkt mit einer Frage. Geben Sie dem anderen Zeit, sich darauf einzustellen, dass er gleich etwas sagen muss, zum Beispiel indem Sie erstmal feststellen: „Mhh, das riecht aber gut." Ein Thema, über das man immer ins
20 Gespräch kommt, ist tatsächlich das Wetter. Untersuchungen haben gezeigt, dass sich die Menschen immer mehr fürs Wetter interessieren. Sie können sich auch über Krankheiten unterhalten. Und ich habe schon wunderbare Gespräche über Sternzeichen
25 geführt. Entscheidend ist, dass Sie ein Thema finden, das der andere interessant findet. Es geht weniger darum, sich selbst gut darzustellen, als dem anderen die Möglichkeit zu geben, sich zu präsentieren und wohl zu fühlen. Wenn Sie beim Gegenüber punkten
30 müssen, weil es sich zum Beispiel um den Chef Ihres Mannes oder die zukünftige Schwiegermutter handelt, geht es darum, Sympathien zu gewinnen. Das funktioniert am besten, wenn Sie Gemeinsamkeiten feststellen, zum Beispiel: „Sie kommen aus München,
35 ich auch." Genauso gut ist es, wenn Sie eine Leidenschaft teilen – fürs Theater oder für Fußball.

1.13

2a Hören Sie, wie drei Personen in der in Aufgabe 1a beschriebenen Situation versuchen, ein Gespräch zu beginnen. Sie hören zu jeder Person zwei Varianten. Machen Sie Notizen zu den Punkten „Themenwahl" und „Sympathie gewinnen."

Gespräch 1, Variante 1   *spricht negativ über einen Kollegen, ...*

b Hören Sie die Gespräche noch einmal und ergänzen Sie Ihre Notizen. Bewerten Sie die sechs Gespräche mithilfe Ihrer Notizen aus Aufgabe 1b. Welches Gespräch gefällt Ihnen am besten und warum?

1.16 c Hören Sie nun die Auswertung der Gespräche durch einen Experten. Vergleichen Sie seine Meinung mit Ihren Beurteilungen. Erstellen Sie eine Übersicht mit Tipps zur Eröffnung eines Gesprächs (was man tun soll – was man vermeiden soll).

3a Das Thema „Wetter" eignet sich fast immer für Smalltalk. Sammeln Sie Sätze, mit denen Sie ein Gespräch zu diesem Thema eröffnen können.

Heute ist es aber wieder heiß.   *Regnet es bei Ihnen in … auch so oft?*

b Obligatorisches *es*. Lesen Sie die Sätze und markieren Sie das Subjekt.

Oft geht es einfach nur darum, Sympathien zu gewinnen. – Genauso gut ist es, wenn Sie eine Leidenschaft teilen. – Für den Beginn eines Gesprächs gibt es unzählige Möglichkeiten. – Es regnet. – Wie geht es Ihnen? – In dem Vortrag heute geht es um … – In unserem Unternehmen kommt es vor allem darauf an …

▶ Ü 1

c Ergänzen Sie die Regel mit den Wörtern *es* und *Subjekt*.

G

Im deutschen Satz steht immer ein _____. Das Wort _____ übernimmt die Rolle des Subjekts, z.B. bei Wetterverben (*es regnet*, …) und bei andern festen lexikalischen Verbindungen mit *es* (*Wie geht es dir?*, *es geht um …*, *es ist gut/schlecht/schön …*, *es gibt*, …).

d *Es* als Platzhalter auf Position 1. Vergleichen Sie die Sätze, markieren Sie *es* und ergänzen Sie die Regel mit *es*, *Position 1* und *Verb*.

G

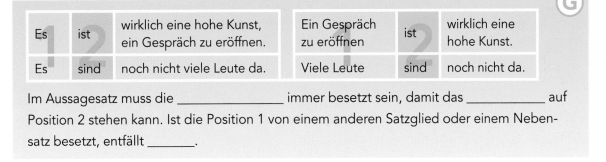

| Es | ist | wirklich eine hohe Kunst, ein Gespräch zu eröffnen. | Ein Gespräch zu eröffnen | ist | wirklich eine hohe Kunst. |
| Es | sind | noch nicht viele Leute da. | Viele Leute | sind | noch nicht da. |

Im Aussagesatz muss die _____ immer besetzt sein, damit das _____ auf Position 2 stehen kann. Ist die Position 1 von einem anderen Satzglied oder einem Nebensatz besetzt, entfällt _____.

e *Es* als Akkusativ-Ergänzung. Lesen Sie die Sätze und ergänzen Sie die Regel.

Ich kann es kaum glauben, dass der Referent wieder zu spät kommt.

Dass der Referent wieder zu spät kommt, kann ich kaum glauben.

G

In Hauptsätzen steht *es* oft auch als Akkusativ-Ergänzung und verweist dann auf einen Nebensatz mit _____ oder Infinitiv mit *zu*. Wenn der Nebensatz vorangestellt ist, entfällt _____.

▶ Ü 2–3

4 Üben Sie Smalltalk. Wählen Sie eine der Situationen und beginnen Sie ein Gespräch.

A Sie warten mit einer Kollegin aus der Nachbarabteilung darauf, dass der Kopierer frei wird.
B Sie sind zum ersten Mal zum Abendessen bei Ihrem neuen Kollegen eingeladen.

Wenn zwei sich streiten ...

1a Sehen Sie sich die Fotos und Informationen zu den Personen an. Wer teilt Kritik aus, wer steckt Kritik ein? Begründen Sie.

Die Gepäckermittlerin:
Tanja Block, 35, Gepäckermittlerin
bei einer Fluggesellschaft

Kritik-Motto:
Immer ruhig bleiben – nichts persönlich nehmen.

Der Literaturkritiker:
Walter Volkmann, 56,
Ressortleiter Feuilleton

Kritik-Motto:
Ein sonniges Gemüt bewahren – und immer ehrlich sein!

Die Lehrerin:
Simone Ritterbusch, 31, unterrichtet Deutsch und Wirtschaft an einer Saarbrücker Berufsschule

Kritik-Motto:
Kritik und Respekt gehören zusammen!

b Erstellen Sie eine Liste mit Berufen, in denen man viel oder wenig Kritik üben muss.

c Wann kritisieren Sie? Wann werden Sie kritisiert? Sprechen Sie im Kurs.

Es kommt darauf an: Zu Hause kritisiere ich oft, aber in meinem Job im Hotel kritisiere ich selten. Da muss ich mir die Kritik von den Gästen anhören.

2a Hören Sie ein Interview einmal. Was sagen die Personen aus Aufgabe 1 zum Thema „Kritik". Entscheiden Sie beim Hören, ob die Aussagen richtig oder falsch sind.

1.22

P
TELC

	r	f
Tanja Block		
1. Wir werden für etwas kritisiert, was andere Personen verschuldet haben.	☐	☐
2. Ich frage die Menschen sofort, wie ich ihnen helfen kann.	☐	☐
3. Wenn Gäste sehr wütend sind, wollen sie immer gleich meinen Chef sprechen.	☐	☐
Walter Volkmann		
4. Die Leser erwarten eine eindeutige Kritik, wenn ich ein Buch bespreche.	☐	☐
5. Bei meiner Kritik berücksichtige ich auch immer den Autor als Mensch.	☐	☐
6. Ich ärgere mich über Kritiker, die Bücher bewerten, ohne sie richtig zu lesen.	☐	☐
Simone Ritterbusch		
7. Schüler reagieren bei Kritik schnell aggressiv.	☐	☐
8. Ich kann keine Schüler kritisieren, die älter sind als ich.	☐	☐
9. Ich muss Schüler aktiv auffordern, Verbesserungen vorzuschlagen.	☐	☐
10. Es gibt Formen der Kritik, die die Schüler verunsichern.	☐	☐

b Hören Sie noch einmal. Wie gehen die Personen mit Kritik um? Welche Einstellungen haben sie zu Kritik?

c Welcher Einstellung stimmen Sie zu? Welcher nicht? Diskutieren Sie im Kurs.

▶ Ü 1

3a Der nachfolgende Text trägt die Überschrift „Richtig streiten". Sammeln Sie im Kurs fünf Fragen an den Text.

1. Worauf muss man beim Streiten achten?   *2. Wie ...*

b Lesen Sie nun den Text. Welche Informationen finden Sie zu Ihren Fragen?

Richtig streiten

1 So lange es die Menschheit gibt, gibt es auch Konflikte. Wir finden sie in allen zwischenmenschlichen Beziehungen, denn nur selten lassen sich alle individuellen Wünsche und Vorstellungen 5 harmonisch verbinden. Und können sich zwei nicht einigen, so stehen sie vor einem Konflikt.

Viel wichtiger als der Streitgegenstand sind die Gründe des Konflikts. Wie bei einem Eisberg sind die Ursachen oft sehr weitreichend und zunächst 10 unter der sichtbaren Oberfläche verborgen. Sie können in der Vergangenheit liegen oder die Wirkung von Ereignissen sein, die auf den ersten Blick mit der aktuellen Situation gar nichts zu tun haben. Sie hängen zusammen mit den Hoffnungen, Er-15 fahrungen und Ängsten der beteiligten Personen.

Streiten ist etwas Alltägliches, alle tun es und daher scheint der Streit wichtig für uns. Für Konflikte gibt es oft erstaunlich viele Lösungen. Die Fähigkeit, Probleme zu überwinden, ist eine 20 kreative und kraftvolle menschliche Eigenschaft. Erst, wenn die Menschen ihre Herzen verschließen und Gewalt eine Rolle spielt, wird aus dem Konflikt eine Bedrohung.

Konflikte können aber durchaus positiv und 25 kreativ verlaufen.

Zuerst müssen wir akzeptieren, dass zu einem Streit immer mindestens zwei Parteien gehören. Das können z.B. Bruder und Schwester sein, die sich um ein Spielzeug streiten, oder zwei Kollegen, 30 die beide die Führungsrolle im gemeinsamen Projekt übernehmen wollen. In den meisten Fällen sind auch dritte Personen involviert. So wird z.B. die Mutter als vermittelnde Person im Streit der Geschwister zu Hilfe geholt. Nur, wer alle 35 Parteien wahrnimmt und nicht sich allein ins Zentrum des Gesprächs stellt, kann konstruktiv streiten.

Für einen positiven Verlauf können wir einige Regeln befolgen und so Eskalationen und ausweg-40 lose Situationen vermeiden:
1. Analysieren Sie Ihr Konfliktverhalten: Wie hat Ihr letzter Streit angefangen? Mit welchen Worten oder Gesten wurde aus dem Gespräch ein Streit? Wer sein eigenes Verhalten bewusst wahrnimmt, 45 beginnt mit der Gestaltung des eigenen Konfliktprozesses.
2. Vertreten Sie Ihren Standpunkt: Können Sie auch Nein sagen? Üben Sie in Gesprächen, Ihre Ansicht zu vertreten. Sammeln und strukturieren 50 Sie Ihre Argumente.
3. Sprechen Sie über sich selbst: Formulieren Sie positive Ich-Aussagen (*Ich wünsche mir* statt *Ich will nicht*), damit Ihr Gegenüber Ihre Position erkennen kann. Vermeiden Sie negative Du-Aussagen 55 wie *Du musst endlich aufhören ...*
4. Üben Sie das aktive Zuhören: Versuchen Sie zu verstehen, was Ihr Partner Ihnen mit Worten und Gesten mitteilt. Versetzen Sie sich in seine Person. Verstehen heißt dabei nicht, dem anderen 60 recht zu geben.

Wer also übt, das zu sagen, was er wirklich sagen möchte, und lernt, den anderen zu verstehen, hat sehr gute Voraussetzungen, um eine positive und anregende Streitkultur zu gestalten. 65 Unsere Konflikte sind gleichzeitig unsere Chancen, uns weiterzuentwickeln. Nutzen wir sie.

c Welche Informationen waren neu bzw. besonders interessant für Sie?

d Erklären Sie die Tipps in Zeile 41–60 mit eigenen Worten und einem Beispiel.

Wenn zwei sich streiten ...

1.23

4a Hören Sie vier Dialoge und machen Sie sich Notizen zu den folgenden Fragen:

– Was ist der Anlass / das Thema des Gesprächs?
– Welcher Dialog ist ein Gespräch, in dem Kritik geübt wird? Welcher ist ein Streit?

b Welche Faktoren führen zu einem konstruktiven Ende? Welche führen zu einem negativen Ausgang? Sammeln und diskutieren Sie im Kurs.

5a Arbeiten Sie in Gruppen. Sehen Sie sich die Bilder an. Wer ist das? Worum geht es?

b Wählen Sie einen der drei Textanfänge und schreiben Sie aus der Sicht einer Person weiter. Wie handelt, denkt, fühlt die Person?

> *Liebes Tagebuch,*
> *immer dieser Stress bei uns. Das nervt. Ständig räume ich die Küche auf. Heute auch. Und ...*

Hallo Tom,
ich kann dir wieder aus unserer tollen WG berichten. Hier gibt es echte Überraschungen
...

> *Liebe Sonja,*
> *Du glaubst ja nicht, was heute passiert ist. Peter und ich wollten uns einen gemütlichen Abend machen und ...*

▶ Ü 2

6a Partnerarbeit – Rollenspiel. Entscheiden Sie sich für eine der drei Situationen und übernehmen Sie eine Rolle. Verwenden Sie positive Ich-Aussagen.

Gefühle und Wünsche ausdrücken		
Ich denke, dass …	Ich würde mir wünschen, dass …	
Ich freue mich, wenn …	Mir geht es …, wenn ich …	Ich glaube, dass …
Ich fühle mich …, wenn …	Für mich ist es schön/gut/leicht …	…

Tabea, 26 (Studentin)
- möchte die Mitschrift von Markus, weil sie die letzten beiden Male nicht im Seminar war,
- meint, dass Markus ihr als Freund helfen sollte,
- hat Angst vor der Prüfung, weil sie nur wenig verstanden hat.

Markus, 28 (Student)
- ist sauer, weil Tabea ihm nie bei etwas geholfen hat und es das dritte Mal ist, dass Tabea seine Mitschrift haben möchte,
- fühlt sich ausgenutzt,
- muss viel für die Prüfung lernen, weil das Seminar schwer ist.

Bill, 40 (macht Umschulung)
- wohnt mit Constanze in einer WG,
- will für eine Prüfung lernen,
- kann sich nicht konzentrieren,
- meint, dass Constanze einen eigenen Proberaum braucht.

Constanze, 30 (Musikerin)
- muss noch Cello üben,
- hat heute Proben und morgen ein wichtiges Konzert,
- fühlt sich noch unsicher.

Jolanta, 27 (Telefonistin)
- möchte im Urlaub ihre Ruhe haben,
- hat einen sehr hektischen Alltag,
- möchte, dass sie zusammen mit Stefan entspannen kann,
- findet, dass Stefan zu wenig Rücksicht nimmt.

Stefan, 34 (Bibliothekar)
- möchte im Urlaub etwas erleben,
- fand den Strandurlaub letztes Jahr langweilig,
- möchte, dass Jolanta seine Interessen teilt (Sport, Natur, Leute kennenlernen),
- findet, dass in diesem Urlaub seine Wünsche berücksichtigt werden sollen.

b Spielen Sie die Dialoge vor und diskutieren Sie anschließend im Kurs. Was ist gut gelaufen? Wo haben die Tipps aus dem Text aus Aufgabe 3b geholfen?

▶ Ü 3

Massimo Rocchi (* 11. März 1957, Cesena, Italien)

Schauspieler und Komiker

Massimo Rocchi, „Sozialunterhalter"

„Ich glaube nicht an das Lächeln als Lösung, sondern an die Kraft des Lächelns."

Der Schauspieler und Komiker Massimo Rocchi wurde 1957 in Italien geboren. 1976 legte er in Cesena sein Abitur ab und studierte im Anschluss Theaterwissenschaften in Bologna.

1978 nahm er im französischen Boulogne-Billancourt bei Etienne Decroux, dem Vater der modernen Pantomime, am Unterricht *Mime-Corporel* teil. In den folgenden drei Jahren besuchte er die École Internationale Marcel Marceau, wo er 1982 das Abschlussdiplom erhielt.

Heute hat Massimo Rocchi die italienische und Schweizer Staatsbürgerschaft und lebt in Basel, in „Europa und der Schweiz", wie man auf seiner Homepage erfahren kann, und bezeichnet sich als „Svitaliano".

Massimo Rocchi beschäftigt sich gerne mit Themen aus dem Bereich der Kommunikation und der Sprache. In seinen Programmen benutzt er die Sprachen Deutsch, Französisch, Spanisch und Italienisch, zwischen denen er gerne in ein und demselben Stück hin- und herspringt.

Dabei karikiert er häufig Klischees und Stereotypen von Nationalitäten, besonders gerne die Berner, und spielt mit sprachlichen Eigenheiten und Absurditäten.

Mit seinen humoristischen Stücken, in denen er sich immer wieder auf kommunikative Themen, das Verstehen und Nichtverstehen der Menschen bezieht, hat Massimo Rocchi zahlreiche Preise in Frankreich, Italien, Österreich, Deutschland und in der Schweiz gewonnen.

Auf nur eine Berufsbezeichnung lässt sich Massimo Rocchi nicht festlegen. So wird er nicht nur als Schauspieler und Komiker, sondern auch als Clown oder Kaberettist beschrieben. Als Clown sicher wegen seiner Gastauftritte im Zirkus Knie.

Für einen Kabarettisten hält sich Rocchi selbst allerdings nicht. Nach seiner Aussage ist er ein Sozialunterhalter: „... ein Sozialunterhalter allerdings, der an den renommiertesten Häusern der Schweiz und in Deutschland auftritt ..."

Massimo Rocchi im Zirkus Knie

Mehr Informationen zu Massimo Rocchi

Sammeln Sie Informationen über Persönlichkeiten aus dem In- und Ausland, die für das Thema „Kommunikation" interessant sind, und stellen Sie sie im Kurs vor. Sie können dazu die Vorlage „Porträt" im Anhang verwenden. Beispiele aus dem deutschsprachigen Bereich: Ruth Cohn – Paul Watzlawick – Ludwig Eichinger

Grammatik-Rückschau _____

1 Vergleichssätze mit *als* und *wie*

1 *so/genauso* + Grundform + *wie*	*Botschaften der Körpersprache nehmen wir <u>genauso schnell</u> wahr, <u>wie</u> wir gesprochene Sprache aufnehmen.*
2 Komparativ + *als*	*Instinktiv achten wir viel <u>mehr</u> auf die Körpersprache, <u>als</u> wir meinen.*
3 *anders / anderer, anderes, andere* + *als*	*Körpersignale aus anderen Kulturen bedeuten oft etwas <u>anderes</u>, <u>als</u> man denkt.*

2 Vergleichssätze mit *je ... , desto/umso*

Je eindeutiger die Signale sind,	desto/umso besser verstehen wir sie.
Nebensatz	Hauptsatz
je + Komparativ	desto/umso + Komparativ

3 Das Wort *es*

Obligatorisches *es* bei

Wetterverben	es nieselt, es regnet, es hagelt, es schneit, es gewittert, es stürmt
festen lexikalischen Verbindungen	Wie geht es dir/Ihnen?, es geht um …, es ist gut/schlecht/schön …, es gibt …, es kommt darauf an …, es handelt sich um …

Es, das durch ein Subjekt ersetzt werden kann

Es kann auch als Subjekt bei Verben stehen, wenn kein Subjekt genannt werden kann/soll. Wird das Subjekt genannt, entfällt *es*.

Es hat geklingelt. → *Der Postbote / Jemand / … hat geklingelt.*
Wie gefällt es Ihnen? → *Wie gefällt Ihnen die Feier / der Abend / das Theater / …?*

Es als Platzhalter auf Position 1

Im Aussagesatz muss die erste Position immer besetzt sein, damit das Verb auf Position 2 stehen kann. Ist die Position 1 von einem anderen Satzglied oder einem Nebensatz besetzt, entfällt *es*.

Es	*ist*	*wirklich eine hohe Kunst, ein Gespräch zu eröffnen.*		*Ein Gespräch zu eröffnen*	*ist*	*wirklich eine hohe Kunst.*
Es	*sind*	*noch nicht viele Leute da.*		*Viele Leute*	*sind*	*noch nicht da.*

Es als Akkusativ-Ergänzung

In Hauptsätzen steht *es* oft auch als Akkusativ-Ergänzung und verweist dann auf einen Nebensatz mit *dass* oder Infinitiv mit *zu*. Wenn der Nebensatz vorangestellt ist, entfällt *es*.

Ich kann es kaum glauben, dass der Referent wieder zu spät kommt.
Dass der Referent wieder zu spät kommt, kann ich kaum glauben.
Der Referent findet es ärgerlich, wieder verspätet zu sein.
Wieder verspätet zu sein, findet der Referent ärgerlich.

Was man mit dem Körper sagen kann _____

1 a Sehen Sie sich einige Bilder und Sätze aus dem Film an. Welches Bild passt zu welchem Satz? Notieren Sie die Buchstaben.

Bild _____ 1. Da Körpersprache überwiegend kulturabhängig ist, kann es zu Missverständnissen kommen.

Bild _____ 2. Die Anwesenheit anderer, gleichgestimmter Menschen verstärkt unsere Emotionen.

Bild _____ 3. Es geht darum, Hemmungen abzubauen, Ausdrucksfähigkeit zurückzuerlangen.

Bild _____ 4. Kommunikation durch Bewegung – die Sprache des Körpers zur Kunst erhoben.

Bild _____ 5. Wenn ich so sitzen bleiben würde, würde ich die Stimmung dieser Haltung automatisch annehmen.

b Sehen Sie nun den Film. Waren Ihre Vermutungen richtig?

1 📖 2 a Lesen Sie die folgenden Fragen und sehen Sie die erste Filmsequenz. Ordnen Sie die Wörter zu.

Angst – Ekel – Gestik – Haltung – Lachen – Mimik – Nachahmung – Neurobiologie – Wut

1. Aus welchen drei Elementen besteht Körpersprache?

_____

2. Welche Beispiele für angeborene Körpersprache werden im Film genannt?

_____

3. Wie eignet man sich erlernbare Körpersprache an?

Durch _____

4. Welche medizinische Fachdisziplin beschäftigt sich mit Körpersprache?

_____

b Erlernte, kulturabhängige Körpersprache kann zu Missverständnissen führen. Ein Beispiel gibt es im Film: Was ist bei Japanern anders als bei Deutschen?

c Nennen Sie aus Ihrer Erfahrung weitere kulturelle Unterschiede in der Körpersprache.

3 a Gespräche zwischen einem Arzt und einem Patienten. Dabei spielt die Körpersprache eine wichtige Rolle. Warum?

2 ▊▊ b Sehen Sie die zweite Sequenz und notieren Sie Elemente der Körpersprache, an denen sichtbar wird, dass das Gespräch misslingt bzw. gelingt. Sprechen Sie dann im Kurs.

misslungenes Gespräch	gelungenes Gespräch
kein Blickkontakt vom Arzt	eine freundliche Begrüßung
...	...

c Sammeln Sie im Kurs aus Ihrer eigenen Erfahrung weitere Beispiele für gelungene oder misslungene Kommunikation durch Körpersprache.

4 Überlegen Sie sich mit einem Partner / einer Partnerin eine Situation (beim Arzt, Bewerbungsgespräch, auf einer Behörde, ...).
Legen Sie fest, wie das Gespräch verlaufen soll – positiv oder negativ?
Spielen Sie diese Szene. Achten Sie dabei besonders auf Mimik, Gestik und Haltung.
Diskutieren Sie danach die Spielszenen im Kurs.

3 ▊▊ 5 a In speziellen Seminaren wird die Körpersprache trainiert. Sehen Sie jetzt die dritte Filmsequenz. Wer nimmt an diesem Seminar teil? Was ist das Ziel des Seminars?

b Durch den bewussten Einsatz von Körpersprache kann man sich selbst beeinflussen. Auch der Schauspieler nutzt das für seine Arbeit. Was demonstriert er im Film?

6 Spielen Sie zu zweit eine Begegnung mit einem Bekannten / einer Bekannten auf der Straße. Überlegen Sie sich dafür eine bestimmte emotionale Haltung: freundlich, schüchtern, wütend, ärgerlich, höflich, aggressiv, euphorisch, zynisch, ...
Setzen Sie bewusst Ihre Stimme und die Körpersprache ein. Trauen Sie sich!

Arbeit ist das halbe Leben?

1a Kennen Sie die folgenden Berufe? Beschreiben Sie einen der Berufe.

1. Industriekaufmann/-frau
2. Steuerberater/-in
3. Dachdecker/-in
4. Sozialarbeiter/-in
5. Event-Manager/-in

b Lesen Sie die Aussagen. Welcher Beruf aus Aufgabe 1a passt zu welcher Beschreibung?

c Welche Vorstellung haben wir von der beruflichen Tätigkeit anderer? Vergleichen Sie jeweils die Aussagen zu einem Beruf miteinander. Wer von den Außenstehenden beschreibt die Tätigkeit des anderen am besten?

(A)

▶ Meine Tochter ist immer viel auf Reisen. Ich glaube, sie hilft großen Firmen, wenn die irgendwo Veranstaltungen machen wollen. So etwas wie ein Firmenjubiläum feiern oder eine Abendveranstaltung für Kunden geben oder so. Wenn ich es richtig verstanden habe, dann macht meine Tochter den Firmen auch Vorschläge, wo und wie sie feiern könnten.

▷ Ich bin verantwortlich für die Planung, Vorbereitung, Organisation sowie Nachbereitung von Veranstaltungen. Ich organisiere zum Beispiel Tagungen und Kongresse inklusive Rahmenprogramm und Feste jeglicher Art. Zu meinen Aufgaben gehört neben der Konzeption und Organisation auch die Vertragsgestaltung, Kalkulation und Angebotserstellung.

(B)

▶ In dem Beruf meines Mannes muss man schwindelfrei sein und darf keine Höhenangst haben. Manchmal mache ich mir natürlich auch Sorgen um ihn. Im Grunde sorgt er dafür, dass niemand in seinem Haus nass wird oder friert.

▷ Ich decke meistens Dächer. Außerdem montiere ich Dachfenster, Dachrinnen oder Blitzschutzanlagen. Ich bin immer auf verschiedenen Baustellen tätig und arbeite meist im Freien.

Sie lernen

Grammatik

▶ Ich weiß nicht ganz genau, was mein Sohn jeden Tag so macht. Hauptsächlich sitzt er wohl am Computer und bucht Geschäftsvorgänge oder erstellt Angebote. Manchmal muss er auch Lieferpapiere kontrollieren oder die Belegung der Maschinen in der Produktionshalle überprüfen.

▷ Ich erstelle bzw. vergleiche Angebote, buche Geschäftsvorgänge, beschäftige mich mit Verkaufsförderungsmaßnahmen und bin auch zuständig für die Überprüfung der Maschinenbelegung und die Kontrolle der Lieferpapiere.

▶ Ich weiß, dass Frau Stadler mit Jugendlichen arbeitet, die Probleme haben. Sie betreut eine Wohngruppe und hilft diesen Jugendlichen, Lösungen für ihre Probleme zu finden und ein geregeltes Leben zu führen. Was sie da aber genau macht, kann ich nicht beschreiben.

▷ Ich befasse mich mit Prävention, Bewältigung und Lösung sozialer Probleme. Momentan betreue ich eine Wohngruppe mit straffällig gewordenen Jugendlichen. Ziel ist, diesen Jugendlichen Selbstvertrauen und Strukturen zu vermitteln und sie so weit zu bringen, dass sie in unserer Gesellschaft zurechtkommen.

▶ Mein Vater sitzt die meiste Zeit am Schreibtisch und ordnet die Rechnungen von anderen Leuten. Manchmal trifft er die Leute auch direkt und erklärt ihnen, wie sie Geld sparen können.

▷ Ich berate meine Mandanten in steuerrechtlichen und betriebswirtschaftlichen Fragen. Die Erstellung von Buchführungen, Jahresabschlüssen und Steuererklärungen und die Vertretung meiner Mandanten vor dem Finanzamt gehört zu meinen Aufgaben.

2 Arbeiten Sie zu zweit. Ihr Partner / Ihre Partnerin nennt seinen/ihren Beruf oder einen Beruf, den er/sie gut kennt. Versuchen Sie, den Beruf zu beschreiben. Anschließend schildert er/sie selbst diese Tätigkeit. Haben Sie den Beruf treffend beschrieben?

3 Schreiben Sie einen Beruf auf eine Karte. Die Karten werden gemischt. Ziehen Sie eine Karte und beschreiben Sie den Beruf, der auf der Karte steht. Die anderen raten. Sie können den Beruf auch pantomimisch darstellen.

Mein Weg zum Job

1 Welche Möglichkeiten gibt es, eine Stelle zu finden? Sammeln Sie im Kurs.

Stellenanzeigen in der Zeitung ...

1.27

2a Sehen Sie sich die Bilder an und lesen Sie die Bildunterschriften. Hören Sie nun einen Radio-beitrag und nummerieren Sie die Bilder in der Reihenfolge, in der Sie die Personen hören.

Aylin Demir
BWL-Studentin

Jan Hoffmann
Bauzeichner

Sandy Wagner
Bürokauffrau

Meike Wiking
Grafikerin

Bernd Pechner
Koch

1

Cornelia Folkers
Informatikerin

Sonja Badener
Schneiderin

Julian Freihof
Jurist

b Hören Sie den Beitrag noch einmal. Wie haben die Personen ihre Stelle gefunden? Notieren Sie und vergleichen Sie mit den Möglichkeiten, die Sie in Aufgabe 1 gesammelt haben.

▶ Ü 1–2 *Cornelia: Agentur für Arbeit*

3 Wie haben Sie schon einmal eine Stelle, einen Nebenjob, ein Praktikum o.Ä. gefunden?
▶ Ü 3 Berichten Sie.

4a Hören Sie einzelne Sätze aus dem Radiobeitrag noch einmal. In den Aussagen werden Sätze
1.36   oder Satzglieder mit Konnektoren verbunden, die aus zwei Teilen bestehen. Welche sind
das? Notieren Sie.

1. *nicht nur ..., sondern auch*   4. _____   6. _____

2. _____   5. _____   7. _____

3. _____

b Ordnen Sie die Konnektoren ihrer Bedeutung nach in die Tabelle ein.

Aufzählung	„negative" Aufzählung	Vergleich	Alternative	Einschränkung/ Gegensatz
nicht nur ..., sondern auch				

c Verbinden Sie die Sätze mit zweiteiligen Konnektoren.

1. Wenn man mehr Kenntnisse hat, findet man leichter eine Stelle.
2. Bei einer Bewerbung ist der Lebenslauf wichtig. Das Bewerbungsschreiben ist auch wichtig.
3. Man kann eine Bewerbung per E-Mail schicken. Man kann sie auch mit der Post schicken.
4. Für viele Stellen ist eine geeignete Ausbildung wichtig. Außerdem ist auch genügend
   Berufserfahrung wichtig.
5. Viele Studenten finden nach dem Studium keinen Job in ihrer Stadt. Sie finden auch keinen
   Job in der Nähe.
6. Sich selbstständig zu machen ist risikoreich und anstrengend. Es kann jedoch auch Spaß
   machen.
7. Es gibt viele freie Stellen. Aber die Arbeitslosenquote ist sehr hoch.

▶ Ü 4–5

5a Lesen Sie die Beispielsätze. Welche Bedeutung hat der Konnektor *während* in den Sätzen?
Ordnen Sie zu.

temporale Bedeutung (Zeit)	adversative Bedeutung (Gegensatz)

Während die anderen für die gleiche Arbeit gutes Geld verdienen, geht man als Praktikant meistens ohne einen Cent nach Hause. ➔ _____

Während ich das Praktikum gemacht habe, habe ich viel gelernt. ➔ _____

Während viele Leute viel Zeit in eine Bewerbung stecken, schicken andere immer das gleiche Standardschreiben. ➔ _____

Während ich den Sprachkurs in Berlin besucht habe, habe ich auch „Deutsch für den Beruf" gelernt. ➔ _____

b Bilden Sie für beide Bedeutungen von *während* Beispielsätze.

▶ Ü 6

Motiviert = engagiert

1a Motivation bei der Arbeit. Welcher Begriff gehört für Sie wohin? Ordnen Sie zu und begründen Sie.

Zeitdruck Abwechslung Verantwortung Routine Stress Leistungsdruck Herausforderungen Überstunden Teamarbeit Aufstiegschancen Freizeit

motivierend	demotivierend

b Was kann Menschen bei ihrer Arbeit außerdem motivieren, was demotivieren? Sammeln Sie und lesen Sie anschließend den Text.

Wenn Arbeit beglückt

Spaß statt Stress im Job: Es ist gar nicht so schwer, seine Mitarbeiter zu motivieren. Man muss nur wissen, wie.

Es ist der Traum jedes Vorgesetzten, ein gutes Team zu haben. Engagierte Mitarbeiter, die ihre Aufgaben voller Begeisterung erledigen und gut zusammenarbeiten. Die Realität sieht häufig anders aus. Stress, Zeitdruck, Überstunden.

Wie zufrieden oder unzufrieden die Deutschen wirklich sind, schwankt je nach Umfrage. Laut dem Meinungsforschungs-Institut Gallup machen 68 Prozent aller Beschäftigten nur Dienst nach Vorschrift. Einer anderen Umfrage zufolge haben allerdings mehr als zwei Drittel Spaß an der Arbeit.

Die Initiative Inqa, ein Bündnis aus Arbeitgebern, Gewerkschaften sowie Bund und Ländern, hat 4.700 Deutsche gefragt: „Wie oft ist es in den letzten vier Arbeitswochen vorgekommen, dass Sie von Ihrer Arbeit begeistert waren?" Mit erschreckendem Ergebnis: 46 Prozent ist Begeisterung für den Job absolut fremd.

„Entscheidend für den Spaß im Job sind die Arbeitsbedingungen", sagt die Soziologin Tatjana Fuchs, die die Antworten der Beschäftigten ausgewertet hat. „Die Begeisterung für die Arbeit ist kein Persönlichkeitsfaktor. Es gibt strukturelle Faktoren, die dazu führen, dass Mitarbeiter unwahrscheinlich zufrieden sind." Sie war überrascht, wie wenige von Arbeitsbedingungen berichteten, die ihre persönliche Entwicklung fördern. Dabei ist das eine ganz entscheidende Voraussetzung für Zufriedenheit im Job. Beschäftigte brauchen eine lernfördernde Umgebung, die sie weiterbringt, und Aufstiegsmöglichkeiten im Unternehmen. Einen großen Einfluss hat auch, wie abwechslungsreich die Arbeit ist und ob Platz für Kreativität ist.

„Die Anforderungen müssen mit den eigenen Interessen und Fähigkeiten übereinstimmen", sagt Jochen Menges vom Institut für Führung und Personalmanagement der Uni Sankt Gallen. „Dieses Kompetenzerlebnis wird als sehr positiv empfunden." Sind die Anforderungen dagegen sehr hoch, entsteht Stress. Sind sie zu niedrig, ist es auch nichts: Es droht Langeweile.

Das Gehalt spielt dagegen eine geringere Rolle als allgemein angenommen. „Man kann allein durch ein hohes Einkommen nicht langfristig motivieren", sagt Tatjana Fuchs. Allerdings kann man mit zu niedrigen Gehältern Schaden anrichten: „Arbeitgeber können ihre Beschäftigten unheimlich stark frustrieren, wenn sie ihnen ein Einkommen zahlen, das nach deren Ansicht in keinem adäquaten Verhältnis zu ihrer Leistung steht."

Eine wichtige Rolle spielt auch der Chef. „Führungskräfte haben einen entscheidenden Einfluss darauf, ob Mitarbeiter Spaß an der Arbeit haben", sagt Menges. Das betrifft die Aufgabenstellung ebenso wie den Umgang miteinander. Wie die Inqa-Umfrage zeigt, kann ein guter Führungsstil dauerhaft motivieren. Werden die Mitarbeiter aber mehr schlecht als recht geführt, demotiviert der Chef regelrecht. Der ideale Vorgesetzte pflegt einen respektvollen und anerkennenden Umgang mit seinem Team und unterstützt auch fachlich. Es sei jedoch verkehrt, nur auf die einzelne Führungskraft zu schauen, meint Fuchs. Vielmehr müssten sich die Unternehmen von einer Personalpolitik abwenden, die nur auf Druck setze.

Frustrationspotenzial bieten auch arbeitsorganisatorische Probleme. Wer unter Zeitdruck steht, ständig gestört wird, widersprüchliche Informationen erhält oder sich an nicht funktionierenden Arbeitsabläufen aufreibt, bringt selten noch Begeisterung für seinen Job auf. Auch die Angst um den Job wirkt demotivierend.

„Unternehmen haben es in der Hand, ob sie motivierte oder frustrierte Beschäftigte haben", sagt Fuchs. Machen sie es richtig, können sie ihre Beschäftigten geradezu beglücken. „Studien belegen, dass es bei der Arbeit zu Glücksgefühlen ähnlich wie bei Extremsportarten kommen kann", sagt Fuchs. Die entscheidende Voraussetzung ist allerdings: Die Beschäftigten haben komplexe Aufgaben, an denen sie wachsen können.

2 Entscheiden Sie, welche Lösung (a, b oder c) richtig ist.

GI
TELC

1 Die Umfragen zur Zufriedenheit der Arbeitnehmer
a zeigen, dass engagierte Mitarbeiter nur ein Traum von Vorgesetzten sind.
b kommen zu ganz unterschiedlichen Ergebnissen.
c belegen, dass die Hälfte der Beschäftigten Spaß an ihrer Arbeit hat.

2 Wie sehr sich jemand für seine Arbeit begeistert,
a ist aus den Umfragen nicht hervorgegangen.
b hängt hauptsächlich von seiner Persönlichkeit ab.
c wird durch die Arbeitsbedingungen bestimmt.

3 Die Anforderungen, die die Tätigkeit an den Beschäftigten stellt,
a sollten eher niedrig sein, um die Arbeitnehmer nicht zu überfordern.
b sollten zu bewältigen sein und gleichzeitig eine Herausforderung darstellen.
c sollten Stress verursachen und die Mitarbeiter so zu mehr Leistung bringen.

4 Die Bezahlung
a ist der entscheidende Faktor bei der Motivation der Mitarbeiter.
b sollte der Leistung der Mitarbeiter entsprechen.
c sollte mit den Beschäftigten individuell vereinbart werden.

5 Für die Motivation der Mitarbeiter
a ist auch die fachliche Unterstützung durch den Chef wichtig.
b sollte der Chef vor allem auf Druck setzen.
c spielt der Vorgesetzte eine untergeordnete Rolle.

▶ Ü 1

3a Was trägt laut Text zur Motivation bzw. Demotivation von Mitarbeitern bei? Erstellen Sie eine Liste und vergleichen Sie mit Ihren Ergebnissen aus Aufgabe 1.

b Was motiviert bzw. demotiviert Sie persönlich bei der Arbeit am meisten? Notieren Sie jeweils die drei wichtigsten Faktoren.

▶ Ü 2

Teamgeist

1 Viele Firmen bieten ihren Mitarbeitern Events zur Teambildung an. Beschreiben Sie die Aktivitäten auf den Bildern. Wie kann damit Teamarbeit gefördert werden?

▶ Ü 1

2 Sie haben für eine zweitägige Mitarbeiterveranstaltung in Ihrer Firma das Veranstaltungsprogramm erarbeitet. Sie haben das Programm an Ihre Kollegin geschickt mit der Bitte um Durchsicht.

Hören Sie die Nachricht und korrigieren Sie während des Hörens die falschen Informationen oder ergänzen Sie die fehlenden Informationen. Sie hören den Text einmal.

1.37

GI

Donnerstag, 14.06.

Uhrzeit	Ort	TOP/Aktivität	Ansprechpartner
10:30–11:30	Tagungsraum „Gartenblick" im Hauptgebäude	Begrüßung und Vorstellung aller Teilnehmer	Herr Peter Berghammer Mobil: 0176-84 33 17 09 **1** _____
11:30–12:30		Die Vertreter der anwesenden Länder stellen die Ergebnisse des letzten Geschäftsjahres vor.	
12:30–14:00	Restaurant „Zur Post", Turmgasse 7 **2** _____	Mittagspause	
14:00–19:00 **3** _____	Tagungsraum „Gartenblick" im Hauptgebäude	Einschreibung in die Gruppen für den folgenden Tag; Fortsetzung vom Vormittag	
19:30	Treffpunkt: Haupteingang des Firmengebäudes **4** _____	Abfahrt zum Restaurant „Rossini"	Frau Monika Schneevoigt Mobil: 0179-65 28 44 38
20:30	Restaurant „Rossini"	gemeinsames Abendessen	Restaurant „Rossini" Rathausplatz 11 Tel.: +49-(0)8821-87 74 88-0 Fax: +49-(0)8821-87 74 88-09

Freitag, 15.06.

Uhrzeit	Ort	TOP/Aktivität	Ansprechpartner
9:00	Parkplatz vor dem Hotel	**Gruppe A** Abfahrt zum Hochseilpark Wir lernen unsere Grenzen kennen und finden in der Gruppe Lösungen, um Hindernisse zu überwinden.	Herr Thomas Kaeser Mobil: 0179-34 77 92 51
9:00	Parkplatz hinter dem Hotel	**Gruppe B** Abfahrt zum Filmstudio Wir drehen einen Film und bringen unsere Kompetenzen und Kreativität ein.	5 _____ Mobil: 0171-88 02 387
19:00	Hotel „Grüner Hof"	gemeinsames Abendessen	

3a Konnektoren. Ergänzen Sie die Sätze und die Regel.

ohne zu	um zu	(an)statt zu	ohne dass	damit	(an)statt dass

1. Wir finden in der Gruppe Lösungen, _____ Hindernisse _____ überwinden. 2. _____ die Teilnehmer bis 19 Uhr ein___planen, würde ich schon um 18 Uhr Schluss machen. 3. Ich gebe dir die Änderungen telefonisch durch, _____ ich das Ganze vom Tisch habe. 4. Ich hoffe, du schaffst es, alles einzutragen, _____ verzweifeln. 5. *Anstatt dass* sie mir so lange auf die Mailbox spricht, hätte sie mir auch später eine Mail schicken können. 6. Ich muss Thomas noch anrufen, _____ er wegen der Abfahrtszeiten Bescheid weiß. 7. Hoffentlich kann ich ihm das sagen, _____ _____ er gleich wieder genervt ist.

Subjekt im Hauptsatz = Subjekt im Nebensatz	Subjekt im Hauptsatz ≠ Subjekt im Nebensatz
um ... zu / damit, _____ _____	*damit,* _____ _____

(G)

b Formulieren Sie die Sätze um. Verwenden Sie *ohne zu, um zu* und *(an)statt zu*.

1. Sie hat angerufen, damit sie die Änderungen durchgeben kann.
2. Sie hat angerufen, aber sie hat die Änderungen nicht durchgegeben.
3. Sie hat angerufen, weil sie die Änderungen durchgeben wollte.
4. Sie hat nicht angerufen, sondern die Änderungen per Mail geschickt.

1. Sie hat angerufen, um die Änderungen durchzugeben.

▶ Ü 2–3

4 Auf welche Art und Weise würden Sie gerne mit Kollegen an der Verbesserung der Teambildung arbeiten?

Anstatt gemeinsam Kinderspiele zu machen, sollte/könnte man ... / Ich würde lieber ... als ... / Um ein gut funktionierendes Team zu bilden, muss/müssen ... / Bei... lernt man ...

Werben Sie für sich!

1a Der Lebenslauf. Lesen Sie die Kommentare einer Bewerbungstrainerin zu einem Lebenslauf und ordnen Sie zu.

a Diese Angaben sind freiwillig – machen Sie sie nur, wenn sie Ihnen sehr wichtig sind.

b Die Überschrift ist gut, jeder erkennt sofort, was vor ihm liegt. Übersichtlicher ist es, wenn die Überschrift über der zweiten Spalte steht.

c Nicht nur das Jahr, sondern auch die Monate angeben, z.B. 11/04–12/04 oder Nov. 2004–Dez. 2004. Achten Sie darauf, dass die Datumsangaben einheitlich sind.

d Sprachkenntnisse stehen am Ende des Lebenslaufs.

e Die Überschriften „Studium" und „Abschlüsse" sollte man besser unter einer Überschrift, z.B. „Ausbildung" zusammenfassen.

f Das Foto kommt oben rechts auf den Lebenslauf. Man sollte auf dem Foto seriös und freundlich zugleich aussehen.

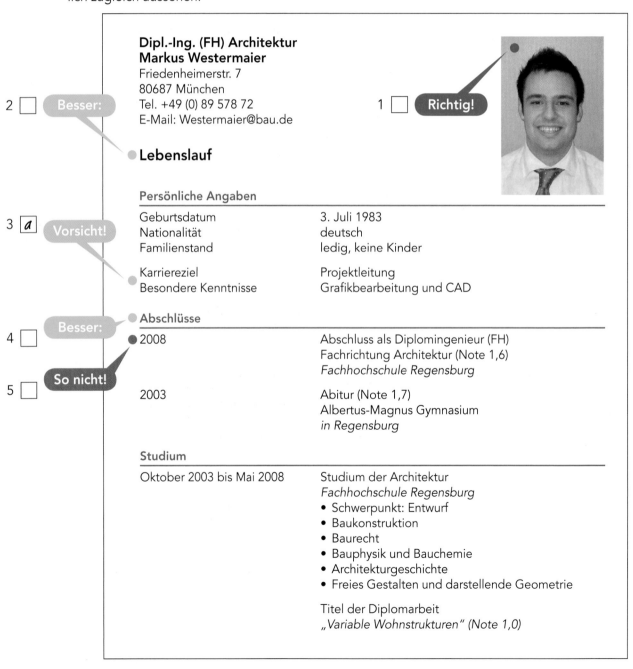

2 ☐ **Besser:**

Dipl.-Ing. (FH) Architektur
Markus Westermaier
Friedenheimerstr. 7
80687 München
Tel. +49 (0) 89 578 72
E-Mail: Westermaier@bau.de

1 ☐ **Richtig!**

● **Lebenslauf**

Persönliche Angaben

3 [a] **Vorsicht!**

Geburtsdatum	3. Juli 1983
Nationalität	deutsch
Familienstand	ledig, keine Kinder
Karriereziel	Projektleitung
Besondere Kenntnisse	Grafikbearbeitung und CAD

● **Abschlüsse**

4 ☐ **Besser:**

5 ☐ **So nicht!**

● 2008	Abschluss als Diplomingenieur (FH) Fachrichtung Architektur (Note 1,6) *Fachhochschule Regensburg*
2003	Abitur (Note 1,7) Albertus-Magnus Gymnasium *in Regensburg*

Studium

Oktober 2003 bis Mai 2008	Studium der Architektur *Fachhochschule Regensburg* • Schwerpunkt: Entwurf • Baukonstruktion • Baurecht • Bauphysik und Bauchemie • Architekturgeschichte • Freies Gestalten und darstellende Geometrie
	Titel der Diplomarbeit *„Variable Wohnstrukturen" (Note 1,0)*

g Der Lebenslauf ist ein offizielles Dokument, deswegen dürfen Ort, Datum und Unterschrift niemals fehlen.

h Nennen Sie nur Weiterbildungen, die im Zusammenhang mit der Stelle stehen.

i Tipp- und Rechtschreibfehler unbedingt vermeiden!

j Zu Praktika gehört eine kurze Beschreibung der Tätigkeiten.

k Bei EDV-Kenntnissen immer auch angeben, wie gut man das Programm beherrscht und seit wann man das Programm verwendet.

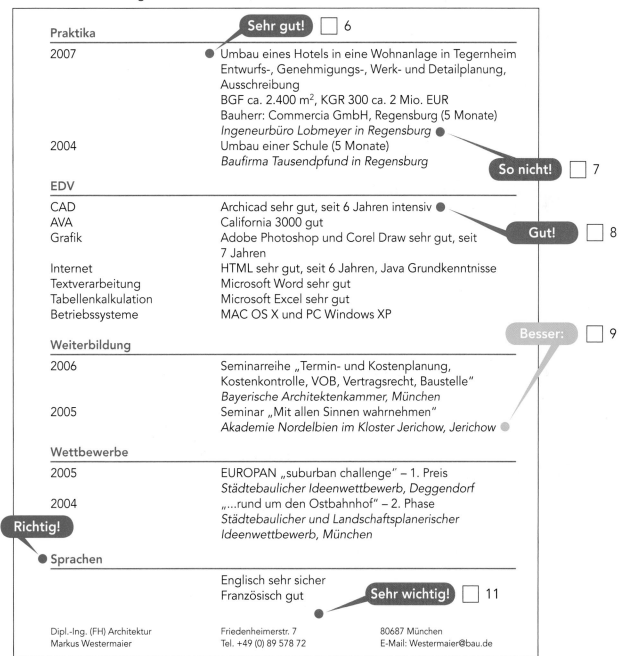

Praktika — Sehr gut! ☐ 6

2007 — Umbau eines Hotels in eine Wohnanlage in Tegernheim
Entwurfs-, Genehmigungs-, Werk- und Detailplanung, Ausschreibung
BGF ca. 2.400 m^2, KGR 300 ca. 2 Mio. EUR
Bauherr: Commercia GmbH, Regensburg (5 Monate)
Ingeneurbüro Lobmeyer in Regensburg

2004 — Umbau einer Schule (5 Monate)
Baufirma Tausendpfund in Regensburg — So nicht! ☐ 7

EDV

CAD — Archicad sehr gut, seit 6 Jahren intensiv
AVA — California 3000 gut
Grafik — Adobe Photoshop und Corel Draw sehr gut, seit 7 Jahren — Gut! ☐ 8
Internet — HTML sehr gut, seit 6 Jahren, Java Grundkenntnisse
Textverarbeitung — Microsoft Word sehr gut
Tabellenkalkulation — Microsoft Excel sehr gut
Betriebssysteme — MAC OS X und PC Windows XP

Weiterbildung — Besser: ☐ 9

2006 — Seminarreihe „Termin- und Kostenplanung, Kostenkontrolle, VOB, Vertragsrecht, Baustelle"
Bayerische Architektenkammer, München

2005 — Seminar „Mit allen Sinnen wahrnehmen"
Akademie Nordelbien im Kloster Jerichow, Jerichow

Wettbewerbe

2005 — EUROPAN „suburban challenge" – 1. Preis
Städtebaulicher Ideenwettbewerb, Deggendorf

2004 — „...rund um den Ostbahnhof" – 2. Phase
Städtebaulicher und Landschaftsplanerischer Ideenwettbewerb, München

10 ☐ Richtig!

Sprachen

Englisch sehr sicher
Französisch gut — Sehr wichtig! ☐ 11

Dipl.-Ing. (FH) Architektur   Friedenheimerstr. 7   80687 München
Markus Westermaier   Tel. +49 (0) 89 578 72   E-Mail: Westermaier@bau.de

b **Vergleichen Sie den Lebenslauf und die Kommentare mit Ihnen bekannten Lebensläufen. Was ist anders?**

c **Schreiben Sie mithilfe des Musters Ihren Lebenslauf. Lassen Sie ihn dann von Ihrem Nachbarn / Ihrer Nachbarin Korrektur lesen.** ▶ Ü 1

Werben Sie für sich!

2 Lesen Sie die Stellenausschreibung und notieren Sie.

- Was macht die Firma, die die Anzeige aufgegeben hat?
- Welche Aufgaben soll der Bewerber übernehmen?
- Welche Anforderungen müssen und welche sollten vom Bewerber erfüllt werden?

> Wir sind spezialisiert auf die Steuerung und Überwachung von großen Bauprojekten in ganz Deutschland. Wir suchen eine/n
>
> ## Bauleiter/in, Projektleiter/in
> für unser Büro in München
>
> **Aufgabengebiet:** Organisation, Strukturierung und Abwicklung komplexer Baumaßnahmen bis zur Übergabe an den Nutzer bzw. Erwerber.
> **Profil:** Studium der Architektur bzw. des Bauingenieurwesens, selbstbewusste Persönlichkeit mit Überzeugungs- und Durchsetzungskraft sowie ausgeprägter Teamfähigkeit. Möglichst mit Berufserfahrung. Wir bieten Ihnen eine interessante, abwechslungsreiche Aufgabe mit Aufstiegs- bzw. Entwicklungspotenzial.
> Wenn diese Beschreibung auf Sie zutrifft, dann schicken Sie Ihre schriftliche Bewerbung bitte an:
>
> **KRI Projektsteuerungsgesellschaft mbH**
> **Büro München, Schwanthalerstr. 15**
> **80573 München**
> **z.Hd.: Uta Kirchtal**

3a Das Bewerbungsschreiben. Ordnen Sie die Bezeichnungen den Teilen des Bewerbungsschreibens zu.

A Schlusssatz   B Adresse   C Ort, Datum   D Unterschrift   E Vorstellung der eigenen Person
F Anrede   G Betreff   H Absender   I Eintrittstermin   J Einleitung
K Erwartungen und Ziele   L Grußformel

H   Dipl.-Ing. (FH) Architektur
Markus Westermaier
Friedenheimerstr. 7
80687 München

_____   KRI Projektsteuerungsgesellschaft mbH
z.Hd. Frau Uta Kirchtal
Schwanthalerstr. 15
_____   80573 München   München, den …

_____   Bewerbung als Projektleiter
Ihre Anzeige in der SZ vom …

_____   Sehr geehrte Frau Kirchtal,

_____   Sie suchen einen selbstbewusst auftretenden und teamfähigen Diplom-Ingenieur Architektur für die Projektleitung in Ihrem Münchner Büro. Nach erfolgreichem Abschluss meines Studiums der Architektur an der FH Regensburg würde ich gerne mein Wissen und meine in Berufspraktika erworbenen Erfahrungen in Ihr Unternehmen einbringen und bewerbe mich daher als Projektleiter.

_____   Ein Praktikum bei der Firma Lobmeyer hat mir gezeigt, dass ich gerne im Team arbeite und mir die Übernahme auch von umfangreichen organisatorischen Aufgaben sehr liegt ebenso wie die Strukturierung und Abwicklung der einzelnen Maßnahmen. Auf Ihrer Homepage habe ich gesehen, dass eines Ihrer aktuellen Projekte Wohnungen in der Nymphenburger Schlossperle sind, ein Projekt, das mich sehr interessiert, da ich die Bebauungspläne entlang der Gleise zwischen dem Hauptbahnhof und München-Pasing von Anfang an mit sehr großem Interesse verfolgt habe.

_____   Mit dem Eintritt in Ihr Unternehmen verbinde ich die Erwartung, meine Kenntnisse und Erfahrungen mit großer Motivation und viel Engagement einbringen zu können. Die Tätigkeit als Projektleiter könnte ich
_____   ab dem 1. Juli beginnen.
_____   Über eine Einladung zu einem persönlichen Vorstellungsgespräch freue ich mich sehr.

_____   Mit freundlichen Grüßen
_____   *Markus Westermaier*

                 Anlagen

b Vergleichen Sie das Bewerbungsschreiben mit der Anzeige. Worauf ist Markus Westermaier in seinem Anschreiben eingegangen?

c Erstellen Sie eine Übersicht und notieren Sie für Bewerbungsschreiben nützliche Redemittel aus dem Brief. Ergänzen Sie im Kurs weitere Alternativen.

Bewerbungsschreiben	
Einleitung	**Vorstellung der eigenen Person**
Sie suchen ...	*Nach erfolgreichem Abschluss meines ...*
In Ihrer oben genannten Anzeige ...	*In meiner jetzigen Tätigkeit als ... bin ich ...*
Da ich mich beruflich verändern möchte ...	
Bisherige Berufserfahrung/Erfolge	**Erwartungen an die Stelle**
Eintrittstermin	**Schlusssatz und Grußformel**

▶ Ü 2

4a Suchen Sie im Internet oder in Zeitungen eine deutsche Stellenanzeige, auf die Sie sich bewerben möchten.

TELC

b Schreiben Sie einen Bewerbungsbrief. Ihr Brief sollte mindestens zwei der folgenden Punkte und einen weiteren Aspekt enthalten:

- Ihre Ausbildung
- Ihre Interessen und Vorlieben
- Grund für die Wahl dieser Anzeige
- Grund für die Bewerbung in Deutschland

Bevor Sie den Brief schreiben, überlegen Sie sich eine passende Reihenfolge der Punkte, die Einleitung und den Schluss. Vergessen Sie nicht Absender, Anschrift, Datum, Betreffzeile und Schlussformel. Schreiben Sie 150–200 Wörter.

1.38

5a Das Vorstellungsgespräch. Ein wichtiger Teil eines Vorstellungsgesprächs ist die Selbstdarstellung des Bewerbers. Lesen Sie die Checkliste, hören Sie ein Beispiel und analysieren Sie es. Was hat der Bewerber falsch gemacht?

Checkliste Selbstdarstellung
- Machen Sie deutlich, welche Stationen Ihrer Ausbildung/Karriere für die Stelle wichtig sind.
- Erklären Sie, welche Ziele Sie noch erreichen möchten.
- Beschreiben Sie persönliche Stärken und Qualifikationen, die für diese Stelle wichtig sind. Seien Sie selbstbewusst aber nicht arrogant!
- Werden Sie nicht zu privat – alles, was Sie erzählen, sollte in Zusammenhang mit der angestrebten Tätigkeit stehen.
- Machen Sie deutlich, warum Sie sich gerade auf diese Stelle beworben haben.

1.39

b Hören Sie nun die Beurteilung eines Experten. Ergänzen Sie dann in Gruppen die Liste mit weiteren wichtigen Tipps zur Selbstdarstellung.

▶ Ü 3

6 Suchen Sie sich einen Partner / eine Partnerin und üben Sie die Selbstdarstellung im Rahmen eines Vorstellungsgesprächs.

▶ Ü 4

Die Kult-Brause – BIONADE

Die einen trinken sie nur in Rot. Die anderen stehen auf Litschi oder auf Ingwer-Geschmack mit Orange. Doch egal, ob herb oder ein wenig exotisch: Bionade boomt. Und ihr Geburtsstädtchen in der Rhön mit. Länger als ein Jahrzehnt tüftelte der Ostheimer Braumeister Dieter Leipold in den 80er-Jahren in seinem Labor hinter dem Schlafzimmer. Der 69-Jährige ist ein Visionär: Er glaubte fest daran, ein biologisches Erfrischungsgetränk entwickeln zu können, das keinen Alkohol enthält und gesund ist. Dazu lecker schmeckt und bedenkenlos getrunken werden kann. Anfang der 90er war es so weit, das Experiment gelungen, die Bionade geboren. Auf der neuartigen Limonade ruhte alle Hoffnung: Sie sollte den Familienbetrieb, die alteingesessene Peter-Brauerei, vor der Pleite retten. Doch zunächst kam es ganz anders. Die Lebensmittelkontrolleure wussten nicht, wo sie die Neuheit einordnen sollten, und verweigerten die Zulassung. Und es gab keinen Markt für die Wunderlimo: Für Wellness und Gesundheit interessierte sich noch kaum jemand. Die Familie bekam das Getränk nicht an den Mann.

Aber längst nicht mehr nur: Bionade schmeckt Kindern und Eltern, Szenegängern und Alternativen gleichermaßen. Stetig erobert Bionade weiter Öko-Supermärkte in Deutschland. Man kriegt sie auf Sylt, findet sie im KaDeWe in Berlin, in Los Angeles und auf den Balearen. Den Riesen der Branche widersteht die Familie wacker: Ein Kaufangebot von Coca-Cola lehnte Geschäftsführer Peter Kowalsky, Leipolds Stiefsohn, ab.

Der Boom ist aber nicht mehr aufhaltbar: Das Märchen aus der Vorrhön ist längst bekannt in den Metropolen der Republik. Jetzt wollen die Bremer und Berliner auch das Bier der Brauerei. In Ostheim ist die Brauerei mittlerweile einer der größten Arbeitgeber im Ort.

Peter Kowalsky und Dieter Leipold

Bis eines Tages versehentlich eine Lieferung vertauscht wurde: Statt nach Ungarn gingen die Flaschen nach Hamburg. Die Hansestadt gilt seitdem als die zweite Geburtsstätte der Bionade. Kultgetränk ist Bionade noch immer bei den Werbern und Medienleuten im hohen Norden.

Mehr Informationen zur Bionade

Sammeln Sie Informationen über Persönlichkeiten oder Konzerne aus dem In- und Ausland, die zum Thema „Arbeit und Beruf" interessant sind, und stellen Sie sie im Kurs vor. Sie können dazu die Vorlage „Porträt" im Anhang verwenden.
Beispiele aus dem deutschsprachigen Bereich: Swatch – Johann Lafer – Heidi Klum – Herbert Hainer

1 Zweiteilige Konnektoren

Zweiteilige Konnektoren haben verschiedene Funktionen:

Aufzählung:	Ich muss mich **sowohl** um das Design **als auch** um die Finanzierung kümmern. Hier habe ich **nicht nur** nette Kollegen, **sondern auch** abwechslungsreiche Aufgaben.
„negative" Aufzählung:	Aber nichts hat geklappt, **weder** über die Stellenanzeigen in der Zeitung **noch** über die Agentur für Arbeit.
Vergleich:	**Je** mehr Absagen ich bekam, **desto** frustrierter wurde ich.
Alternative:	**Entweder** kämpft man sich durch diese Praktikumszeit **oder** man findet wahrscheinlich nie eine Stelle.
Einschränkung/ Gegensatz	Da verdiene ich **zwar** nichts, **aber** ich sammle wichtige Berufserfahrung. **Einerseits** bleiben diese Kontakte oft oberflächlich, **andererseits** kann man auch wirklich wichtige berufliche Kontakte herstellen.

Zwischen folgenden zweiteiligen Konnektoren steht immer ein Komma:
nicht nur ..., sondern auch ...   je ..., desto ...   zwar ..., aber ...   einerseits ..., andererseits ...

2 Konnektor *während*

temporale Bedeutung (Zeit)	adversative Bedeutung (Gegensatz)
Während ich das Praktikum gemacht habe, habe ich viel gelernt.	*Während die anderen für die gleiche Arbeit gutes Geld verdienen, geht man als Praktikant meistens ohne einen Cent nach Hause.*

3 Konnektoren *um zu, ohne zu* und *(an)statt zu* + Infinitiv

Bedeutung	um/ohne/(an)statt + *zu* + Infinitiv: bei gleichem Subjekt	*damit* / Konnektor + *dass*: bei gleichem Subjekt oder verschiedenen Subjekten	weitere Alternativen
Absicht, Ziel, Zweck (final)	*Ich rufe an, **um** dir die Änderungen durch**zu**geben.* —	*Ich rufe an, **damit** ich dir die Änderungen durchgeben kann. Ich rufe an, **damit** du Bescheid weißt.*	*Ich rufe an, **weil** ich dir die Änderungen durchgeben **möchte**.*
Einschränkung (restriktiv)	*Wir haben lange telefoniert, **ohne** über die Änderungen **zu** sprechen.* —	*Wir haben lange telefoniert, **ohne dass** wir über die Änderungen gesprochen haben. Wir haben lange telefoniert, **ohne dass** ich nach den Änderungen gefragt habe.*	*Wir haben lange telefoniert, **aber** wir haben **nicht** über die Änderungen gesprochen. Wir haben lange telefoniert, **trotzdem** haben wir nicht über die Änderungen gesprochen.*
Alternative oder Gegensatz (alternativ oder adversativ)	***(An)statt** lange zu telefonieren, könntest du mir eine Mail schicken.* —	***(An)statt dass** du lange mit mir telefonierst, könntest du mir eine Mail schicken. **(An)statt dass** wir telefonieren, schreib ich dir lieber eine Mail.*	*Lieber ist es mir, wenn wir nicht telefonieren, **sondern** wenn du mir die Änderungen per Mail schickst.*

Schule aus – und nun?

1 a Was tun, wenn man mit der Schule fertig ist? Welche Pläne hatten/haben Sie danach? Waren/Sind Sie neugierig, optimistisch, ängstlich, ...? Erzählen Sie.

b Sehen Sie den Film.
Sagen Sie kurz, wovon
die drei Personen auf
den Fotos berichten.

Astrid Kleber   *Sebastian*   *Kasim*

c Sind die folgenden Aussagen zum Film richtig oder falsch?

	r	f
1. Ca. 20 % der Berliner Jugendlichen haben keinen Job.	☐	☐
2. Mit einem Hauptschulabschluss hat man gute Chancen.	☐	☐
3. „JobInn" vermittelt nur Lehrstellen in der IT-Branche.	☐	☐
4. Die Jugendlichen lernen bei „JobInn" einen Beruf.	☐	☐
5. Eine Sozialpädagogin hilft beim Schreiben der Bewerbungen.	☐	☐

2 a Sehen Sie die erste Filmsequenz. Was sagt die Sozialarbeiterin zur Situation vieler Jugendlicher in Berlin?

b Erklären Sie anhand des Schemas das Wesentliche zum deutschen Schulsystem.

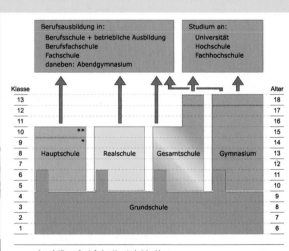

3 Sehen Sie den Film noch einmal ganz und beantworten Sie die folgenden Fragen:

a Welche Schulen haben die beiden Jugendlichen Sebastian und Kasim besucht?

b Beschreiben Sie die aktuelle Situation von Sebastian und Kasim genauer.

c Worauf achtet „JobInn" besonders, um den jungen Leuten eine Stelle zu vermitteln?

4 Lesen Sie die Texte aus einem Internetforum und beantworten Sie die Fragen:

a Was denken Sie: Wie alt könnten die vier Teilnehmer im Forum sein?

b Warum haben Hauptschulabgänger größere Probleme bei der Lehrstellensuche?

c Welche Ratschläge geben die Teilnehmer Hauptschülern, um bei der Jobsuche erfolgreich zu sein?

Hat man mit einem Hauptschulabschluss überhaupt Chancen auf irgendwas?

RicooO Mache mir Sorgen um meinen kleinen Bruder. Er macht Hauptschule und da sind seine Noten noch nicht mal so berauschend ... Ich habe mittlere Reife und mache jetzt mein Fachabi, weil ich mit der mittleren Reife keine Ausbildung gefunden habe ... Aber was macht man denn mit einem Hauptschulabschluss???

Lizzy D Ja und nein! Das kommt ein bisschen auf den Wohnort an: In kleineren Städten oder auf dem Lande sind die Chancen größer. Hier gibt es noch viele kleinere Handwerksbetriebe, die den Sinn der Hauptschule, nämlich das Fördern PRAKTISCHER Fertigkeiten sehr zu würdigen wissen. Außerdem bleibt dort ein spitzenmäßiger Eindruck bei Schüler-Betriebspraktika besser hängen als in großen Firmen in der Stadt.

nohope Wenn ich ehrlich bin – eigentlich nicht!!! Denn Firmen nehmen manchmal schon nur noch Gymnasiasten an!!! Mit Realschülern ist das auch schon schwer und Hauptschüler, na ja, eine Chance haben sie bestimmt, aber sie müssen bei ihrem Job Interesse zeigen und sich dafür einsetzen.

Totti Viele Firmen nehmen gar keine Hauptschüler mehr. Das ist zwar Blödsinn, aber wohl real. Der Schulabschluss ist die Eintrittskarte ins Berufsleben. Leider kapieren die Kids das meist erst später. Gut, dass es den zweiten Bildungsweg gibt, da kann man einen höheren Abschluss nachholen. Manch einer braucht eben länger. Aber die Tür ist dann noch nicht geschlossen.

---

5 Berichten Sie im Kurs über Ihr Heimatland:

a Wie kann man in Ihrem Land einen Beruf lernen? (Schultypen, betriebliche Ausbildung, Dauer, Abschlüsse usw.)

b Welche Chancen haben junge Leute, einen Ausbildungsplatz und nach der Ausbildung eine gute Arbeit zu bekommen?

Zusammen leben

DER ANBLICK DES NEUEN FIRMENWAGENS LÖSTE BEI KRAUSE STARKE ZUKUNFTSÄNGSTE AUS.

1a Sehen Sie sich die Cartoons an. Um welche Themen geht es hier?

b Welcher Cartoon gefällt Ihnen am besten? Erklären Sie, warum, und geben Sie dem Cartoon einen Titel.

2 Warum sind Cartoons beliebt? Welche Funktion haben sie?

3 Bringen Sie einen Cartoon mit, der Ihnen gut gefällt, und stellen Sie ihn im Kurs vor.

Wer nicht an den Osterhasen glaubt, sieht auch nicht dessen Probleme!

Sport gegen Gewalt

1a Sehen Sie sich das Foto an. Kennen Sie diese Sportart? Wie heißt sie?

b Lesen Sie die Überschrift des Textes. Was denken Sie, wie kann Sport gegen Gewalt helfen?

Sport gegen Gewalt

1 Wie in jeder Großstadt gibt es auch in Hamburg soziale Probleme. Denn was machen 15-Jährige in einem sozial schwachen Stadtteil nach der Schule? Bis vor wenigen Jahren hätten
5 die meisten Kids aus Hamburg Jenfeld geantwortet: „Ab ins Einkaufszentrum." Hier ist es warm und trocken, man hat ein Dach über dem Kopf und kann sich seine Langeweile vertreiben: Das eine oder andere klauen, Handtaschen
10 stehlen, Graffiti sprühen und so weiter.

Der 37-jährige Fahim Yusufzai, ein gebürtiger Afghane, arbeitete viele Jahre als Sicherheitsleiter im Einkaufszentrum Jenfeld. Täglich schnappte er Jugendliche beim Klauen
15 oder Leute ärgern und Randalieren. Wer erwischt wurde, der bekam zunächst Hausverbot. Doch das nützte nichts. Wen Fahim Yusufzai der Polizei übergeben hatte, dem begegnete er am nächsten Tag garantiert erneut im Ein-
20 kaufszentrum.

Irgendwann wollte der Sicherheitsleiter nicht mehr tatenlos akzeptieren, dass es immer die gleichen Jugendlichen waren, die Ärger im Einkaufszentrum machten. Und er
25 hatte eine Idee: Als 13-Jähriger begann sein Vater, ihn den Kampfsport Taekwondo zu lehren. „Tae" steht für die Fußtechnik, „Kwon" für Faust- und Armtechnik und „Do" für den geistigen Weg. Seit 1989 trägt
30 Fahim Yusufzai den schwarzen Gürtel. Wer diesen Sport treibt, dem sind Eigenschaften wie Disziplin, Selbstbeherrschung und Verantwortung für das eigene Handeln nicht fremd. Warum sollte er sein Wissen nicht an
35 diese Jugendlichen weitergeben?

Mit dem Verein „Sport gegen Gewalt", den er 1993 gründete, konnte er den Jugendlichen besser helfen, als durch Eintragungen der Polizei in ihr Führungszeugnis. Denn wer
40 einmal solche Eintragungen hat, der hat sich seine Zukunft verbaut. Deshalb stellte er die Jugendlichen vor die Wahl: Wer zu ihm in sein Taekwondo-Training kommt, den bringt er nicht zur Polizei. Bis heute hat Fahim Yusufzai
45 mit über 700 Kindern und Jugendlichen trainiert. Neben Taekwondo wird im Verein auch Kickboxen, Fußball und Basketball angeboten. Das regelmäßige Training stärkt das Gefühl, respektiert zu werden und etwas leisten zu
50 können.

Die Jugendlichen sind motiviert und lernen, Stress-Situationen ohne Waffe zu bewältigen und sich an Regeln zu halten. Wer im Training zum Beispiel flucht oder jemanden
55 beleidigt, der macht Liegestützen. Die Kids werden selbstbewusster, entwickeln Zukunftspläne. Manche machen direkt nach dem Training ihre Hausaufgaben, bei denen sie Hilfe bekommen.
60 Seitdem Fahim Yusufzai sein Training anbietet, ist die Zahl der Sachbeschädigungen und Diebstähle stark zurückgegangen.

Der ehemalige Sicherheitsleiter des Einkaufszentrums Jenfeld ist für seine Kids immer
65 da. Wen Probleme plagen, der hat die Möglichkeit, jederzeit mit ihm zu sprechen. Vertrauen, Disziplin und Respekt sind wichtige Vokabeln im Wortschatz von Fahim Yusufzai. Mit ihnen begründet er, was zunächst recht
70 komisch scheint: Er bringt kriminellen Jugendlichen einen Kampfsport bei. Auf diese Weise merken viele Jugendliche, dass es keinen Sinn macht, Mist zu bauen. Stattdessen kümmern sie sich um die Schule oder um ei-
75 nen Ausbildungsplatz.

2a Lesen Sie den Text. Machen Sie zu folgenden Punkten Notizen:

1. Gründer des Vereins   _Fahim Yusufzai, arbeitete als ...,_ _____

2. Angebote, die der Verein macht   _____

3. Erfolge des Vereins   _____

  b Wie beurteilen Sie dieses Projekt? Kennen Sie ähnliche Projekte in Ihrem Land? Welche
Angebote würden Sie sich wünschen?   ▶ Ü 1–3

3a Suchen Sie im Text Relativsätze mit dem Relativpronomen *wer* und ergänzen Sie die Tabelle.

Wer	einmal solche Eintragungen hat,	der	hat sich seine Zukunft verbaut.
Wer	in sein Training kommt,	den	bringt er nicht zur Polizei.
Wen	er der Polizei übergeben hatte,	dem	...
...			

  b Unterstreichen Sie in den Beispielsätzen aus Aufgabe 3a das Verb. Welcher Satz ist Hauptsatz, welcher Nebensatz?

  c Sehen Sie sich das Beispiel an und ergänzen Sie die Regel.

Jemand	hat solche Eintragungen.	Er	hat sich seine Zukunft verbaut.
↓		↓	
Wer (Nominativ)	solche Eintragungen hat,	[der] (Nominativ)	hat sich seine Zukunft verbaut.

Hauptsatz – Kasus – Person – Demonstrativpronomen *der* – Nebensatz

1. Relativsätze mit *wer* beschreiben eine unbestimmte _____ näher.

2. Der _____ beginnt mit dem Relativpronomen *wer*, der _____ mit dem
Demonstrativpronomen *der*.

3. Der _____ der Pronomen richtet sich nach dem Verb im jeweiligen Satz.

4. Wenn beide Pronomen im gleichen Kasus stehen, kann das _____
entfallen.

▶ Ü 4–6

 4 Das Relativpronomen *wer* kommt oft in Sprichwörtern vor.
Recherchieren Sie im Internet und suchen Sie weitere Beispiele.
Was bedeuten sie?

Wer andern eine Grube gräbt, fällt selbst hinein.

_Das bedeutet: Wer versucht, anderen zu schaden, schadet sich dadurch oft
selbst._

▶ Ü 7–8

Armut ist keine Schande

1a Wann ist Ihrer Meinung nach ein Mensch arm? Schreiben Sie einen kurzen Text und hängen Sie ihn im Kursraum auf.

Meiner Meinung nach bedeutet Armut, dass ...
Unter Armut verstehe ich, ...
Für mich ist ein Mensch arm, wenn er ...

b Vergleichen Sie Ihre Erklärungen im Kurs. Welche Gemeinsamkeiten und welche Unterschiede stellen Sie fest?

▶ Ü 1–3

2 Lesen Sie zuerst die acht Überschriften. Lesen Sie dann die vier Texte und entscheiden Sie, welcher Text (1–4) am besten zu welcher Überschrift (a–h) passt.

TELC

a Immer mehr arme Menschen auf der Erde

b Zeichen setzen gegen Kinderarmut

c Der aktuelle Armuts- und Reichtumsbericht der Bundesregierung

d Portemonnaie der Eltern entscheidet über Bildungserfolg der Kinder

e Kostenlose Veranstaltung des DRK in Hellersdorf

f Kinder aus sozialschwachen Familien bringen im Studium schlechte Leistungen

g Immer mehr arme Kinder – Keine Feierstimmung am Weltkindertag

h Armut, was ist das und wie entsteht sie?

1 Im Jahr 1954 saßen die Mitglieder der UN-Vollversammlung zusammen und beschlossen, einen „Weltkindertag" ins Leben zu rufen. Einmal pro Jahr sollten Kinder die Hauptpersonen sein und ihre Sorgen, Nöte, Wünsche und Träume sollten weltweit im Mittelpunkt stehen. Inzwischen wird der Weltkindertag in über 160 Staaten begangen. Das Datum des Kindertages variiert in den verschiedenen Staaten. Über 30 Staaten übernahmen den 1. Juni von China und den USA. Dieser wird auch als „Internationaler Kindertag" bezeichnet. In Deutschland finden jährlich am 20. September Demonstrationen, Feste und andere Veranstaltungen statt, um auf die Lage der Kinder aufmerksam zu machen. Auch der Berliner Kinderschutzbund überlegt jedes Jahr erneut, was er an diesem Tag auf die Beine stellt. Als im Frühjahr 2006 die neuesten Zahlen zur Kinderarmut bekannt wurden, war sofort klar: Beim nächsten Weltkindertag muss es ein Zeichen gegen Kinderarmut geben. 2,5 Millionen arme Kinder in Deutschland und 200.000 in Berlin – Tendenz steigend – sind eine traurige Tatsache, die niemand hinnehmen will und kann. Die Idee zum Weltkindertag 2006 war schnell gefunden. Für jedes Kind, das in Berlin unterhalb der Armutsgrenze lebt, sollte am 20. September symbolisch ein Fähnchen aufgestellt werden. Am nächsten Tag wurden die Fähnchen dann jeweils gegen einen Euro getauscht. Die Idee: Mit jedem gespendeten Euro sollte ein Fähnchen von der Wiese vor dem Bundeskanzleramt verschwinden. Die Resonanz war riesig.

2 Am Montag, den 29. September, findet in Hellersdorf an der Quickborner Straße 39 eine Veranstaltung des Deutschen Roten Kreuzes zum Thema „Armes Deutschland" statt. Beginn ist um 20 Uhr. In einem Vortrag mit anschließender Gesprächsrunde geht es vor allem um Menschen, die am sozialen Rand der Gesellschaft leben. Erwin Steinert spricht darüber, wie diese Menschen besser am gesellschaftlichen Leben teilnehmen können und was das DRK dazu beitragen kann. Dabei wird auch auf den aktuellen Armuts- und Reichtumsbericht der Bundesregierung eingegangen, der den Teufelskreis zwischen Arbeitslosigkeit und Armsein eindrucksvoll aufzeigt. In der sich anschließenden Gesprächsrunde soll auf Themenschwerpunkte wie „Teilhabe am gesellschaftlichen Leben", „Gleiche Bildungschancen", „Migration und Integration" und „Menschen in besonderen Lebenslagen" eingegangen werden. Darüber hinaus bittet das DRK um Mithilfe in Form von Geld- oder Kleiderspenden. Es müssen aber nicht unbedingt Spenden sein. Wer sich persönlich engagieren will, kann bei dieser Veranstaltung mehr über eine ehrenamtliche Mitarbeit erfahren. Interessierte können zum Beispiel in der Kleiderkammer tätig werden oder bei der Essensausgabe in der Suppenküche. Der Eintritt für die Veranstaltung ist frei.

3 Armut zu definieren ist schwierig, denn jeder empfindet sie anders. Hunger, Krankheiten oder Angst lassen sich nur schwer messen. Aus diesem Grund gibt es international anerkannte Kriterien, die dabei helfen, zu erfassen, was Armut ist und wer als arm gilt. Auf ihrer Grundlage lässt sich Armut vergleichen. In einer Studie der Weltbank wurde untersucht, wie Arme ihre eigene Situation einschätzen. Dazu befragte man rund 60.000 Arme aus aller Welt. Die Studie macht sehr deutlich, was für diese Menschen Armut bedeutet: Hunger, kein Geld für die nötigsten Dinge des Alltags, ein Leben ohne Sicherheit, Krankheiten und keine Aussicht auf eine bessere Zukunft. Oft sind sie Naturkatastrophen und Gewaltübergriffen schutzlos ausgeliefert und haben keine Möglichkeit, ihr Leben selbst zu bestimmen.
Weltweit leben mehr als eine Milliarde Menschen in extremer Armut. Ursachen dafür gibt es viele, zum Beispiel Dürreperioden, die die Ernte vernichten, viel zu niedrige Arbeitslöhne, Korruption, Kriege, Epidemien, Naturkatastrophen und ein hohes Bevölkerungswachstum. Meistens sind mehrere Gründe gleichzeitig für die Armut der Menschen in einem Land verantwortlich. Viele Ursachen von Armut können von den betroffenen Ländern nicht selbst und nicht allein beeinflusst werden.

4 „Arm bleibt dumm – nur Reich studiert". Dieser Slogan einer Demonstration gegen Studiengebühren trifft den Nagel auf den Kopf. Denn von den 14 Millionen Kindern und Jugendlichen in Deutschland leben zweieinhalb Millionen in materiellen Verhältnissen, die nach offizieller Lesart als arm bezeichnet werden. Beim Institut für Schulentwicklungsforschung (IFS) an der Universität Dortmund hat man einen direkten Zusammenhang zwischen Armut und Bildungserfolg festgestellt: Kinder aus Elternhäusern mit niedrigem sozioökonomischen Status erwerben in der Schulzeit weniger Kompetenzen. Die Chancen für einen guten Schulabschluss hängen besonders stark von den sozialen Verhältnissen der Eltern ab. Kinder aus Familien mit gutem oder hohem Einkommen haben deutlich bessere Chancen, eine gute Ausbildung zu bekommen oder studieren zu können, als Kinder aus einkommensschwachen Familien.

▶ Ü 4

3 Haben sich Ihre Definitionen von Armut in den Texten bestätigt? Welche Aspekte sind neu dazugekommen?

Ich mach mir die Welt, wie sie mir gefällt _____

1a Was machen Sie im Internet am häufigsten? Notieren Sie Ihre Antworten der Häufigkeit nach (1 = sehr häufig).

1 _____   3 _____

2 _____   4 _____

b Vergleichen Sie Ihre Antworten mit den Ergebnissen einer Umfrage aus dem Internet. Welche Gemeinsamkeiten und Unterschiede gibt es?

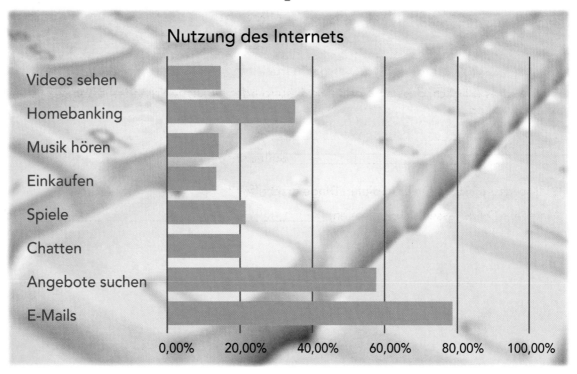

Nutzung des Internets

Videos sehen
Homebanking
Musik hören
Einkaufen
Spiele
Chatten
Angebote suchen
E-Mails

0,00%   20,00%   40,00%   60,00%   80,00%   100,00%

▶ Ü 1   **c** Was vermuten Sie: Warum ist das Spielen im Internet beliebt?

1.40
2a Hören Sie den ersten Teil eines Radiogesprächs und notieren Sie das Thema der Sendung und den Beruf von Herrn Stärk.

1.41
b Hören Sie den zweiten Teil des Gesprächs und beantworten Sie die folgenden Fragen.

1. Warum melden sich immer mehr User beim Online-Spiel „Second Life" an?

2. Was ist das Besondere an Online-Spielen?

3. Warum kann man virtuelle Beziehungen leichter eingehen als Beziehungen in der Realität?

4. Welche beiden Typen von Nutzern unterscheidet Herr Stärk beim Spiel „Second Life"?

1.42

c Hören Sie den dritten Teil des Gesprächs und entscheiden Sie, ob die Aussagen richtig oder falsch sind.

	r	f
1. Online-Spiele führen zu einer unkontrollierbaren Sucht.	☐	☐
2. Es kann passieren, dass durch das Spiel reale Freundschaften zerstört werden.	☐	☐
3. Viele Spieler können aus Zeitmangel nicht so lange spielen, wie sie gerne wollten.	☐	☐
4. Auf Knopfdruck erschafft sich der Spieler ohne Probleme alles, was er braucht.	☐	☐
5. Das Internet wird in Zukunft nur noch aus 3D-Welten bestehen.	☐	☐

1.43

3a Hören Sie einen Auszug des Gesprächs noch einmal. Lesen Sie zuerst die beiden Fragen und ergänzen Sie beim Hören die Antworten. Vergleichen Sie dann im Kurs.

1 Wie ist es möglich, dass eine echte Beziehung oder wirkliche Freundschaften nicht mehr funktionieren?

Das kann z.B. _____ geschehen, _____ die Menschen sich _____

_____ aufhalten.

2 Wie lassen sich in Online-Spielen Dinge erschaffen?

Materielle Dinge lassen sich erschaffen, _____ drückt.

b Unterstreichen Sie in den Antworten die Konnektoren.

c Was drücken die beiden Konnektoren aus? Markieren Sie.

☐ Zeit   ☐ Zweck
☐ Art und Weise   ☐ Bedingung

d Modalsätze: Ergänzen Sie die Regel.

> Ⓖ
>
> Nebensatz – zusammen – Hauptsatz – zwei – Nebensatz
>
> Mit Modalsätzen wird die Art und Weise ausgedrückt.
>
> 1. Der Konnektor *dadurch, dass* hat _____ Teile: *dadurch* steht im _____, *dass* leitet den _____ ein.
> 2. Der Konnektor *indem* leitet einen _____ ein. Er wird immer _____ geschrieben.

▶ Ü 2–3

4 Was halten Sie von Online-Spielen? Diskutieren Sie im Kurs.

Dadurch, dass die Menschen online spielen, ...
Indem die Menschen viel Zeit am Computer verbringen, ...
Weil virtuelle Beziehungen leichter sind, ...
Dadurch, dass Menschen sich in einer fiktiven Welt aufhalten, ...

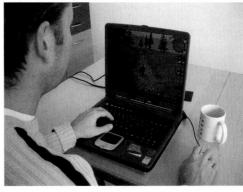

Der kleine Unterschied

1a Männer und Frauen. Welche Assoziationen verbinden Sie mit ...

Farben für Jungen und Mädchen?
Wunschberufen von Mädchen und Jungen?
Spielzeug für Mädchen und Jungen?
Tätigkeiten für Männer und Frauen?
Männersprache – Frauensprache?
Hobbys für Männer und Frauen?

b Wo finden Sie Gemeinsamkeiten? Wo sind Unterschiede? Wie lassen sich Ihre Ergebnisse erklären?

▶ Ü 1

2a Was Männer sich von Frauen wünschen. Sehen Sie die Bilder an und lesen Sie dann die Texte. Welche Bilder passen zu welchem Text?

Was Männer sich wünschen

Was erwarten sich die Männer von den Frauen in zehn Jahren? Was wünschen sie sich im Umgang mit den Frauen, für die Welt, die Familie? Die Männer von der elektronischen Wochenzeitung ZEIT online erzählen zum Weltfrauentag von ihren Wünschen:

Geradeheraus
Wunsch an die Frauen: Bitte etwas mehr geradeaus in der Kommunikation.
Nicht so von hinten durchs Knie. Um es mit Annett Louisan zu sagen: Ich habe doch demonstrativ nichts gesagt.
Oliver Bunte, Technik

Schluss mit Beschützern, Gentlemen und Dienerinnen

Ich wünsche mir die Auflösung von beziehungsinternen Rollenbildern. Der Mann als machohafter Beschützer, als Charmeur, als Gentleman hat für mich genauso ausgedient wie das Bild einer schwachen Frau, die sich vom Mann abhängig macht. Frauen, die vom Mann hofiert und mit Geschenken überschüttet werden wollen, sehe ich genauso skeptisch wie Frauen, die sich mit einer dienenden Hausfrauenrolle abfinden. Es geht nicht um gesellschaftliche Gleichberechtigung, die ich mir nicht zu wünschen brauche, da ich sie für ein gelungenes Miteinander für eine Grundvoraussetzung halte, sondern um emotionale Gleichberechtigung. Das bedeutet, es gibt idealerweise keine vordefinierte Rollenverteilung zwischen Mann und Frau; Stärken und Schwächen der Partner ergeben sich aus der Beziehung selbst und nicht aus einer gesellschaftlichen Vordefinierung, welche Erwartungen der Partner in welcher Situation zu erfüllen hat. Die Partner sind sich ebenbürtig.

Adrian Pohr, Redakteur

Auch wir sind Helden

In den Mantel muss mir noch niemand helfen, nicht einmal eine Frau. Aber hübsch wäre es schon, wenn sich die Betonung des Wortes „Gleichberechtigung" in zehn Jahren etwas mehr von „Recht" auf „gleich" verschöbe. Frauen haben nämlich einen ihnen selbst oft unheimlichen Vorteil: Sie bekommen (manchmal) Kinder. Danach heißt es herzlich stöhnen: Kinder, Arbeit, Putzen, Kochen und den Mann (so sie ihn hat) über die Karriereschwelle heben. Klatschend stehen Nachbarn und Verwandte dann am Zaun: Welch Heldentum. Wäre ich auch gerne, so ein Held. Kinder, Arbeit, Putzen, Kochen – alles kann Mann auch. Doch dann dies: In den ersten Tagen raunten Nachbarn: „Schau nur, wie nett dieser Vater sich im Urlaub um die Kinder sorgt." Nach drei Wochen hieß es dann: „Sicher ist er arbeitslos." Aus war's mit dem Heldendasein. Wie ich mir die Frauen in zehn Jahren wünsche: stark und schön und klug wie heute. Und die Männer? Alle Helden!

Karsten Polke-Majewski, Redakteur

Ausblick

Es wird verhältnismäßig mehr Frauen als Männer geben. Es wird verhältnismäßig mehr Frauen geben, die Positionen bekleiden, die heute noch ausschließlich von Männern besetzt werden. Es wird verhältnismäßig mehr alleinstehende Frauen geben und weniger alleinstehende Männer.
Es wird auch in zehn Jahren keine Rolle spielen, wie wir uns die Frauen wünschen.
Ich freue mich auf mehr Frauen in der Politik.
Ich fürchte mich vor Frauen in der Politik, die dieselben Fehler begehen wie ihre männlichen Vorgänger – oder schlimmere.

Isaak Bah, Technik

b Was wünschen sich die Männer? Fassen Sie jede Aussage in einem Satz zusammen.

c Welchen Aussagen können Sie zustimmen? Welchen nicht? Warum?

zustimmen	zweifeln	ablehnen
Ich glaube auch, dass …	Ich bin nicht sicher, ob …	Ich glaube nicht, dass …
… kann ich zustimmen.	Stimmt es wirklich, dass …	… kann ich nicht zustimmen.
Ich bin der gleichen Meinung wie …	Teilweise stimmt das, aber …	Ich bin anderer Meinung als …
Es stimmt, dass …	Ich bezweifle, dass …	Es stimmt nicht, dass …
Es ist richtig, dass …	Ich kann nicht überall zustimmen, weil …	Es ist nicht richtig, dass …
Das sehe ich genauso.		Das sehe ich anders.

Ich glaube nicht, dass es in zehn Jahren wirklich mehr Frauen in Positionen gibt, in denen jetzt nur Männer sind.

Ich bin auch nicht sicher. Wollen Frauen diese Positionen überhaupt haben?

Der kleine Unterschied

3a Wie wünschen sich die Frauen im Kurs Männer in zehn Jahren? Wie wünschen sich die Männer im Kurs Frauen in zehn Jahren? Schreiben Sie in einem Kurs-Forum.

> *Was Frauen sich wünschen ...*
>
> *Wenn ich in die Zukunft schaue, dann wünsche ich mir von den Männern, dass sie den Frauen mehr von sich erzählen. Männer müssen nicht immer alles alleine machen, alles alleine entscheiden und lösen. Auch nicht in 10 Jahren. Sie sollten Rat bei Frauen suchen. Frauen haben eine andere Perspektive als Männer. Sie betrachten Probleme oft von einer anderen Seite. Das kann helfen, ein Problem zu lösen. Das gilt umgekehrt natürlich auch für Frauen. Im Team sind wir viel stärker.*
>
> *Nadja*

▶ Ü 2   **b** Hängen Sie die Beiträge im Kurs auf. Was sind die häufigsten Wünsche?

4 Frauen und Männer sind ... anders.
Und darum ist die Beziehung zwischen ihnen auch ein häufiges Thema für Witze, für Comics und für das Kabarett.

1.44   **a** Hören Sie nun die folgende Szene aus einem Kabarett-Programm von Horst Schroth. Welche Probleme sieht er
▶ Ü 3   beim Zusammenleben von Mann und Frau?

   b Was denken Sie? Was ist wahr? Was ist übertrieben? Diskutieren Sie im Kurs.

> *Männer wollen nur ihre Ruhe haben, wenn sie von der Arbeit kommen.*

> *Das stimmt nicht. Ich freue mich darauf, mit meinen Kindern zu spielen!*

   c Horst Schroth berichtet von Macken, die Menschen haben können, und nennt zwei Beispiele. Welche?

5a Arbeiten Sie in Gruppen. Sammeln Sie typische Situationen mit Freunden, Kollegen oder Partnern, die Sie immer wieder nerven.

Bevor mein Freund aus dem Haus geht, muss er immer kontrollieren, ob der Herd aus ist.

b Über die kleinen Fehler sprechen: Worauf sollte man achten? Sammeln Sie im Kurs.

Wann sprechen Sie darüber? _____

Wo sprechen Sie darüber? _____

Wie sprechen Sie darüber? _____

Was kann ich sagen?
– Mir ist aufgefallen, dass ...
– Ich frage mich, ob ...
– Für mich ist es schwierig, wenn ...

c Sie möchten, dass jemand mit einer „Macke" aufhört. Er/Sie findet es aber gar nicht so
schlimm. Entwickeln Sie zu zweit einen Dialog. Wählen Sie eine Situation aus A–D oder
überlegen Sie sich eine eigene.

A

B

Cindy hat sich bei Haide für den Urlaub fünf Reiseführer und einen Koffer ausgeliehen. Haide wartet seit sechs Monaten auf die Sachen. Wie immer!

Sonja kommt schon wieder zu spät. Till hat keine Lust, immer zu warten.

C

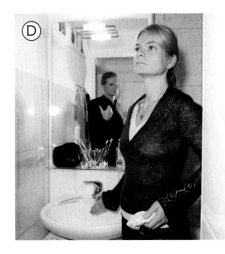

D

Britta macht viel im Haushalt. Wenigstens die Zahnpastatube könnte Tobias mal wegräumen.

Kai-Uwe spricht so laut am Telefon, dass sein Kollege Martin sich nur sehr schwer auf seine Arbeit konzentrieren kann.

d Spielen und vergleichen Sie die Dialoge. Wie können die Gespräche erfolgreich und ohne
Streit verlaufen?

Anne Will

(* 18. März 1966 in Köln)

Journalistin und Moderatorin

Anne Will in der gleichnamigen Sendung

Anne Will wächst in Hürth auf, wo sie auch 1985 das Abitur ablegt.

Zum Studium wechselt sie nach Köln und Berlin, um die Fächer Geschichte, Politologie und Anglistik zu belegen. Bereits in ihrer Studienzeit ist Anne Will journalistisch bei der „Kölnischen Rundschau" und dem „Spandauer Volksblatt" tätig. 1990 schließt sie in Köln ihr Magisterstudium ab.

Nach einem Volontariat wird sie den Fernsehzuschauern schon 1992 durch die Moderation einer Talkshow *(Mal ehrlich)* und der Sendung „Sportpalast" beim Sender Freies Berlin bekannt.

Später wechselt sie zum Westdeutschen Rundfunk und wird von 1996 bis 1998 Gastgeberin der Mediensendung „Palazzo". Das wirklich große Publikum erreicht sie ab Ende 1999, als sie einen Fernsehklassiker, die „Sportschau", moderieren darf. Will betritt damit eine Männerdomäne und schafft es mit einem Schlag, bei vielen Menschen bekannt zu werden. Einen Höhepunkt in der Moderation sportlicher Ereignisse stellt sicher auch die Übertragung und Kommentierung der Olympischen Spiele aus Sydney im Jahr 2000 dar.

Am 14. April 2001 kehrt Anne Will der Sportmoderation jedoch den Rücken, um eine weiterreichende journalistische Aufgabe wahrzunehmen: Die Moderation der „Tagesthemen", die von Millionen Deutschen gesehen werden. Über sechs Jahre moderiert sie die Sendung – abwechselnd mit ihrem Kollegen Ulrich Wickert bzw. mit dessen Nachfolger Tom Buhrow – für ein Millionenpublikum zu allen Bereichen der Gesellschaft und wird damit zu einem der bekanntesten Gesichter des deutschen Fernsehens.

Der 24. Juni 2007 ist der letzte Sendetermin für Anne Will bei den Tagesthemen, da sie seit September 2007 eine eigene politische Talkshow mit ihrem Namen moderiert.

„Niemand kann erwarten, dass wir das Fernsehen neu erfinden", sagt Anne Will. „Wir vertrauen auf das Gespräch." Relevant und lebensnah soll die Sendung sein. Erreichen will sie das, indem sie Politik so weit herunterbricht, dass den Menschen nicht nur klar wird, wie Entscheidungen entstehen und umge-

setzt werden, sondern auch, was sie für Einzelne bedeuten: „Politisch denken, persönlich fragen", das ist das Motto der Sendung.

Doch Anne Will engagiert sich nicht nur für das Fernsehen. Sie ist Botschafterin bei „Gemeinsam für Afrika" und setzt sich für ein Verbot von Landminen ein.

Auch dem Sport bleibt sie verbunden und ist seit 2006 Mitglied des Fußballclubs 1. FC Köln.

Mehr Informationen zu Anne Will

Sammeln Sie Informationen über Persönlichkeiten aus dem In- und Ausland, die für das Thema „Gesellschaft" interessant sind, und stellen Sie sie im Kurs vor. Sie können dazu die Vorlage „Porträt" im Anhang verwenden. Beispiele aus dem deutschsprachigen Bereich: Günter Wallraff – Emilie Kempin-Spiry – Sigmund Freud – Margarete Mitscherlich

Grammatik-Rückschau _____ 4

1   Relativpronomen *wer*

Nominativ	wer
Akkusativ	wen
Dativ	wem
Genitiv (selten)	wessen

Relativsätze mit *wer*

Jemand	hat solche Eintragungen.	Er	hat sich seine Zukunft verbaut.
Wer (Nominativ)	solche Eintragungen hat,	[der] (Nominativ)	hat sich seine Zukunft verbaut.

Jemand	kommt in sein Training.	Ihn	bringt er nicht zur Polizei.
Wer (Nominativ)	in sein Training kommt,	den (Akkusativ)	bringt er nicht zur Polizei.

1. Relativsätze mit *wer* beschreiben eine unbestimmte Person näher.
2. Der Nebensatz beginnt mit dem Relativpronomen *wer*, der Hauptsatz mit dem Demonstrativpronomen *der*.
3. Der Kasus der Pronomen richtet sich nach dem Verb im jeweiligen Satz.
4. Wenn beide Pronomen im gleichen Kasus stehen, kann das Demonstrativpronomen entfallen.

2   Modalsätze

Hauptsatz	Nebensatz
Das kann zum Beispiel **dadurch** geschehen,	**dass** die Menschen sich viel zu lange vor dem Computer aufhalten.
Materielle Dinge lassen sich erschaffen,	**indem** man auf den Knopf drückt.

1. Mit Modalsätzen wird die Art und Weise ausgedrückt.
2. Der Konnektor *dadurch, dass* hat zwei Teile: *dadurch* steht im Hauptsatz, *dass* leitet den Nebensatz ein.
3. Der Konnektor *indem* leitet einen Nebensatz ein. Er wird immer zusammengeschrieben.

Gleicher Lohn für gleiche Arbeit?

1a Gleichberechtigung im Beruf – was heißt das?
   Diskutieren Sie im Kurs.

 b Was glauben Sie: Sind Männer und Frauen in
   Deutschland beruflich gleichberechtigt?

 c Sehen Sie den Film. Waren Ihre Vermutungen
   bei Aufgabe 1b richtig?

1 2a Bilden Sie zwei Gruppen
und sehen Sie die erste
Filmsequenz. Ergänzen
Sie die Tabelle mit
Informationen zu den
Frauen.

Gruppe A: Kerstin Reschke

Gruppe B: Belgin Tanriverdi

beruflicher Weg:	*hat zuerst Bürokauffrau gelernt*	
Einkommen:		
Familienverhältnisse:		
Zufriedenheit im Job:		
Sonstiges:		

 b Stellen Sie die beiden Frauen im Kurs vor und charakterisieren Sie sie (z. B durch
   Adjektive: bescheiden, zielstrebig, ...).

3 In Deutschland gilt gesetzlich: Gleicher Lohn für gleiche Arbeit. Trotzdem verdienen Frauen oft weniger als Männer. Sehen Sie den Film noch einmal und ergänzen Sie die Sätze mithilfe der angegebenen Stichwörter.

weniger Berufsjahre	Teilzeit	~~schlechter bezahlt~~
	Geld	Zuverdienerinnen

Frauen verdienen oft weniger, weil ...

1 ... typische Frauenberufe *meist schlechter bezahlt sind* .

2 ... sie wegen der Familie _____ .

3 ... sie wegen Schwangerschaft und Familie _____ .

4 ... sie lange Zeit für das Familieneinkommen nur _____ .

5 ... Frauen bei der Berufswahl nicht als Erstes _____ .

4 Wie sieht es mit der beruflichen Gleichberechtigung von Frauen und Männern in Ihrem Heimatland aus? Berichten Sie.

5 Wählen Sie zusammen mit Ihrem Partner / Ihrer Partnerin eine der Aufgaben und stellen Sie Ihr Ergebnis im Kurs vor.

A Spielen Sie eine Szene mit Ihrem Vorgesetzten in der Firma. Sie wollen als Mutter/Vater von zwei Kindern flexiblere Arbeitszeiten, um sich mehr um die Familie kümmern zu können. Ihr Vorgesetzter hat bisher wenig Rücksicht auf Familien genommen.

B Schreiben Sie kurze Sätze auf, die als Slogans auf Plakaten und Transparenten zu einer Demonstration für mehr Gleichberechtigung verwendet werden sollen.

Krankenpflege ist Schwerstarbeit – für Männer und Frauen!

Unsere Kinder brauchen Mütter und Väter!

Wer Wissen schafft, macht Wissenschaft

1a Sehen Sie die Bilder an und lesen Sie die Fragen und Aussagen. Wie lauten die richtigen Antworten?

der Springbock

der Windhund   der Gepard

2. Der _____ ist das schnellste Säugetier der Welt. Er schafft Geschwindigkeiten bis zu 110 km/h.

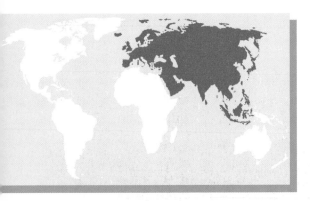

1. Wie groß ist Eurasien?
   a 540.000 km^2
   b 5,4 Millionen km^2
   c 54,4 Millionen km^2

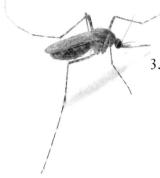

3. Eine Mücke schlägt
   pro Sekunde
   a 100-mal
   b 500-mal
   c 1.000-mal
   mit ihren Flügeln.

4. Der Durchmesser des sichtbaren Universums beträgt 25 Milliarden _____ .

5. Für jeden Schritt aktiviert der Mensch
   54 _____ .

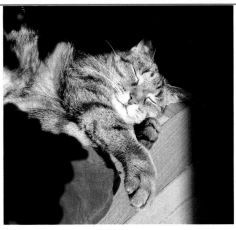

7. Was ist die kleinste Längeneinheit?
   a Millimeter
   b Femtometer
   c Nanometer

6. Katzen verschlafen etwa _____ Prozent ihres Lebens.

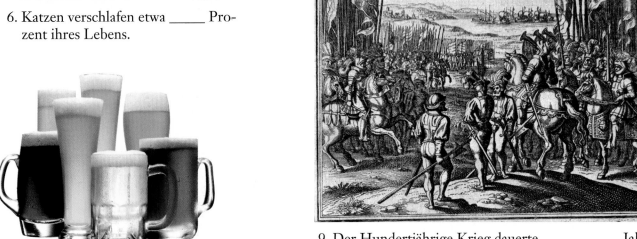

9. Der Hundertjährige Krieg dauerte _____ Jahre.

8. Wo werden alle 60 Sekunden 18.060 Liter Bier getrunken?
   a In China
   b In Großbritannien
   c In Deutschland

10. Die älteste Schrift entwickelten
    a die Ägypter (Hieroglyphen).
    b die Sumerer (Keilschrift).
    c die Phönizier (Alphabet).

b Vergleichen Sie Ihre Lösungen im Kurs. Schlagen Sie dann auf Seite 195 nach.

c Aus welchen Wissenschaften stammen die Informationen?

2 Welche Informationen finden Sie wichtig? Für wen und wozu ist dieses Wissen nützlich?

3 Sammeln Sie interessante Erkenntnisse aus unterschiedlichen wissenschaftlichen Themenbereichen und erstellen Sie in Gruppen ein eigenes Quiz.

Wissenschaft für Kinder

1a Lesen Sie den Text und sagen Sie mit einem Satz, worum es geht.

Wir bauen einen Wasserberg

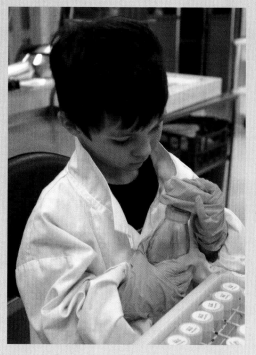

1   Die Lehrerin staunt: „So habe ich die Klasse noch nie erlebt." Im Alltag unterrichtet Wiebke Danielson an einer Berliner Schule Naturwissenschaft und muss mit Sprachproblemen und Zer-
5 streutheit der Schüler kämpfen. Doch heute ist kein Alltag angesagt. Ihre sechzehn Schützlinge, alle in der fünften Klasse, alle aus Einwandererfamilien im Bezirk Wedding, hängen einem jungen Mann in weißem Kittel förmlich an den Lippen, werfen be-
10 geistert die Arme hoch und beantworten seine Fragen.

    Wenig später stehen die Kinder an der Laborbank, konzentrieren sich darauf, die Temperatur einer wässrigen Gipslösung zu messen, stellen blaue
15 Pigmente her und färben Baumwolle. Gespannt folgen sie den Anleitungen für ihre Experimente und erklären sie sich gegenseitig. Durch den Besuch am Mitmach- und Experimentierlabor „NatLab" der Freien Universität (FU) Berlin, das speziell für
20 Schüler *konzipiert worden ist, werden* den Kindern aus Wedding offenbar ungeahnte Fähigkeiten *entlockt.* Seit sie sich ihre kleinen weißen Laboranzüge übergezogen und die Schutzbrillen anprobiert haben, sind sie wie ausgewechselt.

25   Kinder in der Wissenschaft – was vor Jahren noch abwegig oder exotisch erschien, *wird* in deutschen Forschungseinrichtungen heute als überlebenswichtig *betrachtet.* Schon jetzt absolvieren zu wenige junge Deutsche ein Studium in den Natur-
30 und Ingenieurwissenschaften, um die Nachfrage nach hoch qualifiziertem Personal decken zu können. Durch die schrumpfende Kinderzahl *wird* das Problem *verschärft.*

    Aus der Bildungsforschung kommt die Einsicht
35 hinzu, dass Weichen für spätere Studien- und Berufsentscheidungen viel früher *gestellt werden* als bisher erwartet. Zum einen *müssen* mathematische und andere analytische Fähigkeiten von den Kindern früh im Leben *erworben werden*, damit sie sie voll
40 entfalten können. Zum anderen stellt sich die Begeisterung für die Wissenschaft nicht über Nacht nach dem Abitur ein. Sie *muss* rechtzeitig *geweckt werden.*

    In keiner anderen deutschen Stadt gibt es dafür
45 so viele und so vielfältige Initiativen wie in Berlin. Sie versuchen, bei Kindern und Jugendlichen die Lust am Experimentieren zu wecken und den Drang zu stärken, Phänomene der Natur zu verstehen. Das „NatLab" der FU *wurde* 2002 *gegründet* und ist nur
50 eine von neun solcher Einrichtungen in der Hauptstadt, in die Schulklassen zu halb- oder ganztägigen Experimentierkursen kommen.

    Die Helmholtz-Gemeinschaft, deren fünfzehn Zentren Deutschlands größte Forschungsorganisa-
55 tion bilden, wendet sich sogar schon an Kleinkinder. In einem Kindergarten in Berlin-Neukölln stellt der Pädagoge Stephan Gühmann eine Gießkanne mit Wasser auf einen Tisch und zückt eine Handvoll Pipetten. „Wir bauen einen wackligen Wasserberg",
60 sagt Stephan Gühmann. Dann dürfen die Kinder Wasser in einen Becher spritzen, bis dieser mehr als randvoll ist. Eine labile Haube aus Wasser sitzt nun obenauf, das Produkt von Oberflächenspannung und Anziehungskräften zwischen den Wassermole-
65 külen. Alle gemeinsam bringen den Wasserberg zum Wackeln. „Warum fällt das Wasser nicht herunter?" Die Kinder wundern sich, doch keines weiß eine Antwort. Gühmann bittet sie, einen Kreis zu bilden, sich an den Händen zu fassen und zurückfal-
70 len zu lassen: Der Kreis hält, und kein Kind fällt um. „Jeder von euch ist jetzt ein Wasserteilchen", sagt er, „und die echten Teilchen halten genauso zusammen wie ihr."

    „Es ist zwar erstaunlich, was ein Experimentiertag
75 bei Kindern auslösen kann, aber am besten wäre natürlich eine kontinuierliche Experimentierarbeit", sagt Petra Skiebe Corrette, die das „NatLab" der FU leitet.

b Arbeiten Sie zu zweit und beantworten Sie die Fragen.

1. Was machen die Kinder im „NatLab"?
2. Warum ist es wichtig, Kinder schon früh an die Wissenschaft heranzuführen?
3. Wie wird den Kindern der „Wasserberg" erklärt?

c **Was halten Sie von solchen Initiativen? Gab es während Ihrer Schulzeit Ähnliches?**   ▶ Ü 1

2a **Im Text sind einige Passivformen kursiv gedruckt. Lesen Sie diese Sätze noch einmal.**

b **Wann verwendet man das Passiv? Kreuzen Sie an.**

Das Passiv wird verwendet, wenn

☐ wichtig ist, wer etwas macht.   ☐ ein Vorgang / eine Handlung im Vordergrund steht.

c **Ergänzen Sie die Tabelle und notieren Sie, in welcher Zeile ein entsprechender Beispielsatz zu finden ist.**

Bildung der Passivformen			Beispielsatz Zeile: ⒢
Präsens:	*wird/werden* +	Partizip II	*Z. 20–22*
Präteritum:	+	Partizip II	
Perfekt:	ist/sind + Partizip II +		
mit Modalverb:	Modalverb +	+ werden	

▶ Ü 2–4

d **Alternativ zum Passiv mit Modalverb kann man auch sogenannte Passiversatzformen verwenden. Lesen Sie die Sätze und formen Sie um.**

Passiv mit *müssen/können/sollen* → *sein* + *zu* + Infinitiv

Die Begeisterung der Kinder für die Wissenschaft muss frühzeitig geweckt werden.

Die Begeisterung der Kinder für die Wissenschaft ist frühzeitig zu wecken.

Passiv mit *können* → *sein* + Adjektiv mit Endung *-bar/-lich*

Viele Projekte für Kinder können ohne staatliche Hilfe nicht finanziert werden.

_____

Die Begeisterung der Kinder für das „NatLab" kann leicht verstanden werden.

_____

Passiv mit *können* → *sich lassen* + Infinitiv

Die Scheu der Kinder vor der Forscherwelt kann abgebaut werden.

_____   ▶ Ü 5

3 **Schreiben Sie für die drei Passiversatzformen je einen Beispielsatz.**

Interesse wecken – Motivation aufbauen – Scheu abbauen – Experimente durchführen – Wissen vermitteln – Neues lernen – Fähigkeiten erwerben – ...

Wer einmal lügt ...

1a **Lesen Sie die Aussagen. Was bedeuten sie? Welcher stimmen Sie zu?**

 A Der Erfinder der Notlüge liebte den Frieden mehr als die Wahrheit. (J. Joyce)
 B Die Lüge ist wie ein Schneeball, je länger man sie wälzt, desto größer wird sie. (M. Luther)
 C Die Wahrheit enthält immer auch Lüge. (J.W. v. Goethe)

 b **Was sagen Zitate oder Sprichwörter über Wahrheit und Lüge in Ihrer Sprache?**

 c **Suchen Sie passende Substantive, Verben oder Adjektive. Arbeiten Sie mit dem Wörterbuch.**

wahr	nicht wahr
die Wahrheit,	

▶ Ü 1

2a **Wie oft lügen wir wohl am Tag? Vergleichen Sie Ihre Meinungen im Kurs.**

2.1

GI

 b **Hören Sie nun ein Radiofeature zum Thema „Lügen macht intelligent". Sie hören den Text zunächst einmal ganz, danach ein zweites Mal in Abschnitten. Kreuzen Sie die richtige Antwort an.**

 1 **Was haben amerikanische Untersuchungen zum Thema Lügen herausgefunden?**
 a Die meisten Versuchspersonen finden Menschen, die lügen, unsympathisch.
 b Über die Hälfte einer Versuchsgruppe hat gelogen, um Sympathie zu wecken.
 c 40 Prozent wirkten unsympathisch, weil sie die Wahrheit über sich sagten.

 2 **Wie werden die Lügen der Männer beschrieben?**
 a Männer haben versucht, mit falschen Komplimenten Sympathie zu wecken.
 b Die Kandidaten zeigten die Tendenz, sich besonders positiv zu präsentieren.
 c Einige Probanden haben dermaßen übertrieben, dass ihnen niemand glaubte.

 3 **Wie lauten die Hauptaussagen der Versuchsreihen?**
 a Viele Menschen lügen, aber in längerfristigen Beziehungen sagen sie die Wahrheit.
 b Bei Studenten ist das Lügen weit verbreitet, besonders in kurzfristigen Bekanntschaften.
 c Lügen ist ein häufiges und ein soziales Phänomen, das besonders in längerfristigen
   Beziehungen eine Rolle spielt.

 4 **Wieso ist aktives Lügen ein Zeichen für die intellektuelle Entwicklung?**
 a Weil Kinder keine Lügengeschichten erzählen können.
 b Weil das aktive Lügen die Fähigkeit voraussetzt, abstrakte Zusammenhänge zu verstehen.
 c Weil erst Jugendliche zwischen Wahrheit und Lüge unterscheiden können.

 5 **Aus welchem Grund ist Lügen intellektuell anspruchsvoller als die Wahrheit zu sagen?**
 a Weil man nicht nachdenken muss, wenn man die Wahrheit sagt.
 b Weil beim Lügen ein Netz von Nervenzellen aufgebaut werden muss.
 c Weil nachgewiesen wurde, dass nur intelligente Menschen gut schwindeln können.

 6 **Sind auch Tiere in der Lage, ihre Artgenossen zu täuschen?**
 a Nein. Sie verfügen nicht über ausreichende Kommunikationsmittel.
 b Ja. Sie setzen z.B. akustische Warnsignale für ihre Interessen ein.
 c Tiere haben kein Interesse an der Täuschung von Artgenossen.

7 Was sind typische Gründe, um zu einer Lüge zu greifen?

a Es wird gelogen, weil alle anderen Menschen auch nicht die Wahrheit sagen.

b Man lügt häufig, um jemandem zu schaden.

c Man lügt, um Konflikten aus dem Weg zu gehen.

8 Wie wird das Lügen heute gesellschaftlich bewertet?

a Das Lügen ist eine Eigenschaft, die jeder nutzt, die aber negativ bewertet wird.

b Da das Lügen Vorteile verschafft, steht es bei der Bewertung von Eigenschaften auf Platz fünf.

c Lügen ist weit verbreitet und wird als wünschenswerte Eigenschaft eingestuft.

9 Wieso erkennen die meisten Menschen viele Lügen nicht?

a Lügen regulieren unser Zusammenleben. Deshalb ignoriert unser Gehirn oftmals, dass nicht die Wahrheit gesagt wird.

b Die Lügen sind so intelligent, dass wir sie nicht von der Wahrheit unterscheiden können.

c Unser Gehirn und unsere Sinnesorgane bemerken jede Lüge, wir sprechen nur nicht darüber.

10 Wieso sollten wir nicht nur andere, sondern auch uns selbst täuschen können?

a Weil die Psyche ab und zu positive Informationen braucht, auch wenn sie nicht wahr sind.

b Weil die meisten Menschen die Wahrheit nicht vertragen. Ihre Psyche kann nur Positives verarbeiten.

c Weil wir unser Gehirn kontinuierlich trainieren müssen, um glaubwürdig lügen zu können.

3a Lesen Sie die Texte und sehen Sie die Bilder zu den Szenen an. In welcher Situation wird Ihrer Meinung nach gelogen?

Max und David sind dicke Freunde. Sie teilen alle Geheimnisse. David hat Max erzählt, dass er traurig ist, weil seine Eltern immer streiten. Das soll aber niemand wissen.

Frau Günther hat einen Besprechungstermin vergessen. Ihr Chef fragt sie, warum sie nicht bei der Besprechung war.

Paul trifft sich das erste Mal mit Sabrina. Er schenkt ihr einen großen Strauß rote Rosen. Sabrina findet das total übertrieben und unpassend. Sie möchte Paul aber nicht verletzen.

b Sollte man in diesen Situationen anders reagieren? Wenn ja, wie? ▶ Ü 2–3

4 Jetzt dürfen Sie lügen, wenn Sie wollen. Schreiben Sie ein wahres oder nicht wahres Erlebnis aus Ihrem Leben auf. Lesen Sie die Geschichte vor, die anderen raten, ob Sie lügen oder nicht. Erklären Sie kurz, was wahr oder falsch an Ihrer Geschichte ist.

Vor zwei Jahren habe ich eine Geldbörse auf der Straße gefunden. Darin waren 1200 Euro Bargeld, Kreditkarten und Papiere. Ich habe die Geldbörse dem Besitzer gebracht. Er hat sich sehr gefreut, aber dann ...

Ist da jemand ...?

1a Stellen Sie sich vor, dass es auf der Erde keine Menschen mehr gibt. Was würde sich in 10, 50, 1.000, ... Jahren verändern?

b Lesen Sie den Text und ordnen Sie die Überschriften den Abschnitten zu.

> Eine Vision für die Zukunft
>
> Das Ende der atomaren Energie
>
> Langlebige Überreste
>
> Die Natur vernichtet Großstädte
>
> Der Zerfall der Architektur

Die Welt ohne uns

1 **Ein Traum für wahre Ökologen: Von einem Tag auf den anderen ist der Mensch von der Erde verschwunden.**

Der amerikanische Wissenschaftsjournalist Alan
5 Weisman gibt einen Einblick in die Vision, was eine Zukunft ohne Menschen für die Erde bedeutet. Aus zahlreichen Studien, Gesprächen mit Wissenschaftlern und Technikern ist das Buch „The World Without Us" entstanden. Seine wichtigste Erkenntnis: Überra-
10 schend schnell wäre die Erde wieder ein grüner Planet. Zumindest auf den ersten Blick. Denn einige Hinterlassenschaften würden Jahrmillionen überdauern.

Schon zwei Tage, nachdem Homo sapiens ver-
15 schwunden ist, wäre die New Yorker U-Bahn in Weismans Szenario überflutet. Die Pumpen, die täglich bis zu 40 Millionen Liter Grundwasser wegpumpen, würden nicht mehr funktionieren, da sich niemand mehr um sie kümmert. In den folgenden
20 Jahren, so Weisman, beginnen die Stützen der Großstadtwelt nachzugeben, Häuser stürzen zusammen, Straßen sinken ein und werden zu Flussbetten. Nach 20 Jahren hätte sich die Natur die Städte größtenteils zurückerobert.

25
Nach sieben Tagen würden die Notkühlungen der Kernkraftwerke ausfallen, denn es gibt niemanden, der Diesel nachfüllt. Nach einem Jahr, glaubt Weisman, sind alle Atommeiler geschmolzen oder
30 verbrannt. Die ersten Tiere würden in die radioaktiven Ruinen zurückkehren. Unter ihnen auch Vögel. Weisman schätzt, dass ohne Lichter oder Stromleitungen jedes Jahr rund eine Milliarde Vögel mehr überleben würden. Andere Arten dagegen würden
35 wahrscheinlich aussterben: Kopf- und Körperläusen, Ratten und Kakerlaken fehlt jemand, der sie direkt oder indirekt ernährt.

Nach 1.000 Jahren sind in Weismans Vision nur
40 noch wenige von Menschen geschaffene Strukturen übrig. Die meisten Brücken sind zusammengefallen, Dämme eingebrochen, Städte in Flussdeltas weggeschwemmt. Übrig blieben alleine Bauwerke, die tief unter der Erde geschützt sind, etwa der Tunnel unter
45 dem Ärmelkanal. Einige andere Erinnerungen an rund 6,5 Milliarden Menschen werden aber wohl wesentlich länger überdauern.

In 35.000 Jahren wäre der Boden vom Blei der
50 Industrialisierung befreit. In 250.000 Jahren wäre das Plutonium in den Nuklearwaffen natürlich zerfallen. Giftige polychlorierte Biphenyle vor allem aus Kunststoffen und Farben werden in Millionen Jahren noch nachweisbar sein. Und bestimmte Plastiksorten,
55 vor tausenden von Jahren von irgendwem in den Müll geworfen, werden nicht verschwinden, bis die Evolution neue Bakterien schafft, die den Kunststoff zersetzen können.

60 Weisman will mit seinem Buch nach eigenen Angaben bei niemandem Naturromantik oder Depressionen auslösen. Zu sehen, was in Abwesenheit des Menschen passiert, sagt er, sei „eine Art zu begreifen, was in unserer Gegenwart geschieht." Die
65 Natur würde sich, von einigen Ausnahmen abgesehen, relativ schnell erholen, so eine seiner zentralen Botschaften. Die andere ist tröstlich: „Ich glaube nicht, dass wir alle verschwinden müssen, damit sich die Erde wieder erholt."

2a Was würde sich verändern, wenn es auf der Erde keine Menschen mehr gäbe? Notieren Sie.

Was?	Wie?	Warum?
Großstadt	– U-Bahn voll mit Grundwasser – Häuser stürzen ein – ...	– Pumpen fallen aus

b Stimmen die Aussagen mit Ihren Vermutungen aus Aufgabe 1a überein?

3a Lesen Sie den Text noch einmal und markieren Sie die Indefinitpronomen. Ergänzen Sie dann die Tabelle.

(G)

Indefinitpronomen				
Nominativ	man/einer		jemand	irgendwer
Akkusativ	einen			irgendwen
Dativ		niemandem		

▶ Ü 1

b Lesen und ergänzen Sie die Regel mit den folgenden Wörtern.

~~man~~, irgendwer, irgendwas, irgendwann, ~~etwas~~, irgendwo, jemand, ~~irgendwohin~~, irgendwoher

(G)

Die Indefinitpronomen beschreiben Personen: ___man___ / _____ / _____,
Orte: _____ / _____ / __irgendwohin__ sowie Zeiten: _____ und
Dinge: _____ / __etwas___, die nicht genauer definiert werden. So erhalten
die Aussagen mit Indefinitpronomen einen allgemeinen Charakter.

c Schreiben Sie drei Fragen mit Pronomen aus Aufgabe 3b und spielen Sie Minidialoge.

▶ Ü 2

○ *Kannst du mich heute irgendwann anrufen?*   ● *Ja, klar. Heute Abend.*

d Jemand? – Niemand! Welche Wörter verneinen die Pronomen aus Aufgabe 3b? Erstellen Sie eine Tabelle mit den Wörtern im Kasten.

▶ Ü 3

~~niemand~~   nirgendwo   nichts   nie   nirgendwohin   ~~keiner~~
    nirgendwoher   niemals   nirgends   nirgendwohin

Person: man, jemand, einer, irgendwer   → *niemand, keiner*

4 „Ich glaube nicht, dass wir alle verschwinden müssen, damit sich die Erde wieder erholt."
Was können/müssen wir jetzt für die Umwelt tun? Diskutieren Sie.

Man müsste stärker ...   Wenn wir irgendwann handeln, ist es zu spät, darum ...
Wir sollten irgendwas tun, zum Beispiel ...   Man kann irgendwo anfangen. Vielleicht ...

Gute Nacht!

▶ Ü 1 1 Wie viele Stunden schlafen Sie? Wann schlafen Sie besonders gut, wann nicht so gut?

2a Lesen Sie den Text und notieren Sie fünf Fragen zum Inhalt.

Eintauchen in eine geheimnisvolle Welt

Die Menschen werden immer rastloser, schlafen viel weniger als vor 100 Jahren – das hat Folgen

1 Bis heute weiß die Wissenschaft nicht, warum der Mensch ein Drittel seines Lebens verschläft. Damit die Organe entspannen? Damit Hirn und Seele verarbeiten können, was sie er-
5 leben? Oder weil die Erde kahl wäre, gäbe der Allesfresser Mensch nicht zwischendurch Ruhe?

Vor hundert Jahren schliefen die Menschen im Schnitt neun Stunden, vor zwanzig Jahren waren es noch mehr als acht, heute sind es sie-
10 ben, den verlängerten Wochenend-, Feiertags- und Urlaubsschlaf eingerechnet. Die Industrieländer mit ihren 24-Stunden-Gesellschaften werden schlaflos: Eine Nacht durchzuarbeiten gilt als Ausweis besonderer Leistungsfähigkeit
15 im Zeitalter globaler Konkurrenz; bis nach Mitternacht auszugehen gilt als Teil gehobener Lebenskunst. Spät ins Bett: Das ist für die Pubertierenden der Beweis dafür, dass sie schon erwachsen sind, und für die Gealterten ist es ein
20 Beleg ihrer ewigen Jugend. Wer will schon das Leben verpennen? Nur klingelt beim Durchschnitts-Deutschen der Wecker bereits morgens vor halb sieben.

Viel zu früh nach Ansicht von Schlafforschern,
25 wie denen vom Schlaflabor der Berliner Charité. Einmal, weil die meisten Menschen vor acht Uhr kaum vernünftig denken können, und dann, weil dauerhafter Schlafmangel krank macht, weil Schlaflose hungrig werden und dick,
30 Bluthochdruck bekommen und am Ende gar den Herzinfarkt. Die Zahl der Menschen mit Schlafstörungen steigt; jeder vierte Deutsche wälzt sich nachts im Bett, statt zu ruhen. Inzwischen gibt es 300 Schlaflabors im Land;
35 Bettenhäuser preisen Spezialmatratzen, Pillen, Tropfen und Tees haben einen soliden Markt. Die Ärzte entdecken die Wirkung des mittelalterlichen Heilschlafs neu, Mediziner und Feuilletonisten preisen gleichermaßen die Kul-
40 tur des Nickerchens: zwanzig Minuten im

Bürostuhl, und die Welt sieht wieder ganz anders aus.

In Japan gilt es als Zeichen vorbildlichen Eifers, wenn einer mittags müde gearbeitet den
45 Kopf auf die Schreibtischplatte und abends an die Schulter des U-Bahn-Nachbarn sinken lässt; in China machen Schulkinder ein Mittagsschläfchen. Nie haben Schüler den Ministerpräsidenten von Baden-Württemberg mehr ge-
50 liebt als an jenem Tag, da er vorschlug, die Schule eine Stunde später beginnen zu lassen.

Und die Nachteulen, die Bettflüchter, Partylöwen, Einsam-am-Schreibtisch-Sitzer? Die können sich mit jenen Studien trösten, denen zu-
55 folge zu viel Schlaf auch nicht gesund ist, und es Menschen gibt, die nach fünf Stunden Ruhe wieder fit sind. Thomas Alva Edison war als Erfinder der Glühbirne ohnehin der ärgste Feind des Schlafs. „Alles, was die Arbeit hemmt, ist
60 Verschwendung", pflegte er zu sagen; vier Stunden Schlaf seien ausreichend. Doch als Henry Ford, der Autobauer, den genialen Erfinder besuchte, sagte Edisons Assistent: „Psst, der Meister hält ein Nickerchen." Edison holte sich sei-
65 nen Schlaf tagsüber – ein guter Grund, selbst mal ein kleines Schläfchen zwischendurch zu machen.

b Arbeiten Sie zu zweit. Stellen Sie sich gegenseitig Ihre Fragen und antworten Sie.

c Sammeln Sie alle wichtigen Informationen aus dem Text in Stichworten. Vergleichen Sie im Kurs.

3a Hören Sie ein Interview zum Thema „Mittagsschlaf". In welcher Reihenfolge werden die Teilthemen angesprochen? Nummerieren Sie.

2.2

☐ Empfohlene Dauer des Mittagsschlafs

☐ Mittagsschlaf in anderen Ländern

☐ Ein Beispiel – die Stadt Vechta

☐ Untersuchungen zum Thema

☐ Das Experiment des Schlafforschers Jürgen Zulley

b Hören Sie das Interview noch einmal in Abschnitten.

2.2

Abschnitt 1: Sind die Aussagen richtig oder falsch? Kreuzen Sie an.

	r	f
1. Bei dem Experiment mussten alle Teilnehmer einen Mittagsschlaf halten.	☐	☐
2. Die Menschen hatten schnell kein Gefühl mehr für die Tageszeiten.	☐	☐
3. Fazit des Experiments: Jeder Mensch schläft dreimal pro Tag, wenn er kann.	☐	☐
4. Der Schlafforscher Zulley setzt sich für den Mittagschlaf im Büro ein.	☐	☐

Abschnitt 2:

2.3

A Welche Länder werden als Beispiel genannt? Welche Information erhalten Sie über den Mittagsschlaf in diesen Ländern? Ergänzen Sie die Tabelle.

Land			
Information			

B Notieren Sie die wichtigsten Informationen zum Beispiel der Stadt Vechta in Stichworten.

Abschnitt 3: Ergänzen Sie die Sätze.

2.4

1. Einige Firmen haben _____.

2. Allerdings nutzen nur wenige Mitarbeiter dieses Angebot, weil _____

_____.

3. Die optimale Dauer des Mittagsschlafs beträgt _____. ▶ Ü 2

c Welchen Vorteil hat der Mittagsschlaf im Büro? Warum sollten Firmen ihn einführen? ▶ Ü 3

4 Wie verbringen Sie normalerweise Ihre Mittagspause und wie fit fühlen Sie sich danach?

Gute Nacht!

5 In einer deutschen Zeitung lesen Sie folgende Meldung:

Wissenschaftler fordern Mittagsschlaf im Büro.

„Uns fehlt der bewusste Umgang mit Ruhezeiten, angenehmen Schlafräumen und gesunder Ernährung", so Ingo Fietze, Leiter der schlafmedizinischen Abteilung in der Berliner Charité. Schlafforscher Jürgen Zulley fordert einen Kulturwandel. „Der Mittagschlaf wird immer noch mit Faulenzertum verbunden", sagt der Wissenschaftler. Nach Zulleys Angaben schläft derzeit rund ein Viertel der Beschäftigten heimlich im Büro. Wird es bald normal sein, bei einem Service-Unternehmen anzurufen, und auf dem Anrufbeantworter lautet es: „Wir halten gerade Büroschlaf. Bitte rufen Sie in 30 Minuten wieder an."? Schaden und Nutzen für die Unternehmen werden sich erst im Laufe der Zeit zeigen.

a Schreiben Sie als Reaktion auf diese Meldung einen Leserbrief an die Zeitung. Ordnen Sie zunächst die Bezeichnungen den Briefteilen zu und bringen Sie die Teile durch Nummerierung in die richtige Reihenfolge.

> Schluss   Hauptteil   Einleitung   Ort und Datum
> ~~Anschrift~~   Grußformel + Unterschrift   Anrede   Betreff

☐ _____:

Mit freundlichen Grüßen

Elisabeth Dollmeyer

☐ _____:

Angabe des Artikels, auf den Sie reagieren.

☐ _____:

Fassen Sie Ihre Meinung noch einmal kurz zusammen. Formulieren Sie gegebenenfalls eine Forderung oder geben Sie einen Ausblick in die Zukunft.

☐ _____:

Legen Sie Ihre Meinung dar. Erklären Sie Ihre Position. Nennen Sie Pro-/ Contra-Argumente. Geben Sie Beispiele.

☐ _____:

Dortmund, 18.05.20 ...

☐ _____:

Warum schreiben Sie? Warum ist das Thema für Sie interessant? Nehmen Sie Bezug zum Artikel.

1 _Anschrift_ _____:

Süddeutsche Zeitung
Redaktion „Wissen"
Hackenstr. 11
80743 München

☐ _____:

Sehr geehrte Damen und Herren,

b **Folgende Redemittel helfen Ihnen beim Schreiben. Markieren Sie pro Rubrik mindestens eine Formulierung, die Sie verwenden wollen.**

Einleitung	
Mit großem Interesse habe ich Ihren Artikel „ ..." gelesen.	
Ihr Artikel „ ..." spricht ein interessantes/wichtiges Thema an.	
eigener Standpunkt / eigene Erfahrungen	**Beispiele anführen**
Ich vertrete die Meinung / die Ansicht / den Standpunkt, dass ...	Lassen Sie mich folgendes Beispiel anführen ...
Aufgrund dieser Argumente bin ich der Meinung, ...	Man sieht das deutlich an folgendem Beispiel ...
Meine Erfahrung hat mir gezeigt, dass ...	Ein Beispiel dafür/dagegen ist ...
Aus meiner Erfahrung heraus kann ich nur unterstreichen, ...	An folgendem Beispiel kann man besonders gut sehen, ...
Pro-/Contra-Argumente anführen	**zusammenfassen**
Dafür/Dagegen spricht ...	Insgesamt kann man sehen, ...
Einerseits ..., andererseits ...	Zusammenfassend lässt sich sagen, ...
Ein wichtiges Argument für/gegen ist ...	Abschließend möchte ich sagen, ...
Zwar ..., aber ...	

GI
TELC

c **Formulieren Sie jetzt Ihre Reaktion auf den Artikel. Die Adresse der Zeitung brauchen Sie nicht anzugeben.**

Sagen Sie,
– wie sich die Unternehmen Ihrer Meinung nach verhalten sollen,
– wie Sie Situation und Folgen beurteilen,
– was Sie in Ihrer Mittagspause tun,
– was Sie anders machen würden, wenn Sie könnten.

d **Kontrollieren Sie Ihren Brief und überprüfen Sie:**
– Sind Sie auf alle Inhaltspunkte eingegangen?
– Finden sich im Text typische Fehler, wie z.B. Wortstellung, Endungen, Tempusform?
– Sind die Sätze miteinander verbunden? Haben Sie Konnektoren verwendet?

e **Tauschen Sie Ihren Leserbrief mit Ihrem Nachbarn / Ihrer Nachbarin und korrigieren Sie sich gegenseitig.**

6 **Eine Projektgruppe Ihrer Firma überlegt, wie die Arbeitsbedingungen verbessert werden können und hat alle Mitarbeiter und Mitarbeiterinnen aufgefordert, Vorschläge zu machen.**

a **Bilden Sie drei Gruppen: Firmenleitung, Betriebsrat, Mitarbeiter. Jede Gruppe sammelt für ihre Rolle Vorschläge und Argumente.** ▶ Ü 4

b **Spielen Sie zu dritt das Gespräch und einigen Sie sich. Geeignete Redemittel finden Sie im Arbeitsbuch auf Seite 63.** ▶ Ü 5

Albert Einstein (1879–1955)

„Aus Ihnen wird nie etwas, Einstein!"

Albert Einstein wird am 14. März 1879 in Ulm geboren und wächst in München auf. 1901 gibt Einstein die deutsche Nationalität auf und wird Bürger der Schweiz.

Lehrer meinen, aus Einstein werde nie etwas, weil er sich nichts sagen lässt und unaufmerksam ist. Auch als Student zeigt er sich als eigensinnig und fehlt oft bei den Pflichtveranstaltungen, um zu Hause die Meister der theoretischen Physik zu studieren.

Einstein sitzt oft stundenlang da und grübelt. Er versucht stets, Fragen von möglichst vielen Seiten zu betrachten und von unterschiedlichen Disziplinen her zu beleuchten.

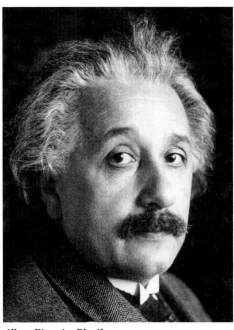

Albert Einstein, Physiker

Seine Beiträge zur theoretischen Physik veränderten maßgeblich das physikalische Weltbild. Einsteins Hauptwerk ist die Relativitätstheorie, die das Verständnis von Raum und Zeit revolutionierte. Im Jahr 1905 erscheint seine Arbeit mit dem Titel „Zur Elektrodynamik bewegter Körper", deren Inhalt heute als spezielle Relativitätstheorie bezeichnet wird. 1916 publiziert Einstein die allgemeine Relativitätstheorie. Auch zur Quantenphysik leistet er wesentliche Beiträge: Für seine Erklärung des photoelektrischen Effekts, die er ebenfalls 1905 publiziert hat, wird ihm 1921 der Nobelpreis für Physik verliehen.

Er ist Professor in Zürich, danach in Prag und Berlin, wo er von 1914 bis 1932 arbeitet. In seinem berühmtesten Buch „Über die spezielle und die allgemeine Relativitätstheorie" (1917) gibt er eine allgemein verständliche Erklärung seiner Gedanken. Im Rahmen einer Sonnenfinsternis-Expedition der Royal Society of London wird die Richtigkeit seiner Theorie 1919 bestätigt. Auf einen Schlag wird Einstein weltberühmt.

Er beginnt, seinen Namen verstärkt für seine politischen Überzeugungen einzusetzen und engagiert sich aktiv für den Pazifismus. Für Einstein, der die politische Entwicklung mit wachem Blick verfolgt, kommt der Nationalsozialismus nicht unerwartet. Nach einer Vortragsreihe in den USA kündigt der jüdische Wissenschaftler an, dass er nicht nach Deutschland zurückkehren wird. Einsteins gesamtes Vermögen wird von den Nazionalsozialisten konfisziert, und er entscheidet sich, in den USA zu bleiben. Dort erhält er den Ruf als Professor an das „Institute for Advanced Study" in Princeton. Auch in seiner neuen Position ist er politisch aktiv. Einstein bemüht sich zusammen mit anderen Physikern erfolglos darum, den Einsatz der Atombombe durch Präsident Truman zu verhindern. Auch nach dem Krieg wendet er sich vehement gegen alle Formen der Unterdrückung und Militarisierung und ruft die Intellektuellen dazu auf, sich für die Meinungsfreiheit einzusetzen.

Inhaltlich versucht Einstein jetzt, eine einheitliche Feldtheorie zu formulieren, die Gravitation und Elektrizität miteinander vereint. Aber auch nach langwieriger Arbeit gelingt es ihm nicht, sie zu formulieren. Seitdem sind alle Versuche, eine „Weltformel" zu formulieren, ohne Erfolg geblieben. Einstein, der als Inbegriff des Forschers und Genies gilt, stirbt am 18. April 1955 in Princeton.

Mehr zu Albert Einstein

Sammeln Sie Informationen über Persönlichkeiten aus dem In- und Ausland, die zum Thema „Wissenschaft" interessant sind, und stellen Sie sie im Kurs vor. Sie können dazu die Vorlage „Porträt" im Anhang verwenden. Beispiele aus dem deutschsprachigen Bereich: Wilhelm Conrad Röntgen – Peter Grünberg – Gerhard Ertl – Lise Meitner

1a Passiv

Das Passiv wird verwendet, wenn ein Vorgang oder eine Handlung im Vordergrund steht.

Präsens	werde/wirst/wird/… + Partizip II	*Die Begeisterung wird geweckt.*
Präteritum	wurde/wurdest/wurde/… + Partizip II	*Die Begeisterung wurde geweckt.*
Perfekt	bin/bist/ist/… + Partizip II + worden	*Die Begeisterung ist geweckt worden.*
Plusquamperfekt	war/warst/war/… + Partizip II + worden	*Die Begeisterung war geweckt worden.*
mit Modalverb	Modalverb + Partizip II + werden	*Die Begeisterung soll geweckt werden.*

Handelnde Personen oder Institutionen werden mit *von* + Dativ angegeben, Umstände und Ursachen mit *durch* + Akk.
Mathematische Fähigkeiten müssen von Kindern früh erworben werden.
Kinder werden durch den Besuch von „Natlab" an die Wissenschaft herangeführt.

b Passiversatzformen

Diese Strukturen können das Passiv mit Modalverb ersetzen.

Passiv mit *müssen/können/sollen* → *sein* + *zu* + Infinitiv
Die Begeisterung der Kinder für die Wissenschaft *ist* frühzeitig *zu wecken.*

Passiv mit *können* → *sein* + Adjektiv mit Endung *-bar/-lich*
Viele Projekte für Kinder *sind* ohne staatliche Hilfe nicht *finanzierbar.*
Die Begeisterung der Kinder *ist* leicht *verständlich.*

Passiv mit *können* → *sich lassen* + Infinitiv
Die Scheu der Kinder vor der Forscherwelt *lässt sich abbauen.*

2 Indefinitpronomen

Die Indefinitpronomen beschreiben Personen, Orte sowie Zeiten und Dinge, die nicht genauer definiert werden. So erhalten die Aussagen mit Indefinitpronomen einen allgemeinen Charakter. Nur die Indefinitpronomen, die Personen bezeichnen, sind deklinierbar.

Nominativ	man/einer	niemand	jemand	irgendwer
Akkusativ	einen	niemanden*	jemanden*	irgendwen
Dativ	einem	niemandem*	jemandem*	irgendwem

* In der gesprochenen Sprache wird im Akkusativ und Dativ auch die Form des Nominativs benutzt:

○ Hast du *jemand* getroffen, den du kennst?　　● Nein, *niemand.*

Indefinitpronomen
Person: man, jemand, einer, irgendwer
Ort: irgendwo, irgendwoher, irgendwohin
Zeit: irgendwann
Dinge: irgendwas, etwas

Negation
→ niemand, keiner
→ nirgendwo, nirgendwoher, nirgendwohin
→ nie, niemals
→ nichts

Digitale Demenz

1 a Wie viele Gedichte, Lieder, Witze oder Telefon-
nummern kennen Sie auswendig? Fällt es Ihnen
schwer, sich etwas dauerhaft zu merken?

b Was könnte der Filmtitel „Digitale Demenz"
bedeuten?

c Sehen Sie die erste Sequenz und ergänzen Sie
die Sätze.

1. Seitdem ich alles im Handy habe, _____
   _____
   _____

2. Wozu soll man sich etwas merken, wenn _____
   _____
   _____

3. Meine Orientierung _____
   _____
   _____

4. Studien belegen, dass _____
   _____
   _____
   _____
   _____

De|menz, die; -, -en ⟨lat.⟩ (*Med.*
krankheitsbedingter Abbau
der Leistungsfähigkeit des
Gehirns); de|men|zi|ell, de-
men|ti|ell; **De|menz|kran|ke,**
der *u.* die; -n, -n

2 Wie häufig benutzen Sie Kommunikationsmittel?
Beobachten Sie bei sich dadurch auch Veränderungen? Nennen Sie Beispiele.

2 📖 **3a** Sehen Sie die zweite Sequenz und ergänzen Sie Informationen in der Übersicht.

Gedächtnisleistungen bei jüngeren Menschen	Erinnerungsschwund durch Stress	Informationsverarbeitung im Gehirn

b Vergleichen Sie Ihre Notizen.

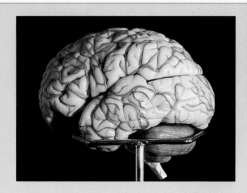

4a Was könnte man gegen das Vergessen tun?
Sammeln Sie Vorschläge im Kurs.

3 📖 **b** Sehen Sie die dritte Sequenz. Wie wirkt sich Lernen
und Üben auf das Gedächtnis aus?

5 Stellen Sie sich vor, Sie müssten eine Woche ohne digitale Kommunikationsmittel auskommen (Handy, Computer, Navi, …). Welche Folgen hätte das? Notieren Sie Vor- und Nachteile und diskutieren Sie im Kurs.

Wenn Sie mögen, können Sie dieses „Experiment" auch durchführen und sich nach einer Woche im Kurs darüber austauschen.

Kulturwelten

1 Wählen Sie ein Bild aus und erfinden Sie eine Geschichte dazu.

Bild B: Rüdiger ist gerade umgezogen und dabei, seine neue Wohnung einzurichten. Gerade hat er versucht, eine neue Lampe an der Decke aufzuhängen ...

Georg Baselitz (geboren 1938)

Albrecht Dürer (1471–1528)

Sie lernen

Das schnelle Kunsturteil

—	+
bemüht	bewegend
gewollt	intensiv
geht gar nicht	spannend
platt	visionär
banal	subtil
der/die macht im Moment zu viel	ergreifend
überschätzt	komplex
	präzise
	zu Ende gedacht

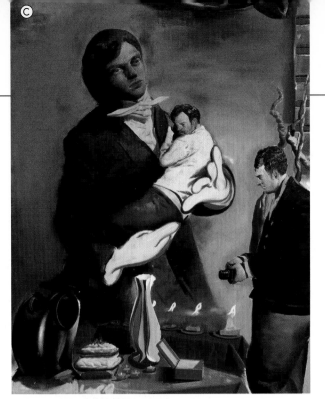

Neo Rauch (geboren 1960)

Paul Klee (1879–1940)

Angelika Kauffmann (1741–1807)

2 Was sonst kann alles Kunst sein? Nennen Sie Beispiele.
Für mich ist die Musik von Miles Davis echte Kunst.
Ich finde ...

3 Bringen Sie ein Foto von einem Kunstwerk mit, das Ihnen gut gefällt. Jedes Bild bekommt eine Nummer und wird aufgehängt. Ziehen Sie eine Nummer und beschreiben Sie das entsprechende Bild.
Diejenigen, die das Bild mitgebracht haben, können die Beschreibung ergänzen/kommentieren.

Weltkulturerbe

▶ Ü 1
1 Welche Bauwerke oder Landschaften der Welt zählen Ihrer Meinung nach zu den wichtigsten Denkmälern der Menschheit? Begründen Sie Ihre Meinung.

▶ Ü 2
2a Lesen Sie den Text über das Schloss Schönbrunn in Wien. Warum wurde es in die Welterbeliste der UNESCO aufgenommen?

b Lesen Sie den Text noch einmal und unterstreichen Sie die wichtigsten Informationen über das Schloss, seine Anlage und die Bewohner. Fassen Sie diese Informationen mündlich zusammen.

1 Südwestlich der Wiener Innenstadt liegt das Schloss Schönbrunn. Die imperiale Schlossanlage zählt aufgrund ihrer langen und recht bewegten Geschichte zu einem der be-
5 deutendsten Kulturdenkmäler Österreichs. Das gesamte denkmalgeschützte Ensemble, welches das Schloss, den Park mit seinen Brunnen, Figuren und Gartenobjekten sowie den Tiergarten umfasst, wurde Ende 1996 in
10 die Liste des Weltkulturerbes der UNESCO aufgenommen. Diese umfasste im Jahr 2007 insgesamt 851 Kultur- und Naturstätten in 141 Ländern.

Das Schlossgebäude und die Parkanlage
15 bilden eine einzigartige Einheit. Sie sind in vielfältiger Weise aufeinander bezogen, denn entsprechend der barocken Konzeption sollten sich Architektur und Natur durchdringen, was hier besonders gelungen ist. Darin liegt
20 auch einer der Hauptgründe für die Aufnahme des Schlosses Schönbrunn in die Liste.

Jährlich lockt das imposante Bauwerk 6,7 Millionen Besucher an. Sie können in den Gartenanlagen spazieren gehen, Gebäude und
25 Gewächshäuser bestaunen und das Schloss erkunden. Mit den über 1.000 prunkvollen Rokoko-Zimmern des Schlosses wird den Besuchern hier die Möglichkeit geboten, sich in eine andere Zeit zu versetzen.
30 Besonders imposant ist das Palmenhaus im Schlossgarten, das 111 m lang, 28 m breit und 25 m hoch ist und damit das größte Glashaus Europas darstellt. Dorthin gehen viele Besucher, um sich von einer Schlossbesichtigung
35 zu erholen.

Der Tiergarten wurde bereits im 18. Jahrhundert errichtet und ist somit der älteste Zoo der Welt, worauf die Wiener besonders stolz sind. Der Kern des ursprünglichen Parks war

40 ein Pavillon, in dem das kaiserliche Paar frühstücken konnte. Um ihn herum waren 13 Tiergehege in Form von Kuchenecken angelegt.

Nachdem der Tiergarten 1779 für die Öffentlichkeit zugänglich gemacht worden
45 war, war der Besuch zunächst kostenlos möglich. Als 1828 die erste Giraffe nach Schönbrunn kam, wurde auch die Wiener Mode und das Wiener Stadtleben beeinflusst. Kleider,

Schmuck und andere Dinge wurden „à la gi-
⁵⁰ raffe" gestaltet.

Die prominentesten Bewohner von Schloss Schönbrunn waren Kaiser Franz Joseph und Kaiserin Elisabeth, bekannt als Sissi. Die beiden heirateten am 24. April 1854 in einer ⁵⁵ prunkvollen Zeremonie in der Wiener Augustinerkirche. Damals war Sissi gerade erst 17 Jahre alt. Vom ersten Tag ihrer Ehe an widerstrebte der freiheitsliebenden Elisabeth das Leben am kaiserlichen Hof. Schnell kam es zu ⁶⁰ ersten Schwierigkeiten mit Erzherzogin Sophie, der Mutter des Kaisers, weil diese streng auf die Einhaltung des Hofzeremoniells achtete und es als ihre Pflicht ansah, aus dem eigenwilligen „Bauernmädel" eine würdige ⁶⁵ Kaiserin zu machen. Die ängstliche und unsichere Elisabeth wagte es nicht, ihrer Schwiegermutter zu widersprechen und blieb zeitlebens eine Außenseiterin am Wiener Hof.

Sie wurde im Alter von 60 Jahren von dem ⁷⁰ italienischen Anarchisten Luigi Lucheni erstochen, als sie am Ufer des Genfer Sees spazieren ging. Ihr Leben wurde mehrfach sehr erfolgreich verfilmt. Auch dadurch wurde Sissi weltberühmt.

3a Worauf beziehen sich die folgenden Wörter im Text?

1. welches (Zeile 7): *das gesamte denkmalgeschützte Ensemble*

2. diese (Zeile 11)　　3. sie (Zeile 15)　　4. dem (Zeile 40)　　5. ihrer (Zeile 57)

b Pronomen und Artikelwörter werden oft benutzt, um Textzusammenhänge zu schaffen. Finden Sie im Text weitere Beispiele für Pronomen und Artikelwörter und erklären Sie, worauf sie sich beziehen.

c Auch Orts- und Zeitangaben können Textzusammenhänge herstellen. Worauf beziehen sich die folgenden Zeit- und Ortsangaben aus dem Text?

1. … wird hier die Möglichkeit geboten, … (Zeile 28): *im Schloss Schönbrunn*

2. Damals war Sissi gerade erst 17 Jahre alt. (Zeile 56)

3. Dorthin gehen viele Besucher, um sich von der Schlossbesichtigung zu erholen. (Zeile 33)

d Pronominaladverbien mit *da(r)-* und *wo(r)-* stehen für Sätze und Satzteile. Worauf beziehen sich die folgenden Pronominaladverbien?

1. Darin (Zeile 19): *Schlossgebäude und Parkanlage bilden eine Einheit*

2. damit (Zeile 32)　　3. worauf (Zeile 38)　　4. dadurch (Zeile 73)

e Konnektoren sind ebenfalls wichtig für den Textzusammenhang. Sie nennen Gründe, Folgen, Bedingungen usw. Finden Sie Konnektoren im Text und ordnen Sie sie zu.

Ⓖ

Grund	Zeit	Zweck
weil, …		

f Um Wortwiederholungen zu vermeiden, verwendet man im Text oft Synonyme und Umschreibungen. Suchen Sie aus dem Text Umschreibungen für das Wort „Schloss".

Schloss – die imperiale Schlossanlage – …

▶ Ü 3–4

 4 Recherchieren Sie ein Weltkulturerbe aus Ihrem oder einem deutschsprachigen Land und schreiben Sie einen Text darüber.

Kunstraub

2.5

1a Hören Sie die Nachrichtenmeldung. Was ist passiert?

b Hören Sie die Meldung noch einmal und machen Sie Notizen: Wann? Wo? Wer? Was?

▶ Ü 1

2 Nach gut drei Monaten sind die gestohlenen Gemälde wieder da. Lesen Sie die Zeitungsmeldung und beantworten Sie die Fragen zum Text.

1. Was hatte die Polizei seit dem 17. Mai noch vermisst?
2. Wo wurde der letzte Teil der Beute gefunden?
3. Woher wusste die Polizei, wo sie suchen soll?
4. Wo waren die anderen Bilder versteckt?
5. Warum wurde das Bild „Junges Mädchen" vermutlich zerschnitten?
6. Kann man das zerschnittene Bild noch retten?

„Junges Mädchen" lag im Wald
Letztes Beutestück aus Gemälderaub entdeckt – Anwalt gab den Tipp
Lutz Schnedelbach

1 Die Polizei hat die zweite Hälfte des zerschnittenen Gemäldes „Junges Mädchen" von Max Pechstein gefunden. Damit ist der spektakuläre Dahlemer Gemälderaub vom 20. April dieses Jahres aufgeklärt.

In Plastiktüten verpackt

5 Am Montagmittag gegen 13.30 Uhr hatte ein Anwalt im Kommissariat zur Aufklärung von Kunstdiebstählen des Landeskriminalamtes angerufen und den Polizisten gesagt, dass die noch fehlende Bilderhälfte in einem 10 Wald an der Bundesstraße 96a unweit der Ortschaft Kleinbeeren (Landkreis Teltow-Fläming) liegt. Die Beamten fuhren sofort los und fanden wenig später an dem beschriebenen Ort die zusammengerollte und in meh-15 reren Plastiktüten verstaute Gemäldehälfte. Unklar ist, seit wann die Rolle in dem Wald lag und wer sie dort abgelegt hat. Möglicherweise wusste der Anwalt, wo die Bildhälfte zu finden war, weil er einen der mutmaßlichen 20 Hehler vertritt. Die Polizei bestätigte dies aber nicht.

Mitarbeiter des Brücke-Museums bestätigten am Dienstagmorgen, dass es sich bei dem Fund um die bislang fehlende Hälfte des 25 Pechstein-Bildes handelt. Der Zustand des zerschnittenen Kunstwerkes sei wesentlich schlechter, als der der bereits sichergestellten Gemälde, sagte eine Mitarbeiterin des Dahlemer Museums. Nach ihren Informa-30 tionen sei es jedoch kein Problem, beide Hälften wieder zusammenzusetzen und das Bild zu restaurieren. […]

Mutmaßliche Täter gefasst

Die neun aus dem Brücke-Museum ge-
35 stohlenen Kunstwerke haben insgesamt einen
Wert von 3,6 Millionen Euro und gelten international als unverkäuflich. Polizisten fanden sie am 17. Mai in einer Wohnung in der
Prühßstraße in Mariendorf. Sie lagen zusam-
40 mengerollt in einer Reisetasche. Gefehlt hat
nur die Hälfte des Pechstein-Bildes. Warum
das Bild zerschnitten worden ist, kann die
Polizei bisher nicht sagen. Die Beamten schließen nicht aus, dass eine Hälfte an das Museum
45 zurückgeschickt werden sollte, um Lösegeld
zu erpressen.

In der Wohnung, in der die Bilder gefunden wurden, nahm die Polizei auch fünf
mutmaßliche Hehler fest. Drei von ihnen
50 erhielten Haftbefehle. Zwei Wochen zuvor
waren zwei Männer verhaftet worden, deren
DNA mit den am Tatort gefundenen Spuren
übereinstimmt.

▶ Ü 2–3

3 Schreiben Sie mithilfe der Informationen aus Aufgabe 1 und 2 einen Krimi.

a Überlegen Sie sich, aus welcher Perspektive Sie Ihren Krimi schreiben wollen, z.B. aus der Perspektive eines Kommissars, eines Reporters, eines der Diebe, eines Museumswärters, eines Detektivs, eines Kunstliebhabers, … Finden Sie dann einen Partner / eine Partnerin mit der gleichen Perspektive.

b Notieren Sie zu zweit wichtige Inhalte zu den einzelnen Phasen Ihres Krimis.

1. Planung der Tat
2. Ablauf der Tat
3. Nach der Tat (Verstecken der Beute, Untertauchen der Diebe, Spurensuche bei der Polizei)
4. Die Aufklärung (Welche Hinweise gibt es? Wie kommt die Polizei den Tätern auf die Spur? Wie findet sie die Beute? Wer wird verdächtigt?)
5. Das Ende (Wie findet die Polizei die Täter? Wie sind die Reaktionen? Was passiert mit den Tätern?)

c Überlegen Sie gemeinsam, welche Informationen Sie Ihren Lesern erst am Schluss geben möchten und wie Sie in Ihrer Geschichte Spannung aufbauen können. Markieren Sie Redemittel im Kasten, die Sie übernehmen möchten.

Spannung aufbauen
Schlagartig wurde ihm/ihr klar/bewusst, …   Ihm/ihr blieb vor Schreck der Atem stehen.
Ihm/Ihr schlug das Herz bis zum Hals.   Wie aus dem Nichts stand plötzlich …   Was war hier los?
Warum war es auf einmal so …?   Ohne Vorwarnung war … da / stand … vor ihm/ihr.
Was war das?   Eigentlich wollte … gerade …, als aus heiterem Himmel …
Damit hatte er/sie nicht im Traum gerechnet: …   Was soll er/sie jetzt nur machen?   …

d Der erste Satz entscheidet, ob die Leser weiterlesen möchten oder nicht. Finden Sie einen Anfang für Ihre Geschichte.

e Geben Sie Ihrem Krimi einen Titel. Schreiben Sie nun die Geschichte zu zweit und hängen Sie Ihren Text in der Klasse aus.

▶ Ü 4

Sprachensterben

▶ Ü 1

1 Welche Sprachen werden von vielen Menschen gesprochen? Kennen Sie Sprachen, die nur wenige Leute sprechen oder die heute nicht mehr gesprochen werden?

2a Lesen Sie den Text über Sprachensterben. Welche Überschrift passt zu welchem Absatz? Notieren Sie die Nummer.

_____ Sich anpassen oder sterben   _____ Gefühle sind nicht übersetzbar

_____ Globale Sprachen auf dem Vormarsch   _____ Ein Beispiel für das Sprachensterben

Alle zwei Wochen stirbt eine Sprache

1 Am 01. August 1996 starb der US-Indianer Samuel Taylor Blue. Als letzter Catawba-Indianer, dessen Stamm zu den Sioux zählte und am Catawba-River lebte, beherrschte er das ursprüngliche Catawba. Mit ihm starb auch die Sprache. Dies ist bei weitem kein Einzelfall.

2 Weltweit gibt es nach Angaben der UNESCO etwa 6.000 verschiedene Sprachen. Davon ist gut die Hälfte vom Aussterben bedroht. Der international führende Sprachforscher David Crystal nimmt an, dass alle zwei Wochen eine Sprache stirbt. Das Todesurteil fällt z.B. immer dann, wenn ein Volk beschließt, seinen Kindern die eigene Sprache nicht weiterzuvererben, sondern ihnen lieber eine Sprache zu vermitteln, die von mehr Menschen gesprochen und verstanden wird. Zu den globalen Sprachen, deren Verbreitung oft auch auf Kosten der kleinen erfolgt, zählen das chinesische Mandarin, Spanisch und Englisch, wovon Mandarin die meistgesprochene Sprache ist. 885 Millionen Menschen weltweit haben es als Muttersprache. Platz zwei belegt Spanisch mit 332, Platz drei Englisch mit 322 Millionen.

3 Sprachen sind etwas Lebendiges, und sie müssen sich, ebenso wie Tiere, Pflanzen, Menschen und andere lebende Organismen ihren Lebensräumen anpassen. Passt sich eine Sprache nicht an die Veränderungen des Umfeldes an, stirbt sie. Sprachforscher nehmen an, dass es in der Evolution der Menschheit bisher etwa 150.000 Sprachen gab. Die meisten davon verschwanden, ohne eine Spur zu hinterlassen. Einige aber haben noch heute eine wichtige Funktion, wie zum Beispiel Latein, Sanskrit, Koptisch und Altgriechisch. Sie spielen in religiösen Zusammenhängen eine Rolle. Andere Sprachen veränderten sich so sehr, dass man sie nicht mehr wiedererkennen kann. So verstehen wir die Sprache des Mittelalters, deren Klang ganz anders war, heute nicht mehr. Und umgekehrt wüsste ein Mensch aus dem Mittelalter nicht nur wegen der vielen neuen Wörter wie Gasheizung, Homepage oder Roboter kaum etwas mit uns anzufangen.

4 Wenn eine Muttersprache nicht an die nächste Generation weitergegeben wird, sterben Sprache und oft ein großer Teil der Kultur aus. Von den aussterbenden Sprachen werden viele überwiegend mündlich vermittelt, das heißt, es sind keine sogenannten Schriftsprachen. Geschichten und Fantasiewelten, die mit der jeweiligen Kultur verbunden sind, gehen dann mit dieser Sprache verloren. Wer zweisprachig ist, weiß, wie schwer die genaue Übertragung in eine andere Sprache und das Ausdrücken von Gedanken und Gefühlen in einer fremden Sprache ist. Wie schwierig es ist, genau zu übersetzen, zeigt ein Beispiel aus den Eskimo-Sprachen, in denen es für das Wort „Schnee" viele verschiedene Ausdrücke gibt, mit unterschiedlichen Bedeutungen. Sie beschreiben, ob man im Schnee fahren, davon Häuser bauen oder darin Tierspuren lesen kann. Ohne Bedeutungsverlust lassen sich diese Worte kaum in andere Sprachen übertragen. Mit dem Sprachensterben, dessen Voranschreiten die globale kulturelle und geistige Vielfalt bedroht, geht konkretes Wissen verloren, weil die Kenntnisse vieler Völker über Tiere und Pflanzen nur in ihrer eigenen Sprache weitergegeben werden können.

b Welche Gründe werden im Text für das Sprachensterben genannt? ▶ Ü 2

3a Ergänzen Sie die Präpositionen *trotz*, *infolge* und *aufgrund*. Mit welchem Kasus werden sie gebraucht?

In dem Text geht es darum, dass die Hälfte der 6.000 lebenden Sprachen (1) _____ des

Sprachensterbens bedroht ist. (2) _____ des Verschwindens von etwa 150.000

Sprachen haben einige, wie zum Beispiel Latein, überlebt. (3) _____ der Tatsache,

dass aussterbende Sprachen meist keine Schriftsprachen sind, gehen mit ihnen viele Geschichten

und Fantasiewelten verloren. ▶ Ü 3

b Lesen Sie weitere Beispiele für Präpositionen mit Genitiv. Was bedeuten die Präpositionen? Ordnen Sie sie in die Tabelle ein. Das Wörterbuch hilft.

innerhalb eines Jahres – inmitten eines Landes – aufgrund der Globalisierung – anlässlich des

Tages der Sprachen – unweit der Landesgrenze – angesichts dieser Tatsachen – entlang des

Flusses – außerhalb des Sprachgebietes – während der letzten Jahre – dank der Vielfalt

Zeit	Ort	Grund	Gegengrund
während, ...		*dank, infolge, ...*	*trotz, ...*

▶ Ü 4–5

4a Markieren Sie im Beispielsatz das Relativpronomen und das Bezugswort. In welchem Kasus steht das Relativpronomen?

So verstehen wir die Sprache des Mittelalters, deren Klang ganz anders war, heute nicht mehr.

b Finden Sie im Text weitere Relativsätze im Genitiv. Notieren Sie die Formen des Relativpronomens im Genitiv.

Singular: Maskulin _____, Neutrum _____, Feminin _____; **Plural:** _____

c Ergänzen Sie die Regel.

> Substantiv – Bezugswort – nach
>
> Das Relativpronomen im Genitiv richtet sich im Genus und im Numerus nach dem
>
> _____. _____ dem Relativpronomen im Genitiv folgt ein
>
> _____ ohne Artikel.

(G)

▶ Ü 6

5 Welche Sprachen oder Dialekte werden in Ihrem Land gesprochen? Werden sie von allen verstanden? Berichten Sie.

Bücherwelten

1 Was war Ihr Lieblings-Kinder-/Jugendbuch oder Lieblings-Kinder-/Jugendfilm? Erzählen Sie im Kurs, worum es darin geht, wer die Helden sind und was Ihnen daran so gut gefallen hat.

Ich habe als Kind alle Bücher von „Die drei Fragezeichen" gelesen. „Die drei Fragezeichen" waren drei Freunde – alles Jungs –, die gemeinsam rätselhafte Fälle lösten und bei ihrer Detektivarbeit große Abenteuer erlebten. Mir haben die Bücher so gut gefallen, weil sie immer sehr spannend und die Lösungen nicht offensichtlich waren. Man konnte beim Lesen in die Rolle eines Detektivs schlüpfen und ich habe immer versucht, selber herauszufinden, wer der Täter war, bevor ich das Buch zu Ende gelesen hatte.

Ich habe als Kind eigentlich keine Bücher gelesen, aber ich hatte einen Lieblingsfilm. Ich weiß nicht mehr, wie der Film hieß, aber darin ging es um ...

2a Hören Sie den ersten Teil eins Radio-Specials über Cornelia Funke und beantworten Sie die Fragen.

2.6

1. Auf welcher Liste wird die Autorin genannt?

2. Wer liest ihre Bücher?

3. Was ist eines ihrer bekanntesten Werke?

4. Wo lebt die Autorin seit 2004?

5. Wo lebte sie davor?

b Hören Sie den zweiten Teil des Specials und kreuzen Sie an, ob die Aussagen richtig (r) oder falsch (f) sind.

2.7

		r	f
1.	Der Radio-Moderator befindet sich in einem Bücher-Bus der Stadtbücherei Würzburg.	☐	☐
2.	Das erste Buch der Tinten-Trilogie heißt „Tintenblut".	☐	☐
3.	Hauptperson in dem Buch „Tintenherz" ist Meggie, die Tochter von Mo, der Bücher restauriert.	☐	☐
4.	Mo flüchtet mit Meggie vor Staubfinger zu Meggies Tante und will dort ein Buch verstecken.	☐	☐
5.	Die Bücher sind deshalb so beliebt, weil sie spannend sind und man beim Lesen in eine andere Welt eintaucht.	☐	☐
6.	Die junge Leserin erzählt, dass sie von ihren Freundinnen genervt war, weil diese nur von dem Buch „Tintenherz" geredet haben.	☐	☐
7.	Die Frau, die zu dem Buch befragt wird, ist von „Tintenherz" nicht begeistert.	☐	☐
8.	Sie will das Buch nicht zu Ende lesen.	☐	☐
9.	Der befragte Mann ist ein Fan des Buches.	☐	☐
10.	Der Mann sagt, es war schwer für ihn, sich auf die Geschichte einzulassen.	☐	☐

▶ Ü 1

3 Lesen Sie die Inhaltsangabe zu dem Buch „Tintenblut": Was ist Staubfingers Wunsch, welches Problem hat Farid und wie kann Meggie ihm dabei helfen?

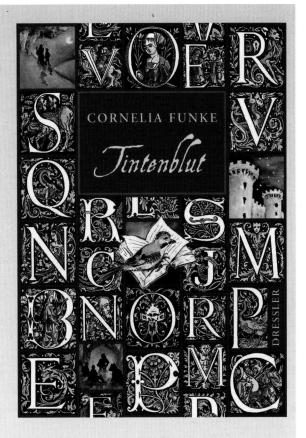

1   Der Feuerspucker namens Staubfinger ist dem ersten Buch der Trilogie, dem Titel „Tintenherz", entstiegen, aber er sehnt sich danach, in die Welt des Buches zurückkehren 5 zu können. Nachdem er mehrmals auf Betrüger hereinfiel, glaubt er, endlich jemanden gefunden zu haben, der ihn „zurücklesen" kann: Orpheus. Staubfinger war in einer öffentlichen Bibliothek auf ihn aufmerksam geworden, wo 10 Orpheus Kindern vorgelesen hatte. Danach sprach er ihn an und fragte ihn, ob er das Buch „Tintenherz" kenne.

    Dass Orpheus mit dem Bösewicht Basta unter einer Decke steckt, ahnt Staubfinger 15 nicht ...

    Sein treuer Freund und Gehilfe Farid – ebenfalls eine Romanfigur, aber aus einem anderen Buch – sollte eigentlich von Orpheus mit Staubfinger zusammen in die „Tinten-20 herz"-Welt zurückversetzt werden, aber er bleibt ungewollt zurück und fürchtet um das Leben seines Freundes. Deshalb sucht er Meggie auf. Meggie ist die Tochter von Mo, dem Buchbinder. Er hat Staubfinger – zusam-25 men mit anderen Figuren – aus der Geschichte „Tintenherz" herausgelesen und erleben müssen, wie seine Frau Resa in eben diesem Buch verschwand. Seitdem hat er nie wieder etwas laut vorgelesen. Meggie kann, ebenso 30 wie ihr Vater, beim Vorlesen Figuren aus Büchern lebendig werden lassen.

    Farid überredet Meggie, sich mit ihm zusammen in das Buch „Tintenwelt" hineinzuversetzen, um Staubfinger zu retten. So findet 35 das Mädchen sich alsbald in einer ihr völlig fremden mittelalterlichen Welt wieder, in der gefährliche Abenteuer warten ...

4a Lesen Sie die Buchbesprechung auf der folgenden Seite und markieren Sie alle Textstellen, die eine postive Bewertung ausdrücken, mit einer Farbe und die Textstellen, die Skepsis oder eine negative Bewertung der Autorin ausdrücken, in einer anderen Farbe.

b Lesen Sie die Buchbesprechung. Stellen Sie fest, wie die Autorin des Textes folgende Fragen beurteilt: [a] positiv, [b] negativ bzw. skeptisch.
Wie beurteilt die Autorin

1. die Wirkung des Schreibstils von Cornelia Funke auf Kinder?

2. die Beschreibung der Helden Fenoglio und Farid?

3. die Zitate aus anderen Büchern zu Beginn jedes Kapitels?

4. die Beschreibung der Fabelwelt?

5. den Humor und Witz im Buch?

Tintenblut von Cornelia Funke

[...] Kinder mögen es, dass Cornelia Funke schnell „auf den Punkt kommt" und sich nicht mit langatmigen Beschreibungen aufhält. Auch die Fantasie, die sie einsetzt, um diese Welt authentisch werden zu lassen, beeindruckt. So ist Staubfinger auch in dem zweiten Teil der Trilogie noch immer ihr stärkster Charakter. Denn dieser tragische Held ist von Cornelia Funke mit den meisten Besonderheiten und einem beeindruckenden Seelenleben ausgestattet.

Wie er die Welt des Feuers beherrscht, mit dem Feuer sprechen kann und es sogar dazu bewegt, mit dem Wasser eine Allianz einzugehen, ist eines ihrer fantastischen Meisterstücke in „Tintenblut". Mehr an Präsenz hinzugewonnen hat sicherlich Fenoglio, der von seiner eigenen Skrupellosigkeit, die er seinen Helden gegenüber an den Tag legt, überrascht wird. Für die Intensivierung der anderen Charaktere bleibt kaum Platz. Aber vor allen Dingen Farid, der Junge aus „1001 Nacht" wächst uns in seiner Treue und Liebe zu Staubfinger sehr ans Herz – und das versteht Cornelia Funke dramaturgisch sehr gut auszunutzen. [...]

Zu Anfang eines Kapitels finden wir zahlreiche Zitate aus anderen berühmten Büchern, deren Inhalt oft sehr philosophisch auf den Verlauf der Geschichte in „Tintenblut" hinweist. Diese Zitate sind es auch, die eine magische, fast feierliche Stimmung aufkommen lassen – Worte, aus den Federn und Gedanken eines anderen Menschen stammend, über die uns Cornelia Funke auch ein wenig nachdenken lässt. Die Liebe zu Büchern wird hier ganz unmittelbar auf Papier gebannt und Kinder können so begreifen, dass diese Welten aus Papier und Tinte unendlich reiche Schätze offenbaren können. [...]

Wer in „Tintenblut", die ersehnte heile Welt voller Schönheit und Fabelwesen erhofft, wird hier leider enttäuscht. Die Natur stellt Cornelia Funke fraglos wunderschön und unberührt dar. Der so oft heraufbeschworene Zauber dieser Welt – bevölkert von Elfen und anderen Fabelwesen – mag aber nicht aufkommen. Sie erhalten einfach zu wenig Raum und Bedeutung. [...]

Bei diesem Feuerwerk an guten Ideen und Fantasie hätte aber etwas mehr Humor und starke positive Momente, mit ebensolchen Charakteren, die Geschichte noch greifbarer, ihre Botschaften noch tiefer werden lassen. [...]

Auf jeden Fall macht es Spaß, dieses spannende und sehr flüssig geschriebene Buch zu lesen. Und auf jeden Fall möchte man selbst unbedingt wissen, wie es weitergeht. [...]

▶ Ü 2

5a Hören Sie den ersten Teil eines Auszugs aus dem Hörbuch „Tintenblut": Staubfinger und sein Freund Farid treffen sich mit Orpheus, auch Käsekopf genannt. Was soll Orpheus tun?

2.8

b Hören Sie den zweiten Teil des Auszugs und beschreiben Sie, was passiert und was am Ende das Problem ist.

2.9

c Berichten Sie, wie Ihnen der Auszug aus dem Hörbuch gefällt.

eine Geschichte bewerten		
… macht mich neugierig.	… finde ich verwirrend.	… finde ich komisch/seltsam.
… ist gut/schlecht erzählt.	Die Stimme des Sprechers ist …	Ich bin gespannt, …
… finde ich langweilig.	… kann ich gut/schlecht verstehen.	… ist chaotisch.

6a Welches Buch haben Sie zuletzt gelesen oder welchen Film haben Sie zuletzt gesehen? Welches ist Ihr Lieblingsbuch/-film? Oder wollen Sie lieber von einer Reise, einem Sportereignis oder einem Konzert berichten? Wählen Sie ein Thema und machen Sie entsprechende Notizen.

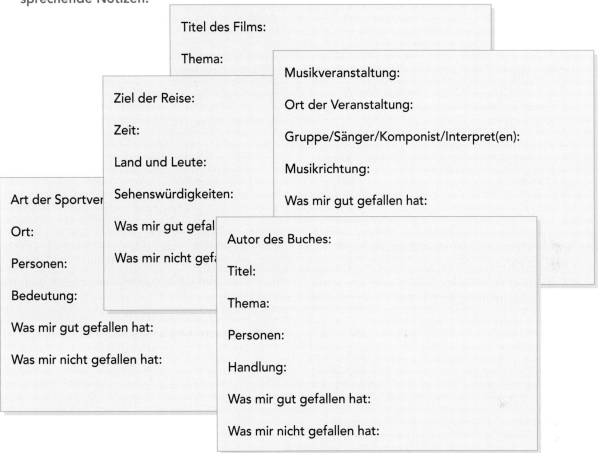

Titel des Films:

Thema:

Ziel der Reise:

Zeit:

Land und Leute:

Sehenswürdigkeiten:

Was mir gut gefal…

Was mir nicht gef…

Musikveranstaltung:

Ort der Veranstaltung:

Gruppe/Sänger/Komponist/Interpret(en):

Musikrichtung:

Was mir gut gefallen hat:

Art der Sportver…

Ort:

Personen:

Bedeutung:

Was mir gut gefallen hat:

Was mir nicht gefallen hat:

Autor des Buches:

Titel:

Thema:

Personen:

Handlung:

Was mir gut gefallen hat:

Was mir nicht gefallen hat:

b Präsentieren Sie kurz Ihrem Partner / Ihrer Partnerin eines der folgenden Themen (die Stichpunkte in Klammern können Ihnen dabei helfen). Sie haben dazu ca. zwei Minuten Zeit. Nach Ihrer Präsentation beantworten Sie Fragen Ihres Partners / Ihrer Partnerin.
Nachdem Ihr Partner / Ihre Partnerin ebenfalls sein/ihr Thema präsentiert hat, stellen Sie ihm/ihr einige Fragen, die Sie interessieren.
Während der Präsentation unterbrechen Sie Ihren Partner / Ihre Partnerin möglichst nicht.

– Ein Buch, das Sie gelesen haben (Thema, Autor, Ihre Meinung usw.) oder
– einen Film, den Sie gesehen haben (Thema und Handlung, Schauspieler, Ihre Meinung usw.) oder
– eine Reise, die Sie unternommen haben (Ziel, Zeit, Land und Leute, Sehenswürdigkeiten usw.) oder
– eine Musikveranstaltung, die Sie besucht haben (Musikrichtung, Musiker, Ort, persönliche Vorlieben usw.) oder
– ein Sportereignis, das Sie besucht haben (Sportart, Ort, Personen, Ereignis usw.)

7 Recherchieren Sie Informationen über eine Sie interessierende Person aus den angesprochenen Bereichen. Sie können z.B. Informationen über einen Autor / eine Autorin, einen Musiker / eine Musikerin oder einen Sportler / eine Sportlerin suchen. Verfassen Sie dann zu „Ihrer Person" ein Porträt.

Neo Rauch

(* 1960 in Leipzig)

Kunstikone und Professor

Neo Rauch wurde 1960 in Leipzig geboren. Seine Eltern starben bei einem Zugunglück, als er erst vier Wochen alt war. Er wuchs bei den Großeltern in Aschersleben auf.

Von 1981 bis 1986 studierte Rauch an der Leipziger Hochschule für Grafik und Buchkunst bei Prof. Arno Rink und Prof. Bernhard Heisig, dessen Meisterschüler er von 1986 bis 1990 war. Nach der Wende, von 1993 bis 1998, arbeitete er als Assistent von Arno Rink und Sighard Gille an der Leipziger Hochschule für Grafik und Buchkunst. Im August 2005 folgte Rauch seinem ehemaligen Lehrer Arno Rink als Professor nach.

Neo Rauch gilt als einer der führenden Vertreter der „Leipziger Schule" und gehört zu den erfolgreichsten Malern der Gegenwart. Sogar das Museum of Modern Art in New York und das Guggenheim Museum Berlin haben Werke von ihm angekauft. Seine Bilder sind schon vor der Fertigstellung verkauft – für sechsstellige Summen. Die Wartezeiten für ein neues Bild sind enorm, deswegen schlagen vor allem nordamerikanische Einkäufer, fasziniert vom Mythos des Labels „New Leipzig School", bereits zu, bevor auch nur ein Tropfen Farbe die Leinwand berührt hat. Verkaufs-Ausstellungen seines Galeristen und Entdeckers Gerd Harry Lybke sind grundsätzlich nach wenigen Minuten leer gekauft.

Neo Rauch trug den Namen der „Neuen Leipziger Schule" in die Welt hinaus. Die „Neue Leipziger Schule" bezeichnet eine Strömung der modernen gegenständlichen Malerei. Sie entstand in den 90er-Jahren in Leipzig. Die „Leipziger Schule" geht auf große Maler wie Werner Tübke, Wolfgang Mattheuer und Bernhard Heisig zurück. Deren Schüler, die Leipziger Malereiprofessoren Sighard Gille und Arno Rink, können als die zweite Generation der Leipziger Schule angesehen werden. Die dritte Generation wird als „Neue Leipziger Schule" bezeichnet. Ihre Arbeiten sind ebenfalls gegenständlich, vermitteln aber keine Botschaften, zumindest keine vordergründigen, wie das noch für die beiden vorangegangenen Leipziger Maler-Generationen charakteristisch ist.

Neo Rauch, Vertreter der „Neuen Leipziger Schule"

Hauptvertreter der „Neuen" ist Neo Rauch. In den Gemälden von Neo Rauch verbinden sich Elemente der Werbegrafik, des Sozialistischen Realismus und des Comics. Seine Motive kann man der Tradition des Surrealismus zuordnen. Rauchs zumeist großformatigen Werke sind surreal erstarrte Alltagsszenen. Die Fülle der Motive zwingt den Betrachter zu genauer Wahrnehmung. In seiner gebrochenen Farbigkeit (fahle, kalkige Farben) mit schrägen Farbkontrasten sind seine Bilder verführerisch und anregend.

Mehr zu Neo Rauch

Sammeln Sie Informationen über Persönlichkeiten aus dem In- und Ausland, die für das Thema „Kunst und Kultur" interessant sind, und stellen Sie sie im Kurs vor. Sie können dazu die Vorlage „Porträt" im Anhang verwenden.
Beispiele aus dem deutschsprachigen Bereich: Max Pechstein – Christine Nöstlinger – Andreas Gursky – Meret Oppenheim – Peter Zumthor – Sasha Waltz

1 Textzusammenhang

Textzusammenhang	Beispiele
1. **Artikelwörter** machen deutlich, ob ein Wort im Text bereits genannt wurde. Possessivartikel verweisen auf andere Substantive.	bestimmter Artikel: *der, das, die* Demonstrativartikel: *dieser, dieses, diese* Possessivartikel: *sein, sein, seine, …*
2. **Pronomen** verweisen auf Substantive, Satzteile oder ganze Sätze.	Personalpronomen: *er, es, sie, …* Possessivpronomen: *seiner, seines, seine, …* Relativpronomen: *der, das, die, …* Indefinitpronomen: *man, niemand, jemand, …* Demonstrativpronomen: *dieser, dieses, diese, …*
3. **Orts- und Zeitangaben** Sie machen Zeitbezüge deutlich und ordnen die Ereignisse räumlich ein.	Temporaladverbien: *damals, …* Verbindungsadverbien: *zuerst, dann, …* andere Zeitangaben: *in diesem Moment, …* Lokaladverbien: *hier, dort, …*
4. **Konnektoren** Sie geben Gründe, Gegengründe Bedingungen, Folgen usw. wieder.	*weil, denn, deshalb, obwohl, trotzdem, nachdem, …*
5. **Pronominaladverbien mit *da(r)-* und *wo(r)-*** Sie stehen für Sätze und Satzteile.	*darüber, daran, darauf, …* *woran, worauf, …*
6. **Synonyme und Umschreibungen** Sie vermeiden Monotonie und machen den Text interessanter.	*Schloss Schönbrunn – Hauptattraktion der Stadt Wien – das imposante Bauwerk – Palast*

2 Präpositionen mit Genitiv

Zeit	Ort	Grund	Gegengrund
während, außerhalb, innerhalb	*inmitten, unweit, entlang, außerhalb, innerhalb*	*dank, infolge, wegen, aufgrund, angesichts, anlässlich*	*trotz*

Die Präpositionen *dank, trotz, wegen* werden in der gesprochenen Sprache auch mit dem Dativ verwendet.

3 Relativpronomen im Genitiv

Singular			Plural
Maskulin	Neutrum	Feminin	
dessen	**dessen**	**deren**	**deren**

So verstehen wir die Sprache des Mittelalters, deren Klang ganz anders war, heute nicht mehr.

= So verstehen wir die Sprache des Mittelalters nicht mehr. Der Klang dieser Sprache war ganz anders.

Das Relativpronomen im Genitiv richtet sich im Genus (*der/das/die*) und im Numerus (Singular/Plural) nach dem Bezugswort. Nach dem Relativpronomen im Genitiv folgt ein Substantiv ohne Artikel. Tritt im Relativsatz ein Verb mit fester Präposition auf, dann steht die Präposition vor dem Relativpronomen.

Wie Geschichten entstehen

1 Sehen Sie sich die Bilder an. Was machen die Personen? Um welche Art von Kunst könnte es im Film gehen? Sprechen Sie im Kurs.

2 Sehen Sie den Film. Wer sind die Künstler? Was proben sie gerade?

3a Entscheiden Sie, ob die folgenden Aussagen zum Film richtig oder falsch sind.

	r	f
1 Bei dem Projekt machen 25 Jugendliche mit.	☐	☐
2 In dem Stück geht es um eine Liebesgeschichte in einem Zug.	☐	☐
3 Die Leiterin erklärt den Tänzern ihren Plan für die einzelnen Szenen und sagt ihnen ganz genau, was sie machen sollen.	☐	☐
4 Oskar hat mehrere Talente: Z. B. tanzt er und spielt ein Instrument.	☐	☐
5 In dem Stück spielt Oskar Schlagzeug.	☐	☐
6 Oskars Mutter meint, dass es viele Freizeitmöglichkeiten für behinderte Jugendliche gibt.	☐	☐

b Sehen Sie den Film noch einmal und kontrollieren Sie Ihre Lösungen in Aufgabe 3a.

4 Haben Sie schon einmal Tanztheater gesehen, auf der Bühne oder im Fernsehen? Worum ging es in dem Stück? Was hat Ihnen besonders gefallen? Erzählen Sie.

1 📖 5   Sehen Sie die erste Filmsequenz. Wie entstehen die Geschichten für das Stück?

2 📖 6   Sehen Sie die zweite Filmsequenz und beantworten Sie die beiden Fragen.

a Welche Erfahrungen machen die Teilnehmer bei der Arbeit an dem Stück?

b Warum funktioniert in diesem Projekt die Integration von Menschen mit unterschiedlichen Begabungen so gut? Nennen Sie Gründe.

7   Kennen Sie künstlerische Projekte, die verschiedene Menschen miteinander verbinden, die im Alltag meist wenig Kontakt haben (Alte – Junge, Profis – Amateure, Arme – Reiche, verschiedene Nationalitäten, ...)? Berichten Sie. Sagen Sie auch, was das Projekt bei den Teilnehmern (vielleicht) verändern kann.

Fit für...

1a Wie fit sind Sie? Wie gut können Sie kombinieren, erkennen, logisch denken und sich konzentrieren? Machen Sie den Test. Für jede richtige Antwort gibt es einen Punkt.

A Kurioses

1. Ein paar Monate haben 31 Tage. Wie viele Monate haben 28 Tage?

2. Der Vater von Monika hat genau fünf Töchter: Lala, Lele, Lili, Lolo. Wie heißt die fünfte Tochter?

3. Wenn hier drei Äpfel liegen und Sie nehmen sich zwei weg: Wie viele haben Sie dann?

4. Drei Katzen fressen drei Mäuse in drei Minuten. Hundert Katzen fressen hundert Mäuse in wie vielen Minuten?

5. Ein Bauer hat 17 Schafe. Alle bis auf neun sterben. Wie viele Schafe hat der Bauer?

B Verwandte finden

1. Sie ist nicht meine Schwester, aber die Tochter der Schwester meiner Mutter. Wer ist sie?

   ☐ Tante ☐ Mutter ☐ Nichte ☐ Cousine

2. Die Tochter meiner Tante ist die ___?___ meiner Schwester.

   ☐ Nichte ☐ Schwester ☐ Cousine ☐ Schwägerin

3. Die Mutter dieses Mannes ist die Schwiegermutter meiner Mutter. Wer ist der Mann?

   ☐ Bruder ☐ Vater ☐ Onkel ☐ Cousin

4. Ein Vater hat sieben Söhne. Jeder Sohn hat eine Schwester. Wie viele Kinder hat der Vater?

   ☐ 12 ☐ 14 ☐ 18 ☐ 8

Sie lernen

C Gemeinsamkeiten finden

Unterstreichen Sie in jeder Reihe die zwei Wörter, für die es einen gemeinsamen Oberbegriff gibt.

1. Joghurt, Eier, Fleisch, Quark, Brot

2. New York, Madrid, Sydney, Berlin, Kapstadt

3. Sport, Geschichte, Englisch, Physik, Biologie

4. Eisen, Gold, Schmuck, Silber, Diamanten

D Buchstabenreihen ergänzen

Die folgenden Buchstabenreihen sind nach einer bestimmten Regel aufgebaut.
Ihre Aufgabe ist es, diese Reihe zu erkennen und durch einen weiteren Buchstaben sinnvoll zu ergänzen.

1. Z A Y B X ___   3. C E G I K ___

2. E F L M G ___   4. M N O O N ___

E Analogien bilden

Finden Sie ein passendes Wort.

1. lang : kurz = dick : _____

2. finden : verlieren = erinnern : _____

3. Gebirge : Stein = Ozean : _____

4. Wind : Sturm = reden : _____

F Den richtigen Tag finden

1. Übermorgen ist Dienstag. Welcher Tag war vorgestern? _____

2. Vor einer Woche war es einen Tag vor Sonntag.
   Welcher Tag ist heute? _____

3. Vorgestern war Heiliger Abend.
   Welches Datum ist übermorgen? _____

4. In 16 Tagen werde ich meinen 25. Geburtstag feiern.
   An welchem Tag findet die Feier statt,
   wenn vorgestern Sonntag war? _____

b Kontrollieren Sie Ihre Antworten mit der Lösung auf Seite 195 und zählen Sie Ihre Punkte zusammen. Lesen Sie dann die Auswertung.

c Wie sind Sie auf die Lösungen gekommen?

Fit für Finanzen

1a Welche Zahlungsmöglichkeiten hat man beim Einkaufen? Benennen Sie die abgebildeten Möglichkeiten und erklären Sie sie kurz.

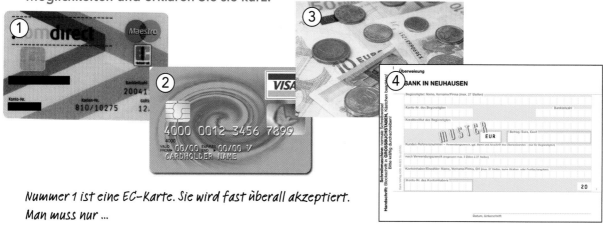

Nummer 1 ist eine EC-Karte. Sie wird fast überall akzeptiert.
Man muss nur ...

▶ Ü 1   **b** Welche Zahlungsmittel verwenden Sie in Ihrem Land in welchen Situationen?

2a Lesen Sie die Texte aus einem Ratgeber über den Einsatz der EC-Karte. Erklären Sie, worin sich die beiden Zahlungsweisen unterscheiden.

Zahlen mit EC-Karte und Unterschrift
Das ist die einfachste und sicherste Art der Zahlung. Mit Ihrer Unterschrift erklären Sie sich gegenüber dem Geschäft einverstanden, dass der Betrag von Ihrem Konto abgebucht werden darf. Sie können eine Abbuchung später rückgängig machen, weil sie erst rechtlich verbindlich ist, wenn Sie sie gegenüber dem Bankinstitut genehmigen.

Zahlung mit EC-Karte und Geheimzahl
Bei dieser Zahlungsart greift nicht das Geschäft auf Ihr Konto zu, sondern Sie selbst heben das Geld ab. Für Sie ist das nachteilig. Denn anders als bei der Zahlung mit Unterschrift können Sie den Vorgang später nicht widerrufen. Es wird so getan, als wenn Sie bar abgehobenes Geld an den Verkäufer weitergereicht hätten. Für den Verkäufer ist dieses Verfahren sicherer, weil er keinen späteren Widerruf befürchten muss.

b Welche Vor- bzw. Nachteile haben die beiden Zahlungsweisen?

3a Hören Sie das folgende Gespräch. Wo ruft Max Mustermann an und warum? Welche Angaben muss er machen? Notieren Sie.   *2.10*

b Was ist passiert? Erzählen Sie die Geschichte.

▶ Ü 2–3

4   Das Passiv mit *werden*. Formen Sie die Sätze um.

Aktiv (Wer macht was?)	Passiv (Was geschieht?)
Herr Mustermann bezahlte den Mantel mit EC-Karte.	Der Mantel wurde mit EC-Karte _bezahlt_.
Ein Dieb entwendete die EC-Karte.	Die EC-Karte _____.
Die Bank sperrte die EC-Karte.	Die EC-Karte _____.
Die Polizei fasste den Dieb.	Der Dieb _____.

5a Passiv mit *sein*. Vergleichen Sie die Sätze. Was ist anders? Markieren Sie die Unterschiede und ergänzen Sie die Sätze.

Vorgang	Ergebnis des Vorgangs: neuer Zustand
Der Mantel wurde mit EC-Karte bezahlt.	Der Mantel ist bezahlt.
Die EC-Karte wurde entwendet.	_____
Die EC-Karte ist gesperrt worden.	Die EC-Karte ist _____
Der Dieb ist gefasst worden.	_____

b Ergänzen Sie die Regel.

	Passiv mit *werden*	Passiv mit *sein*
Bildung	*werden* + Partizip II	_____
Bedeutung	_____	_____

▶ Ü 4

c Markieren Sie die Verbformen und bestimmen Sie sie wie im Beispiel.

1. Die EC-Karte wird gesperrt.   _Passiv mit werden, Präsens: Vorgang_____

2. Die Karte ist gestohlen.   _____

3. Die Karte wurde wieder gefunden.   _____

4. Die Karte war gestern noch gesperrt.   _____   ▶ Ü 5–6

6   Sammeln Sie im Kurs Sätze aus dem Alltag, in denen ein Passiv mit *sein* benutzt wird.

Die Schwimmhalle ist heute geschlossen.   *Dieser Tisch ist leider ...*

Fit am Telefon

1 Telefonieren Sie gern? Vor welchen Telefongesprächen sind Sie ein bisschen nervös?

2.11

2a Hören Sie zwei Dialoge am Telefon. Was macht der Anrufer im ersten Dialog nicht so gut, was fällt Ihnen im Gegensatz dazu im zweiten Dialog positiv auf?

Dialog 1:   **Dialog 2:**
klingt unfreundlich   ...

2.13

b Hören Sie, was Sie beim Telefonieren beachten sollten. Notieren Sie die Ratschläge in Stichwörtern.

▶ Ü 1   c Kennen Sie noch weitere Tipps?

3 In der Tabelle auf der folgenden Seite finden Sie wichtige Redemittel zum Telefonieren. Ordnen Sie sie den Aktivitäten im Diagramm zu.

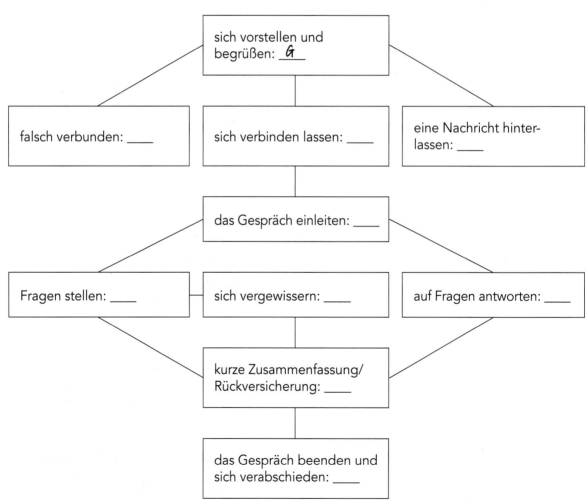

sich vorstellen und begrüßen: _G_

falsch verbunden: ____

sich verbinden lassen: ____

eine Nachricht hinter-lassen: ____

das Gespräch einleiten: ____

Fragen stellen: ____

sich vergewissern: ____

auf Fragen antworten: ____

kurze Zusammenfassung/ Rückversicherung: ____

das Gespräch beenden und sich verabschieden: ____

Am Telefon

A	Das war's auch schon. Vielen Dank. Gut, vielen Dank für die Auskunft. Das hat mir sehr geholfen, vielen Dank. Ich melde mich dann noch mal. Auf Wiederhören!	F	Könnte ich eine Nachricht für ... hinterlassen? Könnten Sie Herrn/Frau ... bitte Folgendes ausrichten: ...
B	Ich würde gern wissen, ... Mich würde auch interessieren, ... Wie ist das denn, wenn ... Ich wollte auch noch fragen, ...	G	Ja, guten Tag, mein Name ist ... Guten Tag, hier spricht ... Guten Tag, ... am Apparat. ..., mein Name.
C	Ich rufe an wegen ... Ich rufe aus folgendem Grund an: ... Ich hätte gern Informationen zu ...	H	Ja, also, das ist so: ... Dazu kann ich Ihnen Folgendes sagen: ... Das wird folgendermaßen gehandhabt: ...
D	Entschuldigung, mit wem spreche ich? Oh, da habe ich mich verwählt, Verzeihung. Ich glaube, ich bin falsch verbunden, entschuldigen Sie.	I	Könnten Sie das bitte wiederholen? Wie war das noch mal? Habe ich Sie richtig verstanden: ... Ich bin mir nicht ganz sicher, ob ich Sie richtig verstanden habe. Sie meinen also, ... / Kann man also sagen, dass, ...
E	Gut, können wir Folgendes festhalten: ... Wir verbleiben also so: ...	J	Könnten Sie mich bitte mit Herrn/Frau ... verbinden? Ich würde gern mit ... sprechen. Könnten Sie mir vielleicht die Durchwahl geben?

▶ Ü 2

4 Üben Sie zu zweit verschiedene Dialoge am Telefon. Denken Sie an die Tipps und verwenden Sie die Redemittel.

– Wählen Sie drei Situationen aus.
– Notieren Sie, was Sie fragen könnten und was Ihr Partner / Ihre Partnerin antworten könnte.
– Üben Sie die Dialoge und spielen Sie einen Dialog im Kurs vor.

Sie möchten ein Praktikum in einem Hotel/Kindergarten/Theater machen. Rufen Sie dort an und fragen Sie nach Bewerbungsmodalitäten, Aufgaben, Zeitraum und Bezahlung.

Sie rufen bei einem Fitnessstudio an und erkundigen sich nach Mitgliedschaft, Preisen, Trainer, Öffnungszeiten.

Sie machen für einen Monat ein Praktikum in einer anderen Stadt und rufen bei einer Mitwohnzentrale an. Fragen Sie nach freien Zimmern, Miete, Kaution und Vermittlungsgebühr.

Sie möchten eine Fernreise buchen und telefonieren mit dem Reisebüro, um Informationen über Flüge, Hotels, Klima und Visabestimmungen zu erhalten.

Sie rufen bei einer Sprachschule an und informieren sich über Kursprogramm, Kurszeiten, Kursort und Preise.

Sie rufen bei der Stadtbibliothek an und möchten wissen, wie man einen Ausweis bekommt und wie lange man Bücher ausleihen kann. Fragen Sie auch nach den Preisen und Öffnungszeiten.

▶ Ü 3–4

Fit für die Firma _____

1a Lesen Sie die Überschrift des Textes. Worüber könnte der Text berichten?

Fitte Mitarbeiter – fette Gewinne

1 Ein gefüllter Obstkorb für die Pause, gesundes Essen in der Kantine, Fitness-Tipps per E-Mail oder Entspannungsmassagen im Betrieb sind wichtige Beiträge zu einem gesunden Lebensstil. Er-
5 folgreiche Unternehmen setzen auf ein gesundes Team.

Fünf Faktoren bestimmen laut eines EU-Sozialberichtes maßgeblich den Gesundheitszustand der Arbeitnehmer: Erblichkeit, Lebensstil, soziale
10 Kontakte, Umwelt und Kultur sowie Arbeitsbedingungen.

Wenig Motivation, schlechte Stimmung, Stress und Frust im Büro gefährden nicht nur die Gesundheit der Mitarbeiter, sondern auch das Unter-
15 nehmensergebnis. Frustrierte Dienstnehmer kosteten beispielsweise wegen krankheitsbedingter Ausfälle und weniger Produktivität allein die deutsche Wirtschaft im vergangenen Jahr mehr als 220 Mrd. Euro, zeigt eine Studie des Marktforschungsinsti-
20 tutes Gallup.

Anlass genug für immer mehr heimische Unternehmen, ihren Mitarbeitern gesundheitsfördernde Maßnahmen anzubieten. „Der Büroalltag hält zwar den Geist, weniger den Körper in Bewegung
25 – Erfolg und körperliche Fitness spielen aber eng zusammen", ist Rainer Reichl von der Werbeagentur Reichl und Partner überzeugt. Seit drei Jahren setzt beispielsweise auch UPC Telekabel verstärkt auf gesundheitsfördernde Maßnahmen.
30 Neben Rabatten bei Wellness-Urlauben und Mit-

gliedschaften in Fitnesscentern werden den Mitarbeitern mobile Massagen, Gesundheitschecks, tägliche Obstkörbe und Betriebsausflüge mit sportlichem Schwerpunkt geboten. Das Engagement zahlt
35 sich aus: „Die Krankenstände haben sich um 15% verringert", sagt Gustav Soucek von der UPC Telekabel.

Zweifellos ist die körperliche Fitness jedes Einzelnen wichtig. Aber wenn das Arbeitsumfeld nicht
40 stimmt und Mitarbeiter an klassischen psychosomatischen Symptomen wie chronischen Kopfschmerzen oder Schlafstörungen leiden, lösen Fitnesscenter auch nicht die Probleme.

„Um Krankenstände dann tatsächlich zu sen-
45 ken und langfristige Erfolge zu erzielen, reicht es nicht, hin und wieder einen Rückenkurs, eine mobile Massage oder Arbeitsplatz-Beratung anzubieten. Das Übel muss an der Wurzel gepackt werden und eine konkrete Veränderung im Betrieb erfol-
50 gen", rät Personalexperte Landgrebe.

b Was erfahren Sie im Text über diese Teilthemen?

Krankheiten, die durch Arbeitsdruck und Überforderung entstehen	gesundheitsfördernde Maßnahmen am Arbeitsplatz	Zusammenhang zwischen Erfolg der Firma und Gesundheit der Mitarbeiter

▶ Ü 1

2 Hören Sie zwei Stellungnahmen zum Thema „Mehr Erfolg durch Fitness". Ordnen Sie die
2.14 Aussagen den beiden Personen zu.

	Michael Berger	Carolina Reitner
1. Ohne Sport wäre ich bei der Arbeit unaufmerksam.		
2. Das Leben ist für mich unkomplizierter geworden.		
3. Sport spielt auch im Job eine wichtige Rolle.		
4. Ich hatte lange Bedenken, ins Sportstudio zu gehen.		
5. Ich treffe mich wieder mit Leuten.		

3a Hören Sie den Text von Herrn Berger noch einmal und ergänzen Sie.
2.16

Mein Chef tut immer so, _____ _____ das völlig normal wäre.

Es sieht so aus, _____ _____ mir Judo wirklich was gebracht hätte.

Unser Chef redet dann vorher immer so, _____ wäre er der beste Skifahrer.

Die Sekretärin überholte ihn problemlos, _____ wäre sie schon ihr Leben lang Ski gefahren.

b Unterstreichen Sie in den Sätzen mit *als / als ob / als wenn* die Verben. Wo stehen sie?

c In den Sätzen wird der Konjunktiv II verwendet. Was drückt er hier aus?

☐ Höflichkeit   ☐ Vermutung   ☐ Irreales

d Ergänzen Sie die Regel.

> am Ende – irrealen – Konjunktiv II – Position 2
>
> Der Vergleichssatz mit *als / als ob / als wenn* drückt einen _____ Vergleich aus. Deswegen
>
> wird der _____ benutzt. Nach *als* steht das konjugierte Verb auf _____,
>
> nach *als ob / als wenn* _____.

e Lesen Sie die Sätze aus Aufgabe 3a. Wie bildet man den Konjunktiv II der Gegenwart und Vergangenheit?

Konjunktiv II der Gegenwart			Konjunktiv II der Vergangenheit
würde + Infinitiv			
haben → *hätte*	sein → _____		
brauchen → _____	müssen → _____	*hätte/wäre* _____ + _____
können → _____	dürfen → _____	

▶ Ü 2–5

4a Hören Sie den Beginn des Textes von Carolina Reitner noch einmal. Welche Ratschläge
2.17 musste sie oft hören? Ergänzen Sie.

Sie _____ mal besser auf Ihre Ernährung _____ _____.

Sie _____ schon längst eine ernsthafte Diät _____ _____.

b Konjunktiv II der Vergangenheit mit Modalverben. Ergänzen Sie die Regel.

> **Bildung**   *hätten* _____ + _____ + _____
>
> **Bedeutung**   Eine Handlung in der Vergangenheit wurde **nicht** realisiert.

▶ Ü 6

5 Welche Ratschläge müssen Sie / Ihre Freunde / Ihre Kollegen sich oft anhören?

111

Fit für die Prüfung

1a Die nächste Aufgabe ist eine typische Prüfungsaufgabe. Lesen Sie die Arbeitsanweisung und erklären Sie, was dort gemacht werden soll.

Sie hören fünf kurze Texte. Sie hören diese Ansagen nur einmal. Entscheiden Sie beim Hören, ob die Aussagen richtig oder falsch sind.

	r	f
1. Für den Theoriekurs kann man sich jeden Montag um 18 Uhr anmelden.	☐	☐
2. Der Mittelaltermarkt dauert noch eine Woche.	☐	☐
3. Karten können auch über das Internet gekauft werden.	☐	☐
4. Das neue Programm wird ausschließlich von Afrikanern gestaltet.	☐	☐
5. Die Studienberatung ist von Montag bis Freitag ganztägig geöffnet.	☐	☐

TELC 2.18

b Machen Sie jetzt die Aufgabe.

c Was war schwierig an der Aufgabe?

2a In der letzten Ansage ging es um eine Studienberatungsstelle. In welchen Fällen kann so eine Beratungsstelle vielleicht helfen?

b Lesen Sie den Text. Kennen Sie den beschriebenen Zustand? Wenn ja, wann haben Sie das letzte Mal unter Prüfungsangst gelitten?

Nur noch ein Tag. Heiß-kalte Schauer lassen den ganzen Körper zittern. Das Herz pocht rasend schnell – und so heftig, dass man meint, jeder könnte es unter dem Pullover klopfen sehen. Schweißperlen auf der Stirn, feuchte Hände, Übelkeit und dann noch dieses schlimme Gefühl: die Angst, die das Atmen fast unmöglich macht, das Denken blockiert – und einfach nicht verschwindet. Morgen soll die Prüfung stattfinden, die einen seit Wochen nicht mehr ruhig schlafen lässt.

„Was, wenn ich plötzlich nichts mehr weiß? Ich schaff das bestimmt nicht. Am besten, ich geh gleich gar nicht hin." Laut einer Studie der Freien Universität Berlin quälen solche Gedanken 40 Prozent aller Studierenden. Genauso sind aber auch Schüler, Auszubildende und Berufstätige betroffen. Die Angst quält bei Führerscheinprüfung, Vorstellungsgespräch, Vorträgen oder Wettkämpfen.

Doch das Gute daran: Unter Prüfungsangst zu leiden ist kein Schicksal. Man kann etwas dagegen tun.

▶ Ü 1–2 **c** Was kann man gegen Prüfungsangst tun? Sammeln Sie gemeinsam im Kurs.

3a Arbeiten Sie zu zweit. Jeder entscheidet sich für einen der Texte auf Seite 113. Lesen Sie Ihren Text und notieren Sie die wichtigsten Informationen in Stichwörtern.

b Tauschen Sie sich mit Ihrem Partner / Ihrer Partnerin aus. Informieren Sie ihn/sie über die wichtigen Aussagen Ihres Textes.

Fit für die Prüfung

A: Vor Lernbeginn: Schnell verliert man in der Vorbereitungsphase den Überblick. Viele fürchten auch, kurz vor der Prüfung, zu wenig gelernt zu haben oder den Stoff nicht richtig zu beherrschen. Dabei ist eine gründliche Vorbereitung gar nicht so schwer. Der Trick: Ein genauer Plan und Häppchen für Häppchen. Begrenzen Sie den zu lernenden Stoff, indem Sie sich genau über die Prüfung informieren. Verschaffen Sie sich ein vollständiges Bild vom gesamten Prüfungsstoff. Listen Sie alle Themen auf, die vorbereitet werden müssen. Arbeiten Sie mit klarem Konzept: Stellen Sie die jeweils erforderlichen Arbeitsschritte auf und schätzen Sie den dafür notwendigen Zeitaufwand realistisch ab. Denken Sie auch an Puffertage und Wiederholungsphasen. Die letzten Tage gehören auf jeden Fall der Gesamtwiederholung oder Musterklausuren. Vernachlässigen Sie aber Ihre Hobbys nicht. Gehen Sie ruhig weiterhin zum Joggen oder zum Tanzkurs und treffen Sie sich regelmäßig mit Freunden. Andernfalls wird sich Ihr Organismus mit Arbeitsunlust oder sogar Krankheit rächen.

Richtig Lernen: Stundenlanges Dauerpauken bringt gar nichts: Beim konzentrierten Lernen nimmt die Leistungskurve nach ungefähr einer Stunde ab. Gönnen Sie sich deshalb spätestens nach eineinhalb Stunden intensiven Lernens eine zehnminütige Verschnaufpause. Gerade in der Mittagspause benötigt man eine längere Pause, um den Leistungsabfall auszugleichen. Ein Spaziergang an der frischen Luft macht müde Krieger munter. Gönnen Sie sich zwei oder drei Tage vor dem wichtigen Termin noch einen Tag Auszeit, damit Sie ruhig und entspannt in die Prüfung gehen können. Lernen Sie möglichst nicht mehr viel Neues, sondern vertiefen Sie den gelernten Prüfungsstoff.

Realistisch bleiben: Meiden Sie Kollegen, die mit Ihnen zur Prüfung antreten und ebenfalls unter Prüfungsangst leiden. Denen fallen vielleicht Horrorszenarien ein, an die Sie nicht im Traum gedacht hätten. Gehen Sie auch denen aus dem Weg, die stets versuchen, mit Gelerntem zu protzen. Das würde Sie nur unnötig verunsichern. Vertrauen Sie auf sich selbst und Ihre bisherige Vorbereitung.

Machen Sie sich klar, was im schlimmsten Fall passieren könnte: Sollten Sie die Prüfung – warum auch immer – nicht bestehen, wird die Welt nicht zusammenbrechen! Ihr Leben wird weitergehen und es werden sich neue Lösungen finden. Freunde und Familie werden Sie weder verachten noch verlassen. Durch eine Prüfung kann jeder fallen, ein Versager ist er deshalb bestimmt nicht.

B: Fit für die schriftliche Prüfung: In der Prüfung selbst heißt es vor allem: Ruhe bewahren. Wer sich die Fragen aufmerksam durchliest und sich von den leichten zu den schweren hangelt, kommt ohne großes Schwitzen durch. Sich die Zeit richtig einzuteilen, ist ebenfalls nicht schwer.

Kurz vor der Prüfung: Treten Sie nicht ohne Frühstück an: Blutzuckermangel kann zu Konzentrationsschwierigkeiten führen. Nehmen Sie deshalb auch in die Prüfung Getränke oder kleine Snacks mit. Schokoriegel und Traubenzucker halten Ihren Blutzuckerspiegel auf optimalem Niveau. Planen Sie für die Anreise genügend Zeit ein. Aber auch nicht zu viel: Langes Ausharren vor dem Prüfungsraum macht nur unnötig nervös. Sehen Sie dem Test positiv entgegen: Freuen Sie sich darauf, dass Sie Ihr Wissen endlich präsentieren können. Denken Sie auch an die angenehmen Dinge, die Sie danach erwarten: Urlaub, ein besserer Job oder eine Riesenpizza beim Lieblingsitaliener.

In der Prüfung: Fangen Sie nicht sofort an zu schreiben: Lesen Sie die Aufgaben mehrmals durch. Schreiben Sie ordentlich. Eine „Sauklaue" beeinflusst den Korrektor negativ. Nutzen Sie verbleibende Zeit, um Ihre Antworten noch einmal in Ruhe durchzulesen. Prüfen Sie auch, ob Sie wirklich alle Fragen und Teilfragen beantwortet haben.

Fit für die mündliche Prüfung: Vor mündlichen Prüfungen ist die Angst oft am größten. Doch der Prüfer ist weder ein Monster noch sind Sie ihm hilflos ausgeliefert. Die Kunst besteht darin, ein lockeres Gespräch zu führen, von Schwächen abzulenken und geschickt zu kontern. Machen Sie sich klar, dass der Prüfer auch nur ein Mensch ist und erkennen Sie auch die Vorteile einer mündlichen Prüfung: Sie ist nicht nur wesentlich kürzer als eine schriftliche. In der Gesprächssituation können Missverständnisse sofort aus dem Weg geräumt und Antworten korrigiert werden.

Den ersten Pluspunkt erreichen Sie durch Ihr persönliches Auftreten: Kleiden Sie sich angemessen, seien Sie pünktlich und höflich. Blicken Sie dem Prüfer bei der Begrüßung selbstbewusst in die Augen. Fehlt nur noch der feste Händedruck. Falls Sie sich nicht sicher sind, ob Sie eine Frage richtig verstanden haben: Haken Sie direkt nach, bitten Sie um eine andere Formulierung oder wiederholen Sie die Frage mit eigenen Worten. Fällt Ihnen nichts ein, bitten Sie um ein Stichwort oder stellen Sie eine Rückfrage wie: „Ich bin mir nicht sicher, worauf Ihre Frage abzielt." Hilft nicht? Dann geben Sie das offen zu und bitten um eine Ersatzfrage. Achten Sie auf die Reaktion Ihres Gegenübers: Ein leichtes Nicken oder Lächeln verrät, dass Sie auf dem richtigen Weg sind.

▶ Ü 3

Fit für die Prüfung

4a Sie haben von einem Freund eine E-Mail bekommen. Was ist sein Problem?

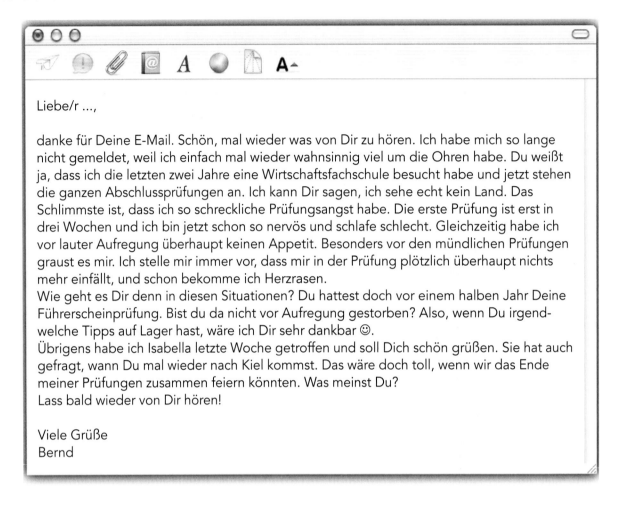

Liebe/r ...,

danke für Deine E-Mail. Schön, mal wieder was von Dir zu hören. Ich habe mich so lange nicht gemeldet, weil ich einfach mal wieder wahnsinnig viel um die Ohren habe. Du weißt ja, dass ich die letzten zwei Jahre eine Wirtschaftsfachschule besucht habe und jetzt stehen die ganzen Abschlussprüfungen an. Ich kann Dir sagen, ich sehe echt kein Land. Das Schlimmste ist, dass ich so schreckliche Prüfungsangst habe. Die erste Prüfung ist erst in drei Wochen und ich bin jetzt schon so nervös und schlafe schlecht. Gleichzeitig habe ich vor lauter Aufregung überhaupt keinen Appetit. Besonders vor den mündlichen Prüfungen graust es mir. Ich stelle mir immer vor, dass mir in der Prüfung plötzlich überhaupt nichts mehr einfällt, und schon bekomme ich Herzrasen.
Wie geht es Dir denn in diesen Situationen? Du hattest doch vor einem halben Jahr Deine Führerscheinprüfung. Bist du da nicht vor Aufregung gestorben? Also, wenn Du irgend-welche Tipps auf Lager hast, wäre ich Dir sehr dankbar ☺.
Übrigens habe ich Isabella letzte Woche getroffen und soll Dich schön grüßen. Sie hat auch gefragt, wann Du mal wieder nach Kiel kommst. Das wäre doch toll, wenn wir das Ende meiner Prüfungen zusammen feiern könnten. Was meinst Du?
Lass bald wieder von Dir hören!

Viele Grüße
Bernd

b Schreiben Sie eine Antwort an Bernd. Arbeiten Sie in folgenden Schritten.

- **Nummerieren Sie zunächst die Reihenfolge, in der Sie schreiben wollen:**

  ☐ Bernd viel Glück wünschen
  ☐ Verständnis für Bernds Situation äußern
  ☐ ein baldiges Treffen mit Bernd vorschlagen
  ☐ für die E-Mail bedanken
  ☐ Tipps gegen Prüfungsangst geben
  ☐ über eigene Erfahrungen berichten

- **Notieren Sie zu den einzelnen Punkten Stichwörter.**

- **Überlegen Sie, welche Redemittel Sie verwenden wollen.**

- **Formulieren Sie Ihre E-Mail aus und achten Sie darauf, dass die Sätze sinnvoll miteinander verbunden sind.**

▶ Ü 4

5a Bereiten Sie sich auf die folgende Prüfungsaufgabe vor. Lesen Sie die Aufgabe und sammeln Sie für jedes Bild Pro- und Contra-Argumente.

b Machen Sie jetzt zu zweit die Aufgabe und reagieren Sie auf den Vorschlag Ihres Partners / Ihrer Partnerin.

GI

> **Für einen Beitrag in der Uni-Zeitung über Prüfungsangst und was man dagegen tun kann, sollen Sie eines der beiden Fotos auswählen.**
>
> – **Machen Sie einen Vorschlag und begründen Sie ihn.**
>
> – **Widersprechen Sie Ihrem Gesprächspartner / Ihrer Gesprächspartnerin.**
>
> – **Kommen Sie am Ende zu einer Entscheidung.**

Birgit Prinz

(* 25. Oktober 1977 in Frankfurt a.M.)

Fußballspielerin

Birgit Prinz im Spiel gegen Brasilien

„Ich war nicht besser als die Jungs. Aber eben auch nicht schlechter", hat Birgit Prinz, Deutschlands berühmteste Stürmerin, einmal gesagt. Rückblickend auf eine Zeit, als sie mit acht Jahren in einer Jungenmannschaft kickte. Mit 15 Jahren spielte sie dann zum ersten Mal in einer reinen Frauenmannschaft, mit 16 war sie die jüngste Spielerin im deutschen Nationalteam. Der Rest ist Geschichte: Weltfußballerin der Jahre 2003, 2004 und 2005, fünffache Fußballerin des Jahres, mit der Nationalmannschaft Weltmeisterin 2003 und 2007 und mit ihrem Verein 1. FFC Frankfurt immer wieder Nummer Eins in der Bundesliga. Bei der Frauen-Fußball-WM 2007 wurde sie durch ihren 14. Treffer im Spiel gegen Japan alleinige Rekordtorschützin bei Weltmeisterschaften. Birgit Prinz hat das Talent, immer zur richtigen Zeit vor dem Tor aufzutauchen. Sie spielt uneigennützig und will unbedingt gewinnen. Spielt sie mal einen Fehlpass, wird sie wütend. Schon als junges Mädchen geriet sie außer sich, wenn sie beim Spielen verlor.

Außerdem zeichnet sich die 1,79 Meter große Sportlerin durch eine ihr eigene Schnelligkeit, einen fantastischen Instinkt und eine ungeheure Präzision auf dem Spielfeld aus. Wäre sie ein Mann, würde man sie in einem Atemzug mit Zidane oder Ballack nennen.

Ein ungewöhnliches Angebot erhielt Birgit Prinz im Dezember 2003 vom Präsidenten des italienischen AC Perugia, Luciano Gaucci: Er wollte sie in seine Mannschaft holen. Damit wäre sie die erste Frau gewesen, die in einem Männerteam spielen würde, und das gleich in der italienischen Serie A.

Birgit Prinz bei der Preisverleihung

Birgit Prinz lehnte nach einem Treffen und zweiwöchiger Bedenkzeit aus sportlichen Gründen ab. Als Begründung gab sie an, sie wolle Fußball spielen und nicht nur auf der Bank sitzen.

Wenn es ihr Terminplan zwischen Nationalmannschaft und Verein zulässt, arbeitet sie in ihrem gelernten Beruf als Physiotherapeutin. Doch der Fußball hat ihr ein gutes Zusatzeinkommen verschafft. Sie hat einige Sponsoren: einen Sportartikelhersteller, ein Auto- und ein Möbelhaus sowie verschiedene andere Partner. Neben dem Fußballspielen sind ihre Hobbys Lesen, Spazierengehen und ihr Hund. Als Ausgleichssport betreibt sie Inlineskaten, Squash, Badminton oder geht joggen. Im August 2005 übernahm sie außerdem eine Patenschaft für das Kinderhilfsprojekt „Learn and Play" des Internationalen Fußballverbandes und der Afghanistan-Hilfe.

In Interviews gibt sich Birgit Prinz meist ziemlich wortkarg, der Rummel um ihre Person ist ihr eher unangenehm. Aber natürlich freut sie sich darüber, dass Frauenfußball populärer geworden ist – auch dank ihrer Erfolge.

Mehr Informationen zu Birgit Prinz

Sammeln Sie Informationen über Persönlichkeiten aus dem In- und Ausland, die für das Thema „Fit für ..." interessant sind, und stellen Sie sie im Kurs vor. Sie können dazu die Vorlage „Porträt" im Anhang verwenden. Beispiele aus dem deutschsprachigen Bereich: Roland Berger – Günther Jauch – Michael Schuhmacher

1   Passiv mit *sein*

Passiv mit *werden*	Passiv mit *sein*
*Der Mantel **wurde** mit EC-Karte bezahlt.*	*Der Mantel **ist** bezahlt.*
*Die EC-Karte **ist** gesperrt worden.*	*Die EC-Karte **ist** gesperrt.*

***werden** + Partizip II*	***sein** + Partizip II*
Vorgang, Prozess	neuer Zustand, Resultat eines Vorgangs

Tempusformen: **Passiv mit *sein***	Präsens	***sein** im Präsens* + Partizip II: Die Karte ist gesperrt.
	Präteritum	***sein** im Präteritum* + Partizip II: Die Karte war gesperrt.

2   Vergleichssätze mit *als / als ob / als wenn*

*Mein Chef tut immer so, **als ob** das völlig normal **wäre**. Es sieht so aus, **als wenn** Judo mir wirklich etwas gebracht **hätte**. Unser Chef macht den Eindruck, **als wäre** er der beste Skifahrer der Welt.*

Der Vergleichssatz mit *als / als ob / als wenn* drückt einen irrealen Vergleich aus. Deswegen wird der Konjunktiv II benutzt. Nach *als* steht das konjugierte Verb auf Position 2, nach *als ob / als wenn* am Ende.

3   Konjunktiv II Gegenwart und Vergangenheit

Konjunktiv II Gegenwart					Konjunktiv II Vergangenheit
würde + Infinitiv					
haben	→	hätte	sein	→	wäre
brauchen	→	bräuchte	müssen	→	müsste
können	→	könnte	dürfen	→	dürfte

Für Konjunktiv II Vergangenheit: **hätte/wäre + Partizip II**

4   Konjunktiv II Vergangenheit mit Modalverben

Sie	*hätten*	*mal besser auf Ihre Ernährung*	*achten*	*sollen.*
Sie	*hätten*	*schon längst eine ernsthafte Diät*	*machen*	*müssen.*
Bildung	hätten	+	Infinitiv +	Modalverb im Infinitiv

Bedeutung   Eine Handlung in der Vergangenheit wurde **nicht** realisiert.

Wortstellung   *Er sagte, dass ich besser auf meine Ernährung **hätte** <u>achten</u> <u>sollen</u>.*
Das Verb *hätte(n)* steht **vor** den Infinitiven, das Modalverb steht am Ende.

Artisten der Großstadt

1 a Welche Sportarten für junge Leute, vor allem aus den Städten, kennen Sie? Welche Ausrüstung, Geräte oder Anlagen braucht man dafür?

b Welche dieser Sportarten gelten als gefährlich? Warum suchen einige Jugendliche die Herausforderung? Diskutieren Sie im Kurs.

1 📖 **2 a** Sehen Sie die erste Filmsequenz. Beschreiben Sie die sportlichen Aktivitäten der Leute.

b Kennen Sie diesen Sport? Wie heißt er? Wenn Sie es nicht wissen – wie würden Sie ihn nennen?

📖 **3** Sehen Sie nun den ganzen Film und beantworten Sie die Fragen.

a Wie heißt die Sportart? Woher kommt sie? Wie nennen sich die Akteure?

b Welche Stichwörter charakterisieren diese Sportart? Kreuzen Sie an.

1 Ästhetik und Balance; flüssige Bewegungen ☐

2 Hindernisse möglichst vermeiden ☐

3 eine Form des Protestes gegen olympische Sportarten ☐

4 eine neue Jugendbewegung ☐

5 eine sozialpädagogische Maßnahme gegen Kriminalität ☐

6 kindliches Spiel ☐

7 Kontakte zu anderen Traceuren aufbauen ☐

8 Kontrolle über den eigenen Körper haben ☐

9 möglichst gefährliche Sprünge machen ☐

10 sich selbst nahe kommen; eigene Grenzen erkennen ☐

11 sich um Bäume kümmern ☐

12 Verbindung von Computer und Sport ☐

2 📖 4 Sehen Sie die zweite Filmsequenz. Die drei Traceure äußern sich zu ihrer großstädtischen Umwelt und zu ihrer Selbsterfahrung. Fassen Sie ihre Aussagen zusammen.

3 📖 5 Sehen Sie die dritte Filmsequenz. Der französische Traceur Rudy nennt Parkour eine „Schule für den Alltag". Wie meint er das? Welche persönlichen Erfahrungen hat er gemacht?

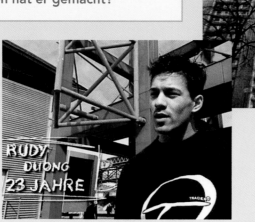

6 Wie würden Sie reagieren, wenn Ihr Freund / Ihre Freundin oder Ihre eigenen Kinder in ihrer Freizeit Parkour machen? Was würden Sie raten?

Das macht(e) Geschichte

 1 Hören Sie. Zu welchen Bildern passen die Texte?

3.1

Sie lernen

Grammatik

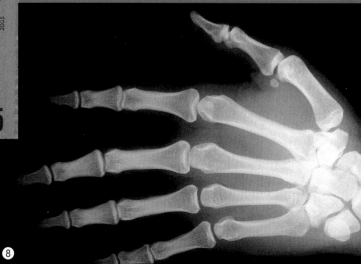

2 Welche Themen machen Geschichte? Sammeln Sie im Kurs Themen und wichtigen Wortschatz.

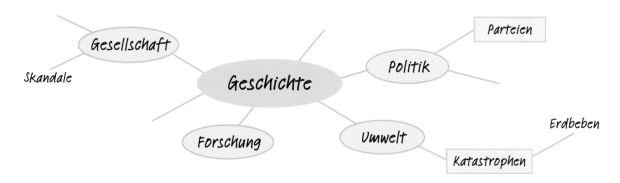

Gesellschaft

Skandale

Geschichte

Parteien

Politik

Forschung

Umwelt

Erdbeben

Katastrophen

3 Nennen Sie ein wichtiges Ereignis aus Ihrem Land oder aus der Weltgeschichte.

121

Gelebte Geschichte

1a Wo finden Sie Informationen über Geschichte?

b Lesen Sie den Text bis Zeile 21. Wie vermitteln Medien Ereignisse aus früheren Zeiten?

c Lesen Sie jetzt den ganzen Text. Welche Vorbereitungen für die Sendung mussten die Produzenten und Teilnehmer treffen?

Gelebte Geschichte

1 Geschichte ist momentan ein Kassenschlager. Romane, die auf historischen Ereignissen basieren, landen auf den Bestseller-Listen ganz weit vorn.

Der Boom begann spätestens in den 80er-Jah-
5 ren mit Titeln wie „Der Name der Rose" von Umberto Eco oder „Das Parfum" von Patrick Süskind.

In letzter Zeit findet man aber auch im Fernsehen Sendeformate, die beim Publikum sehr be-
10 liebt sind: Geschichtsdokumentationen, die Aussagen von Experten und Zeitzeugen mit nachgestellten Filmszenen zum Thema verbinden und so einen unterhaltsamen Zugang zum Thema bieten. Dieses Phänomen nennt man „Historytainment".

15 Populär sind bei den Fernsehzuschauern aber auch Dokumentationen von Personen, die sich auf eine Zeitreise begeben, um in eine frühere Epoche einzutauchen und in vom Drehbuch definierte Rollen zu schlüpfen. Besonders beliebt sind z.B.
20 Zeiten, wie das Leben zwischen 1850 und 1910, das Mittelalter oder die Steinzeit.

Die Produzenten solcher Sendungen können sich vor Bewerbern kaum retten. So haben sich z.B. für die Sendung „Windstärke 8" rund 5.500
25 Personen für gerade mal 43 Plätze auf einem Auswandererschiff beworben, um eine zeitgetreue Überfahrt auf einem Segelschiff von Bremen nach New York im Jahr 1855 nachzustellen. Voraussetzungen für den Start waren neben dem Umbau
30 des Schiffes und der Suche nach Pökelfleisch oder Schiffszwieback vor allem Recherchen, die alle historischen Details berücksichtigten. Eine harte Arbeit für Historiker und Rechercheure.

Die Reise: In 69 Tagen wird der Atlantik auf
35 dem umgebauten Segelschiff „Bremen" über die historische Südroute überquert. Die 25 ausgesuchten Passagiere im Alter von 13 Monaten bis 65 Jahren und die 18-köpfige Mannschaft müssen zunächst durch eine Zeitschleuse und hierbei von der
40 Kleidung, über das heiß geliebte Spielzeug, die alltäglichen Hygieneartikel bis hin zum Handy alles zurücklassen, was es 1855 nicht gab.

Alle Personen und das Schiff werden neu ausgestattet. Wer die steife und kratzende Kleidung
45 noch interessant findet, der staunt spätestens bei den antik aussehenden Zahnbürsten aus Holz oder bei den Läusekämmen.

Was allen gemeinsam ist, ist die Herausforderung, als Gruppe auf engem Raum unbekannte
50 Rollen wahrzunehmen und Vergangenheit lebendig und spürbar zu machen. Und so müssen die Passagiere aufkommenden Stürmen und der Seekrankheit trotzen. Sie müssen die anfallenden Arbeiten gerecht aufteilen und Streit schlichten. Sie
55 können ihre individuellen Talente nutzen und gemeinsam ein lange geplantes Bordfest feiern. Alles mit den Mitteln und Möglichkeiten von 1855 und mit Millionen von Zuschauern, die an den Bildschirmen mitfiebern. Sie langweilen sich mit, wenn
60 kein Wind geht. Sie leiden mit bei einem gnadenlos tobenden Sturm und sie ergreifen Partei bei den heftigen Diskussionen an Bord. Nachgelebte Geschichte, so das Selbstverständnis von „Windstärke 8", kann immer nur ein Experiment sein, da
65 die „Zeitreisenden" stets ein Stück ihrer eigenen Gegenwart mitbringen. Doch die persönliche Erfahrung, die die Passagiere mit den Zuschauern teilen, machen die Lebensumstände von damals transparent und nachvollziehbar. Das ist die Idee
70 hinter „Windstärke 8".

d Können Sie sich vorstellen, an einem Projekt wie „Windstärke 8" teilzunehmen? Diskutieren Sie im Kurs.

2a Lesen Sie die Sätze a–d. Welche Funktionen haben die orange markierten Satzteile?

a Die Zeitreisenden schlüpfen in vom Drehbuch definierte Rollen.

b Die Passagiere müssen die anfallenden Arbeiten gerecht aufteilen.

c Alle feiern gemeinsam ein lange geplantes Bordfest.

d Die Zuschauer leiden mit bei einem gnadenlos tobenden Sturm.

☐ sie geben weitere Informationen   ☐ sie ergänzen das Verb   ☐ sie beschreiben ein Nomen

b Wie werden die unterstrichenen Wörter in den Sätzen a–d gebildet? Ordnen Sie zu. G

A Partizip I + Adjektivendung	**B** Partizip II + Adjektivendung
die *lesenden* Menschen	die *gelesenen* Geschichten

c Suchen und markieren Sie weitere Beispiele im Text und ergänzen Sie die Liste.   ▶ Ü 1

3 Partizip I und II als Adjektiv. Lesen Sie die Sätze in 2a noch einmal und ergänzen Sie die Regel. G

Adjektiv	~~beschreiben~~	Substantiv	Adverb

Partizipien als Adjektive *beschreiben* ein Substantiv genauer. Manchmal stehen sie auch zusammen mit einer Erweiterung. Diese kann z.B. ein _____ oder ein _____ sein. Die Partizipien stehen immer direkt vor dem _____ .

4a Partizipien als Adjektive verkürzen Informationen, die oft in einem Relativsatz stehen. Welche Relativsätze drücken Gleichzeitigkeit (G), welche Vorzeitigkeit (V) aus? Welche Relativsätze stehen im Aktiv (A)? Welche im Passiv (P)? G

	G	V	A	P
Zeitreisende schlüpfen in Rollen, die vom Drehbuch definiert worden sind.				
Sie müssen die Arbeiten, die anfallen, gerecht aufteilen.				
Alle feiern gemeinsam ein Bordfest, das lange geplant worden ist.				
Die Zuschauer leiden mit bei einem Sturm, der gnadenlos tobt.				

b Vergleichen Sie die Partizipien in Aufgabe 2a mit den Relativsätzen in Aufgabe 4a. Wann wird Partizip I und wann Partizip II verwendet? G

Passiv beendet Aktiv gleichzeitig	Das Partizip I wird benutzt, wenn die Handlung im Hauptsatz und die Handlung im Relativsatz _____ passiert. Der Relativsatz steht dabei im _____ . Partizip II wird verwendet, wenn die Handlung des Relativsatzes bereits _____ ist. Im Relativsatz wird in den meisten Fällen das _____ verwendet.

▶ Ü 2–4

c Wählen Sie drei weitere Beispiele aus dem Text und formen Sie die Sätze in Hauptsätze mit Relativsätzen um. Tauschen Sie mit Ihrem Nachbarn / Ihrer Nachbarin und formen Sie die Relativsätze wieder in Partizipien um.

26.10. – Ein Tag in der Geschichte

1a Was passierte am 26. Oktober? Lesen Sie die verschiedenen Meldungen und Informationen. Ordnen Sie die Überschriften zu.

Gemeinsam gegen das Leid – Tunnel-Inferno in der Schweiz – Ausgezeichnete Beatles – Republik feiert Jubiläum – Durchbruch in der Kommunikation

①

Airolo – Nach dem Feuerinferno im Gotthard-Tunnel haben Retter am Donnerstag unter den Trümmern in Dutzenden ausgebrannten Autos noch weitere Opfer vermutet. Der Polizei lagen 80 Meldungen über Vermisste vor. Bisher wurden zehn Leichen geborgen.

„Der Brand ist unter Kontrolle", sagt am Donnerstagmittag ein Feuerwehrsprecher am Südportal des Gotthard-Tunnels. Die Schwelbrände sollten bis zum Abend gelöscht sein.

Erst 24 Stunden nach dem Unglück war es der Feuerwehr gelungen, zum Brandherd vorzudringen. Die hohe Zahl der Vermissten muss nicht bedeuten, dass alle tot sind.

② Am Physikalischen Verein zu Frankfurt am Main stellte Johann Philipp Reis vor zahlreichem Publikum am heutigen 26. Oktober ein Fernsprechgerät vor. Dieses „Telefon" ermögliche es, über weite Entfernungen Gespräche zu führen, so der Physiker, der am Institut Garnier in Friedrichsdorf lehrt. Die Fachwelt ist begeistert. Eine Sensation!

③ **Wien** – Heute jährt sich zum fünfzigsten Mal ein denkwürdiges Datum der österreichischen Geschichte. Am 26. Oktober 1955 fasst der Nationalrat den Beschluss zur „Immerwährenden Neutralität" der Republik Österreich. Im gleichen Jahr wurde der Staatsvertrag bereits mit den Alliierten Staaten festgelegt und die volle Souveränität beschlossen. Nun ist Österreich zehn Jahre nach Ende des Zweiten Weltkrieges wieder eine unabhängige Republik. Noch am Abend des 26.10.1955 verlassen die Alliierten das Land. Der 26. Oktober wird zum Nationalfeiertag.

④ Am 26. Oktober 1863 beginnt die internationale Konferenz der „Gesellschaften zur Milderung der Leiden des Krieges" und anderer sozial engagierter Gruppen in Genf. Henri Dunant initiiert die Gründung einer internationalen Hilfsorganisation, die später die Basis für das Rote Kreuz und den Roten Halbmond bilden wird.

⑤ Ein großer Tag in der Geschichte der populären Musik. Im feierlichen Rahmen zeichnet Königin Elisabeth II. die Beatles am 26.10.1965 mit dem Orden „Member of the British Empire" aus.

Jahre später gibt John Lennon den Orden jedoch wieder zurück. Mit dieser Protestaktion will sich Lennon von der Beteiligung Großbritanniens am Biafra-Krieg distanzieren.

b Lesen Sie die Texte noch einmal. Über welche Ereignisse wird berichtet? Notieren Sie Informationen und fassen Sie eine Meldung zusammen.

Wann?	Wo?	Wer?	Was?
1955	Österreich/Wien	der Nationalrat	beschließt „Immerwährende Neutralität"
		die Alliierten	verlassen Österreich

2 Sie hören nun eine Nachrichtensendung. Dazu sollen Sie fünf Aufgaben lösen. Sie hören die Nachrichtensendung nur einmal. Entscheiden Sie beim Hören, ob die Aussagen 1–5 richtig oder falsch sind.

3.9
TELC

                                                               r   f

1. Die Lokführer der Deutschen Bahn AG haben nach 30 Stunden Streik ihre Arbeit wieder aufgenommen.   ☐ ☐

2. Der Bundestag diskutiert über Fragen zu Veränderungen im Gesundheitssystem.   ☐ ☐

3. EU und afrikanische Länder beraten über die Einfuhrbestimmungen von Getreide und Textilien.   ☐ ☐

4. Japan verlangt von Ausländern ein Visum und eine offizielle Einladung bei der Einreise.   ☐ ☐

5. Die kalifornische Regierung evakuiert Menschen aus Regionen, die von Hochwasser betroffen sind.   ☐ ☐

3a Hören Sie eine kurze Präsentation zu Ereignissen vom 26. Oktober. Welche Informationen sind neu?

3.10

b Was passierte an einem für Sie wichtigen Tag, z.B. Ihrem Geburtstag? Recherchieren Sie im Internet, Zeitungen etc.

c Wählen Sie ein oder zwei interessante Ereignisse aus und bereiten Sie eine Präsentation vor (Dauer: maximal drei Minuten). Verwenden Sie die Redemittel aus dem Kasten.

recherchierte Ereignisse vorstellen	historische Daten nennen
Ich werde von … berichten	Im Jahr …
Ich habe … ausgesucht, weil …	Am …
Ich fand … besonders interessant.	Vor 50, 100, … Jahren …
Eigentlich finde ich Geschichte nicht so interessant, aber …	… Jahre früher/davor …
	… Jahre später/danach …
Das erste/zweite Ereignis passierte …	… begann/endete/ereignete sich …

d Üben Sie mit einem Partner / einer Partnerin. Arbeiten Sie gemeinsam an Verständlichkeit, Tempo und Lautstärke.

e Tragen Sie Ihre Kurzpräsentation vor.   ▶ Ü 1

Irrtümer der Geschichte

1a Lesen Sie die Äußerungen zur Geschichte – fünf von ihnen enthalten Irrtümer.
Was stimmt nicht?

„Graf Ferdinand von Zeppelin hat
das erste Luftschiff gebaut."

„Nach dem Zweiten
Weltkrieg war die Kölner
Innenstadt bis auf den Dom
fast komplett zerstört."

„Der berühmte Salzburger
Musiker Mozart heißt mit
Vornamen Wolfgang
Amadeus."

„Johannes
Gutenberg ist
der Erfinder des
Buchdrucks."

„Im Mittelalter war man
mit 40 Jahren ein sehr
alter Mensch."

„Freiherr von Drais erfand ein
Laufrad, aus dem später das
Fahrrad entwickelt wurde."

„Das erste
Kaffeehaus Europas
stand in Wien."

b Lesen Sie den Text über Irrtümer in der Geschichte. Haben Sie's gewusst?
Was überrascht Sie besonders?

1   Bei einer Umfrage darüber, wie Mozart mit Vornamen hieß, würden wohl weit über 90% der
Befragten antworten, das wisse doch jedes Kind: natürlich Wolfgang Amadeus. Weit gefehlt, das
wohl berühmteste Salzburger Musikgenie wurde auf den Namen Johannes Chrysostomus Wolfgangus
Theophilus getauft. Der Vorname Wolfgang Amadeus setzte sich erst im 20. Jahrhundert durch,
5   nachdem Rundfunkanstalten und Plattenfirmen ihn ständig verwendeten.
    Die meisten Menschen sind auch der Überzeugung, dass die Lebenserwartung im Mittelalter
nicht sehr hoch gewesen und man bereits mit 40 Jahren ein alter Mensch gewesen sei. Es ist zwar
richtig, dass die durchschnittliche Lebenserwartung in dieser Zeit ca. 35 Jahre betrug, das bedeutet
aber nicht, dass das biologisch mögliche Alter niedriger war als heute. Die statistischen Zahlen er-
10 geben sich zum einen aus einer deutlich höheren Säuglingssterblichkeit und zum anderen daraus,
dass z.B. in Zeiten der Pest viele Menschen starben. Wer aber gesund blieb, hatte ebenso gute
Chancen, alt zu werden, wie die Menschen heute.
    Auch was berühmte Erfinder angeht, so finden wir selbst in einigen Schulbüchern häufig zwei
bekannte Irrtümer, da liest man zum einen, Johannes Gutenberg habe den Buchdruck erfunden und
15 zum anderen, dass Graf Ferdinand von Zeppelin das erste Luftschiff gebaut habe. Beides ist so nicht
korrekt: Gutenberg war im europäischen Raum zwar der Erste, der auf die Idee kam, nicht für jede
Buchseite eine komplette Holzplatte zu schnitzen, sondern einzelne Buchstaben für den Druck zusammenzusetzen – die man dann natürlich wieder verwenden konnte –, in China aber waren zu
diesem Zeitpunkt einzelne Drucktafeln für jedes Schriftzeichen bereits seit langem bekannt. Graf
20 von Zeppelin hingegen war zwar der Mann, der die Luftschiffe bekannt machte, aber bereits vor ihm
hatten französische Ingenieure und ein Ungar steuerbare Luftschiffe konstruiert.
    Schließlich sind nicht nur viele Wiener davon überzeugt, dass das erste europäische Kaffeehaus
in Wien stehe – aber auch hier irrt die Geschichte: Bereits 1647 konnte man in Venedig Kaffee genießen, der durch die Handelsbeziehungen zum Orient dort bekannt geworden war.

2a Mit welchen Worten werden im Text die Aussagen aus 1a eingeleitet? Markieren Sie und
sammeln Sie weitere Verben und Ausdrücke, mit denen man eine Aussage einleiten kann.

▶ Ü 1   *antworten, meinen, …*

b Wie werden die Sätze aus der direkten Rede im Text in indirekter Rede wiedergegeben?
Ergänzen Sie und vergleichen Sie die Verbformen.

direkte Rede	indirekte Rede
Das weiß doch jedes Kind.	*Das wisse doch jedes Kind.*
Die Lebenserwartung ist nicht hoch gewesen.	_____
Mit 40 ist man alt gewesen.	_____
Gutenberg hat den Buchdruck erfunden.	_____
In Wien steht das erste Kaffeehaus Europas.	_____

c Ergänzen Sie die Regel zur Bildung des Konjunktiv I in der 3. Person Singular.

		G
Konjunktiv I (Gegenwart)	Infinitiv-Stamm + _____	
	3. Person Singular von *sein* _____	
	3. Person Singular von *haben* _____	
Konjunktiv I (Vergangenheit)	Konjunktiv I von _____ oder _____ + _____	

d Indirekte Rede: Ergänzen Sie die Regel.

Konjunktiv I   indirekten Rede   anderen   Indikativ   G

In der _____ gebraucht man den _____, um deutlich zu machen, dass

man die Worte eines _____ wiedergibt. Sie wird vor allem in der Wissenschaftssprache,

in Zeitungen und in Nachrichtensendungen verwendet. In der gesprochenen Sprache benutzt

man in der indirekten Rede häufig den _____.

3 Lesen Sie die Beispielsätze und erklären Sie, wann man in der indirekten Rede den
Konjunktiv II oder *würde* + Infinitiv verwendet.

direkte Rede Indikativ	indirekte Rede Konjunktiv I	Konjunktiv II	G
„Sie **haben** die ersten Kaffeehäuser." „Sie **stehen** in Venedig."	(Er sagte, sie **haben** die ersten Kaffeehäuser, sie **stehen** in Venedig.)	Er sagte, sie **hätten** die ersten Kaffeehäuser, sie **würden** in Venedig **stehen**.	

▶ Ü 2–3

4 Geben Sie folgende Irrtümer in der indirekten Rede wieder – nutzen Sie dazu auch die
Redemittel aus Aufgabe 2a. Wissen Sie, wie/wer es wirklich war? Vergleichen Sie mit der
Lösung im Anhang auf Seite 196.

„Wilhelm Tell ist der wichtigste Freiheitskämpfer der Schweiz."

„Charles Lindbergh flog als erster Mensch über den Atlantik."

„Der Treibstoff ‚Benzin' ist nach Carl Benz, dem Pionier der Autoindustrie, benannt."

Grenzen überwinden

1 Foto A zeigt die Grenze zwischen der Bundesrepublik Deutschland (BRD) und der Deutschen Demokratischen Republik (DDR) in Berlin im Jahr 1989. Bild B zeigt denselben Ort heute. Vergleichen Sie die beiden Fotos. Was hat sich verändert?

2 Solange es die DDR und die BRD gab, konnten Bürger aus der DDR nur mit einer Sondergenehmigung der Behörden und nur zu ganz besonderen Anlässen (allerdings nie die ganze Familie gemeinsam) in die Bundesrepublik oder andere westliche Länder reisen. Wenn sich Familien aus Ost und West besuchen wollten, so reisten meistens die Familien aus dem Westen zu ihren Verwandten in den Osten. Und auch dies ging nicht so ohne Weiteres und nur mit einer Einladung.

a Lesen Sie einen Auszug aus dem Roman „Ostsucht" (1993) von Hans Pleschinski. Erklären Sie in ein bis zwei Sätzen, worum es geht.

1   Die Räume, die man in westlicher, südlicher, nördlicher Richtung vom Kreis Gifhorn[1] aus erreichen konnte, waren auch flach und grün, waren gleichfalls von gut geteerten Landstraßen mit Kurvenspiegeln durchzogen, wirkten am Sonntagnachmittag auch verschlafen.

5   Aber im Osten lag der Bezirk Magdeburg, weit hinter diesem Areal, hinter der Magdeburger Börde – bereits vom Namen her eine dunklere, unheimlichere Gegend als der Rheingau – lag Berlin.

   „Habt ihr alle Pakete mit? Die Pfirsiche dürfen nicht matschig werden. Grüßt auch Tante Hedwig! – Sind Tüten da, wenn den Kindern schlecht 10 wird? Fahrt vorsichtig. Tankt vor der Grenze! – Habt ihr die Pässe?" [...] Die Reisepässe, die Tage zuvor zusammengesucht, auf ihr Gültigkeitsdatum hin geprüft wurden, waren das Wichtigste und lagen als westdeutsche Rettungsringe gegen ostdeutsche Bedrohlichkeiten ab Fahrtbeginn griffbereit im Handschuhfach. Man reiste nicht nur als Verwandter zu 15 Verwandten, als Mensch zu Menschen, sondern – wie es die Weltgeschichte bewirkt hatte – als Klassenfeind durch das Land des Klassenfeindes.

   Da es noch kein Transitabkommen[2] gab, reisten wir gen Berlin im frühesten Morgengrauen ab. Es war nie abzuschätzen, was einem am Kontrollpunkt Marienborn oder dann an Dreilinden in Berlin widerfahren konnte. Es waren nie erfreuliche Abenteuer, in die man auf den Kontrollpisten 20 Mitteleuropas hineingeraten konnte.

   Meinem Vater am Steuer rann bereits im Westen der Schweiß.

   Wir Kinder harrten gespannt der grünen Grenzmänner, die sich eine knappe Stunde nach unserer Abfahrt aus der Heide mit grauen Kunstpelzmützen zum Autofenster herunterbeugen würden. [...]

dtv

Hans Pleschinski
Ostsucht

Eine Jugend
im deutsch-deutschen
Grenzland

[1] Gifhorn = Wohnort des Erzählers im Norden Deutlands nahe der ehemaligen Grenze zur DDR
[2] Transitabkommen = Abkommen zwischen der BRD und der DDR über den Durchreiseverkehr durch die DDR von Personen aus der BRD auf dem Weg nach Berlin (West)

Dunkler Asphalt, plötzlich abgelöst von alten
25 Betonplatten. Die Natur, das Gebüsch links und
rechts bleibt sich gleich, wechselt nur scheinbar
vom kapitalistischen Grün ins mattere sozialis-
tische Grün über.

Hammer und Zirkel[3], die Einheit von Faust-
30 arbeit und Geistarbeit, wehen überm Straßen-
rand.

Die Beton-Fahrbahn verbreitert sich. Holz-
Schilder fordern zum Einordnen für den *Reise-*
verkehr in die *Deutsche Demokratische Republik*,
35 zur *Hauptstadt der* DDR auf, zeigen sogar die
Richtung *Warszawa*/VR *Polen*. Die gewaltigen,
flachen Blechdächer der Abfertigungshallen kommen. Alles ist in Neonlicht getaucht, die Kabäuschen[4],
in denen die Uniformierten mit Kunstpelzmütze sitzen, die abgedeckten Fließbänder, welche die
Reise-Dokumente vom ersten Kontrolleur zum zweiten Kontrolleur beförderten, viele uniformierte
40 Frauen, die um sieben Uhr früh nach der Nachtschicht ein Kontrollhäuschen abschließen, um über
Fahrspuren zu einem DDR-Personalraum zu gehen.
[...]

Dann ging es in der Autoschlange im Schritttempo
mit kurzem Halt am letzten Kontrollposten vorbei
45 und bald mit einem Aufatmen vorbei an roten Spruch-
bändern und auf die Betonplatten der Autobahn.

[...] Einmal wurde mein Vater nachts auf der
Rückreise wegen der nicht gestatteten *Ausfuhr* eines
Bettvorlegers zum Aussteigen aufgefordert und muss-
50 te sich vor den Augen seiner Kinder, bei vorgehalte-
ner Maschinenpistole, mit erhobenen Händen im
Neonlicht an die Wand stellen. Ein anderes Mal –
eine Lappalie[5] der 60er-Jahre, als in Liverpool *All*
You Need is Love gedichtet und gesungen wurde –
55 hatte die zoll-technische Zerlegung unseres Autos
zwischen Magdeburg und Braunschweig zur Folge,
dass noch bis zu seiner Verschrottung die Rücken-
lehnen unverstellbar blieben. Kleine deutsche Nach-
kriegstribute.

---

[3] Hammer und Zirkel = Symbole in der Fahne der DDR
[4] Kabäuschen = kleine Häuschen
[5] Lappalie = Belanglosigkeit; etwas, das nicht wichtig ist

▶ Ü 1

b „Meinem Vater am Steuer rann bereits im Westen der Schweiß." Warum schwitzt der Vater?

c Wie beschreibt der Erzähler seine Eindrücke beim Grenzübergang? Was ist nach dem Grenz-
übertritt anders?

d Welche Erfahrungen mit der Einreise in andere Länder haben Sie gemacht? Welche Doku-
mente haben Sie benötigt, wie war die Atmosphäre am Grenzübergang und wie lange haben
die Einreiseformalitäten gedauert?

Ich bin einmal nach ... geflogen und bei der Einreise ...

Grenzen überwinden

3a Was wissen Sie über den Fall der Berliner Mauer und die Öffnung der Grenze?

b Lesen Sie den Auszug aus einem Lexikonartikel zur Wiedervereinigung. Welche Ereignisse trugen dazu bei, dass die DDR die Grenze zur Bundesrepublik öffnete?

Im Sommer 1989 wurden die Botschaften der Bundesrepublik Deutschland in Prag, Budapest, Warschau und die Ständige Vertretung in Ost-Berlin von DDR-Flüchtlingen besetzt, die so ihre Ausreise aus der DDR erzwingen wollten. Die vom sowjetischen Partei- und Staatsführer Michail Gorbatschow ausgehende Politik der Öffnung und die dadurch möglichen politischen Veränderungen in Ungarn führten dazu, dass Ungarn für die DDR-Flüchtlinge die Grenze nach Österreich öffnete. Die Öffnung führte zu einer Massenflucht in die Bundesrepublik. Nach einem Einlenken der DDR konnten auch die Flüchtlinge aus den Botschaften in Prag und Warschau in den Westen ausreisen. Noch im September 1989 reisten 15.000 DDR-Bürger in die Bundesrepublik ein. Anfang Oktober 1989 setzten die Massenproteste auf den Straßen in der ganzen DDR ein. Die friedliche Revolution begann. Besonders bekannt wurden die Montagsdemonstrationen in Leipzig. Die politische Führung sah keinen anderen Ausweg, als die Grenzen zu öffnen. [...]

3.11

c Der Tag des Mauerfalls: Hören Sie, was an diesem Tag passierte. Ergänzen Sie dann die Lücken.

| sofort | Mauer | Reisen | feiern | Westen | Zukunft | Genehmigungen |

– Der Verteidigungsminister meldet dem Staatschef der DDR
Egon Krenz: 1.800 Soldaten stehen bereit.

– Ostberlin, früher Nachmittag: Der Nordrheinwestfälische
Ministerpräsident Johannes Rau ist zu Besuch bei Egon Krenz.
Krenz plant für die _____ der DDR.

– Berlin, 17:00 Uhr: Günter Schabowski sagt um 18:58 Uhr im
DDR Fernsehen: „_____ nach dem Ausland können
ohne Vorliegen von Voraussetzungen, Reiseanlässen und
Verwandtschaftsverhältnissen beantragt werden.
_____ werden kurzfristig erteilt."
Diese Regelung gilt ab _____.

– Nach einiger Zeit wird klar, was das bedeutet: Die _____ ist nach 28 Jahren offen.

– Berlin, 21:30 Uhr: Erste DDR-Bürger stürmen in den _____; Menschen aus Ost und
West _____ am Brandenburger Tor.

d Hören Sie zur Kontrolle die Chronik zum 9. November 1989 noch einmal.

130

4a Hören Sie die Aussagen von Zeitzeugen des Mauerfalls und machen Sie Notizen. Wo haben die Leute von der Neuigkeit erfahren, was waren ihre Gefühle und Gedanken? Sagen sie etwas dazu, was sie heute darüber denken?

3.12

► Ü 2

b Wann und wie haben Sie von diesem Ereignis erfahren?

Ich bin jetzt 20 Jahre alt, als die Mauer fiel war ich noch ein Kind.
Ich habe davon zum ersten Mal in der Schule gehört.

5a Ordnen Sie alle Informationen, die Sie bisher in den Texten von Aufgabe 1 bis Aufgabe 4 erhalten haben.

Reisemöglichkeiten von der BRD in die DDR und umgekehrt	Mauerfall und Grenzöffnung
Reisen von der DDR in die BRD nur mit Genehmigung zu bestimmten Anlässen, keine Möglichkeit für Familien, gemeinsam auszureisen;	

b Wählen Sie aus Aufgabe 5a die für Sie wichtigsten Informationen und fassen Sie sie in einem Text zusammen. Kommentieren Sie auch, wie interessant oder wichtig Sie persönlich die Ereignisse um den 9. November 1989 finden.

über vergangene Zeiten berichten	von einem historischen Ereignis berichten	ein Ereignis kommentieren
Damals war es so, dass …	Es begann damit, dass …	Meines Erachtens war besonders erstaunlich/überraschend, dass …
Anders als heute, war es damals nicht möglich …	Die Ereignisse führten dazu, dass …	Ich denke, … ist auch für andere Länder interessant/wichtig, weil …
Wenn man früher … wollte, musste man …	Die Meldung / Das Ereignis … hatte zur Folge, dass …	
Häufig/meistens war es normal, dass …	Nachdem … bekannt gegeben worden war, …	Die Ereignisse zeigen, dass/ wie …
In dieser Zeit …	Dank … kam es (nicht) zu …	Für mich persönlich hat … keine besondere Bedeutung, denn …
	Zunächst meldete … noch, dass …, aber …	

Deutschland war lange ein geteiltes Land: Im Westen war die Bundesrepublik Deutschland (BRD) und im Osten die Deutsche Demokratische Republik (DDR). Es war nicht einfach, vom einen Deutschland in das andere zu reisen. …

► Ü 3–4

Angela Merkel

(* 17. Juli 1954)

Angela Merkel, erste deutsche Bundeskanzlerin

Physikerin – Politikerin

Angela Merkel wird am 17. Juli 1954 als Angela Dorothea Kasner in Hamburg als erstes Kind des Theologiestudenten Horst Kasner und der Lehrerin Herlind Kasner geboren. Im gleichen Jahr zieht die Familie nach Brandenburg, wo ihr Vater seine erste Pfarrstelle antritt.

Über ihr Privatleben spricht Angela Merkel nur selten. Aus der Jugend ist aber zum Beispiel bekannt, dass sie als Schülerin zwar oft Klassenbeste war, aber ausgerechnet in Physik auch einmal eine Fünf kassierte.

In ihrer Jugendzeit tritt sie den DDR-treuen Organisationen Junge Pioniere ebenso bei wie später der FDJ.

Als Teenager in der DDR hört Angela die Beatles, reist nach Moskau und trägt gerne auch einmal West-Kleidung. Bei der Großmutter in Ost-Berlin sieht sie im Westfernsehen heimlich politische Sendungen.

1973 legt Angela in Templin ihr Abitur ab und beginnt ein Physikstudium an der Universität Leipzig, das sie 1978 erfolgreich beendet.

Mit 23 heiratet sie zum ersten Mal: den Physik-Studenten Ulrich Merkel. Aber die Ehe währt nur vier Jahre.

1986 promoviert sie zum Dr. rer. nat.

Den Mauerfall erlebt Angela Merkel vor dem Fernseher. Sie ruft zunächst ihre Mutter an, rechnet jedoch noch nicht mit der Öffnung der Grenzen am gleichen Tag.

Im Wendejahr 1989 tritt Angela Merkel in die Partei Demokratischer Aufbruch (DA) ein. Schon 1990 wird sie Pressesprecherin des DA, der später mit der CDU fusioniert.

Am 18. März wird die CDU stärkste Partei bei den ersten freien Volkskammerwahlen der DDR. Merkel wird stellvertretende Regierungssprecherin in der Regierung unter Lothar de Maizière. Bereits im September wird Merkel als Direktkandidatin der gesamtdeutschen CDU nominiert und am 02. Dezember 1990 bei der Bundestagswahl in den Bundestag gewählt. Am 18. Januar 1991 wird sie zur Bundesministerin für Frauen und Jugend in der Regierung Kohl ernannt. Im Dezember 1991 wird Merkel zur stellvertretenden Parteivorsitzenden der CDU gewählt, neun Jahre später übernimmt sie den Parteivorsitz.

2002 wird sie Vorsitzende der CDU/CSU-Bundestagsfraktion und somit Oppositionsführerin. Im Laufe der nächsten zwei Jahre stellt Merkel Reformvorschläge u.a. zum Thema Steuern und soziale Sicherheit vor und tritt 2005 als Kanzlerkandidatin in den vorgezogenen Bundestagswahlen an. Sie erreicht zwar keine absolute Mehrheit, kann aber in einer Koalition mit SPD und CDU/CSU mit 397 von 611 Stimmen vom Bundestag zur Kanzlerin gewählt werden. Angela Merkel ist die erste Bundeskanzlerin Deutschlands und mit 51 die bis dahin jüngste Amtsinhaberin.

Als viel beschäftigte Politikerin ist ihre Zeit knapp. Selbst an Samstagen und Sonntagen hat Angela Merkel oft wichtige Sitzungen, muss Entscheidungen treffen und Termine vorbereiten. Doch den Samstagabend versucht sie sich möglichst immer freizuhalten. Häufig kocht die CDU-Chefin dann für ihren Mann, den Berliner Chemieprofessor Joachim Sauer, mit dem sie seit 1998 verheiratet ist. Das Essen soll am liebsten rustikal sein: Kartoffelsuppe, Schnitzel oder Forelle. Hin und wieder gehen Angela Merkel und ihr Mann mit Freunden ins Konzert. Zu den kulturellen Höhepunkten zählt jedes Jahr der Besuch der Bayreuther Festspiele. Ein ausgesprochener Stadtmensch ist Angela Merkel jedoch nicht: „Nur in der Stadt leben, das könnte ich nicht." Sobald der Terminkalender es zulässt, geht es hinaus ins Grüne.

Mehr Informationen zu Angela Merkel

Sammeln Sie Informationen über Persönlichkeiten aus dem In- und Ausland, die für das Thema „Geschichte" interessant sind, und stellen Sie sie im Kurs vor. Sie können dazu die Vorlage „Porträt" im Anhang verwenden. Beispiele aus dem deutschsprachigen Bereich: Willi Brandt – Sophie Scholl – Joschka Fischer – Ruth Dreifuss – Hannah Ahrendt

1 Partizipien als Adjektive

Partizipien als Adjektive geben nähere Informationen zu Substantiven. Sie stehen zwischen Artikelwort und Substantiv. Die Partizipien können zusammen mit anderen Erweiterungen stehen (z.B. Adverbien oder Adjektiven). Partizipien als Adjektiv kann man meist alternativ mit einem Relativsatz umschreiben.

Partizip als Adjektiv	Relativsatz
*Die Passagiere müssen die **anfallenden** Arbeiten gerecht aufteilen.*	*Die Passagiere müssen die Arbeiten, **die** **anfallen**, gerecht aufteilen.*

Bildung: Partizip als Adjektiv

Beschreibung von Gleichzeitigem **Partizip I + Adjektivendung** *Die Zuschauer leiden mit bei einem gnadenlos **tobenden** Sturm.*	bei Umformung in einen Relativsatz: **Relativsatz im Aktiv** *Die Zuschauer leiden mit bei einem Sturm, der gnadenlos **tobt**.*
Beschreibung von Vorzeitigem **Partizip II + Adjektivendung** *Alle feiern gemeinsam ein lange **geplantes** Bordfest.*	bei Umformung in einen Relativsatz: **Relativsatz im Passiv** *Alle feiern gemeinsam ein Bordfest, **das lange geplant worden ist**.*

2 Indirekte Rede

Verwendung des Konjunktiv I
In der indirekten Rede verwendet man den Konjunktiv I, um deutlich zu machen, dass man die Worte eines anderen wiedergibt. Die indirekte Rede mit Konjunktiv wird vor allem in der Wissenschaftssprache, in Zeitungen und in Nachrichtensendungen verwendet. In der gesprochenen Sprache wird in der indirekten Rede auch häufig der Indikativ gebraucht.

Konjunktiv I: Infinitivstamm + Endung

	sein	haben	Modalverben	andere Verben
ich	sei	habe > hätte	könne	sehe > würde sehen
du*	sei(e)st	habest	könnest	sehest
er/es/sie	sei	habe	könne	sehe
wir	seien	haben > hätten	können > könnten	sehen > würden sehen
ihr*	sei(e)t	habet	könnet	sehet
sie/Sie	seien	haben > hätten	können > könnten	sehen > würden sehen

* Der Konjunktiv I wird meistens in der 3. Person verwendet – die Formen in der 2. Person sind sehr ungebräuchlich – hier wird meist der Konjunktiv II verwendet.
Konjunktiv I entspricht den Formen des Indikativs → Verwendung des Konjunktiv II / *würde* + Infinitiv.

*(Er sagt, die Leute **haben** keine Zeit.)* → *Er sagt, die Leute **hätten** keine Zeit.*

Konjunktiv I der Vergangenheit
Im Konjunktiv I gibt es nur eine Vergangenheitsform. Sie wird mit dem Konjunktiv I von *haben* oder *sein* und dem Partizip II gebildet.
*Man sagt, Gutenberg **habe** den Buchdruck **erfunden** und Zeppelin **sei** der Erfinder der Luftschifffahrt **gewesen**.*

Ein Traum wird wahr

1 a Deutsche Nachkriegsgeschichte: Notieren Sie die Jahreszahlen aus dem Kasten.

Mai 1949   Gründung der Bundesrepublik Deutschland

_____ Bau der Berliner Mauer

_____ Vereinigung von DDR und BRD

_____ Gründung der Deutschen Demokratischen Republik

_____ Öffnung der Berliner Mauer für alle DDR-Bürger

Oktober 1949
August 1961
November 1989
Oktober 1990

b Warum gab es in Berlin eigentlich eine Grenze?
Erklären Sie es mithilfe der Karte und des Textes.

Auf der Konferenz von Jalta im Februar 1945 beschlossen die Alliierten (Großbritannien, Frankreich,
die USA und die Sowjetunion), Deutschland in vier
Besatzungszonen und Berlin in vier Sektoren aufzu-
teilen. Jeder Alliierte konnte seinen Sektor kontrollieren. Bald nach 1945 begann der Kalte Krieg zwischen dem Westen und dem Ostblock.

Aufteilung Berlins in Sektoren

2 a Sehen Sie eine Reportage über den Bau der Berliner Mauer
1961. Machen Sie Notizen zu den Ereignissen des Tages und
berichten Sie darüber im Kurs.

b Wie kann man die Atmosphäre charakterisieren? Was
haben die Menschen damals wohl gedacht und gefühlt?

3 Sehen Sie nun eine Reportage aus dem Jahr 1989, als die Berliner
Mauer geöffnet wurde. Lesen Sie vorher die Sätze auf dieser und der
nächsten Seite. Wer sagt was im Film? Notieren Sie die Buchstaben.

Person _____: Das muss alles weg hier, alles!
Die Leute sollen hin und her
gehen, dann ist es gut.

Person _____: Ich geh auf jeden Fall zurück,
weil ich an dieses Land glaube.

Person _____: Ich habe erlebt, wie die Mauer
gebaut worden ist, und will se-
hen, wie sie wieder abkommt.

Person _____: In zwei Jahren haben wir die Wiedervereinigung.

Person _____: Wer jetzt schläft, der ist tot.

Person _____: Wir sind so tief bewegt gewesen, dass wir wieder aus dem Bett aufgestanden und hierher gekommen sind.

4a Welche Stimmung war am 9. November 1989 auf den Straßen?
Was haben die Menschen gemacht? Was hat sie bewegt?

4b Was finden Sie besonders beeindruckend, merkwürdig, schockierend ...?

5 Am 3. Oktober 1990 kam es zur Wiedervereinigung der beiden deutschen Staaten. Sehen und hören Sie noch einmal einige Äußerungen der Leute am Tag der Maueröffnung. Was haben diese in jenem Moment über die Wiedervereinigung gedacht?

6 Der Reporter sagt: „Hammer und Meißel – etwas macht sich Luft, was seit Jahrzehnten verschüttet zu sein schien."
Wie erklären Sie sich diesen Satz?

7 Welches historische Ereignis der letzten Jahrzehnte war für Sie besonders beeindruckend oder hatte Ihrer Meinung nach eine große Bedeutung für die Entwicklung Ihres/ eines Landes, einer Region oder sogar für die ganze Welt?

Mit viel Gefühl ...

1a Welche Gefühle oder Themen werden in den einzelnen Texten ausgedrückt?

b Welcher Text gefällt Ihnen am besten? Begründen Sie Ihre Meinung.

Ⓐ Glück ist wie ein Sonnenblick;
niemand kann's erjagen,
niemand von sich sagen,
dass er heut und alle Frist
ohne Wunsch und glücklich ist.

Glück ist wie ein Sonnenblick.
Erst wenn es vergangen,
erst in Leid und Bangen
denkt ein Herz und fühlt es klar,
dass es einmal glücklich war.

Martin Greif, 1839–1911

Ⓑ Dieses Gefühl

Kennst du dieses Gefühl
wenn niemand nach dir fragt

Kennst du dieses Gefühl
wenn niemand deinen Namen ruft

Kennst du dieses Gefühl
wenn sich niemand zu dir setzt

Kennst du dieses Gefühl
wenn alles an dir vorbeiläuft

Kennst du dieses Gefühl
wenn alle auch ohne dich glücklich sind

ich kenne es

Autor: unbekannt

Ⓒ Dem Vogel ist ein einfacher Zweig
lieber als ein goldener Käfig.

Sprichwort

Ⓓ Im wunderschönen Monat Mai

Im wunderschönen Monat Mai
Als alle Knospen sprangen,
Da ist in meinem Herzen
Die Liebe aufgegangen.

Im wunderschönen Monat Mai,
Als alle Vögel sangen,
Da hab ich ihr gestanden
Mein Sehnen und Verlangen.

Heinrich Heine, 1797–1856

(E) *Die Zeit ist hin*

Die Zeit ist hin; du löst dich unbewusst
Und leise mehr und mehr von meiner Brust;
Ich suche dich mit sanftem Druck zu fassen,
Doch fühl ich wohl, ich muss dich gehen lassen.

So lass mich denn, bevor du weit von mir
Im Leben gehst, noch einmal danken dir;
Und magst du nie, was rettungslos vergangen,
In schlummerlosen Nächten heimverlangen.

Hier steh ich nun und schaue bang zurück;
Vorüber rinnt auch dieser Augenblick,
Und wie viel Stunden dir und mir gegeben,
Wir werden keine mehr zusammenleben.

Theodor Storm, 1817–1888

(F) *Ein Leben ohne Freude*
ist wie eine weite Reise
ohne Gasthaus.

Demokrit, antiker Philosoph

(G) *Angst und Zweifel*

Zweifle nicht
an dem
der dir sagt
er hat Angst
aber hab Angst
vor dem
der dir sagt
er kennt keinen Zweifel

Erich Fried, 1921–1988

2 Kennen Sie Lieder, Gedichte, Sprüche aus Ihrem Land, die das Thema „Gefühle" zum Inhalt haben? Stellen Sie sie im Kurs vor.

Farbenfroh

1a Welche Farbe ist Ihre Lieblingsfarbe? Warum gerade diese Farbe?

b Mit welchen Begriffen im Kasten verbinden Sie eine Farbe?

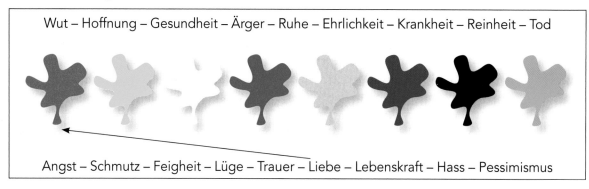

Wut – Hoffnung – Gesundheit – Ärger – Ruhe – Ehrlichkeit – Krankheit – Reinheit – Tod

Angst – Schmutz – Feigheit – Lüge – Trauer – Liebe – Lebenskraft – Hass – Pessimismus

c Vergleichen Sie Ihre Ergebnisse im Kurs. Welche Unterschiede und Gemeinsamkeiten gibt es?

2a Lesen Sie die drei Texte. Jeder Text beschreibt die Bedeutung und Wirkung einer Farbe. Um welche Farbe handelt es sich? Was hat Ihnen bei der Lösung geholfen?

1 In der Frühgeschichte war diese Farbe die bedeutendste Farbe der Jagdvölker. Man schrieb ihr lebenserhaltende Kräfte zu. Der Glaube, dass die Farbe vor bösen Einflüssen schütze, war weit verbreitet. Gegenstände, Bäume und Tiere wurden deshalb damit bestrichen. Die Krieger färbten ihre Waffen mit dieser Farbe, um ihnen magische Zauberkräfte zu verleihen. Die Wirkung dieser Farbe wurde in der Vergangenheit immer wieder für politische Zwecke eingesetzt. Sie ist die häufigste Farbe der Flaggen, da sie von weitem am besten gesehen wird. Aufgrund ihrer wohltuenden und wärmenden Wirkung wird diese Farbe zu Heilzwecken eingesetzt. Allgemein wirkt sie anregend und appetitfördernd. Menschen, die sich nur schwer konzentrieren können, beeinflusst sie positiv. Ein Schreibtischlicht in dieser Farbe kann beim Lernen helfen. Doch diese Farbe darf man nicht übermäßig gebrauchen, denn sie steht für Gefühlsausbrüche und Streit mit anderen: Vor Ärger über einen Nachbarn oder vor Wut auf einen Kollegen nimmt das Gesicht meist diese Farbe an. Im Straßenverkehr signalisiert diese Farbe Gefahr oder Verbot.

2 Diese Farbe versetzt in einen Zustand des Träumens, sie stimmt sehnsüchtig, sie wirkt beruhigend und führt zu einer ernsthaften Sicht der Dinge nach innen. Ihre Ausstrahlungskraft erzeugt mehr Vertrauen auf eigene Fähigkeiten. Diese Farbe gilt als Farbe des Gemüts und stimmt positiv. Aus diesem Grunde wurden unangenehme Dinge wie Briefe, die ankündigen, dass ein Schüler nicht in die nächste Klasse versetzt wird, früher in dieser Farbe verschickt. Die Farbe bewirkt nämlich, dass schlechte Botschaften leichter akzeptiert und Sorgen um bestimmte Dinge gemildert werden. Diese Farbe ist neben Rot bei den meisten Menschen die beliebteste Farbe. Wegen ihrer positiv stimmenden Wirkung auf Zuschauer wird sie sehr häufig in der Werbung verwendet. Auch viele Firmen benutzen sie in ihrem Firmensymbol. Diese Farbe gilt als kühlste, reinste und tiefste Farbe. Sie entspannt und wirkt der Abhängigkeit von negativen Gewohnheiten entgegen. Ihr wird die Fähigkeit zur Stärkung des Gleichgewichts nachgesagt. Diese Farbe wird bei Fieber eingesetzt und soll sogar den Blutdruck senken.

1 **3** Diese Farbe war auch die Lieblingsfarbe von Vincent van Gogh. In seinen berühmten Sonnenblumenbildern kann man das deutlich erkennen. Das Licht seiner Landschaften wurde bei van Gogh zur Farbe. Licht symbolisierte für ihn die Sonne des Südens, Heiterkeit, aber auch Freundschaft und Liebe.
5 Wo im Mittelalter eine Flagge in dieser Farbe wehte, wütete die Pest. Nach altem Glauben wurzelte jeglicher Ärger in der Galle. Eine solche Färbung der Haut symbolisierte Neid auf andere und Eifersucht auf den Partner / die Partnerin, aber auch Geiz. Im Straßenverkehr hat diese Farbe die beste Fernwirkung. Aus diesem Grund sind umschaltende Ampeln und Postautos in dieser Farbe. International warnt sie vor gefährlichen Stoffen und Chemikalien.
10 Im Fußball verwarnt der Schiedsrichter die Spieler bei einem Foul mit einer Karte in dieser Farbe.

b Notieren Sie für jede der drei Farben aus den Texten, welche Bedeutungen und Wirkungen sie hat. Fassen Sie anschließend Ihre Notizen mündlich zusammen.

▶ Ü 1

3a Substantive mit Präpositionen. Suchen Sie in den drei Texten Substantive mit Präpositionen und tragen Sie sie in die Tabelle ein. Sammeln Sie dann im Kurs weitere Substantive mit Präpositionen.

Substantiv	Präposition
der Streit	mit + D

Substantiv	Präposition
die Wirkung	...

▶ Ü 2

b Bilden Sie, wenn möglich, zu den Substantiven in Aufgabe 3a Verben. Werden diese Verben auch mit Präpositionen verwendet? Was stellen Sie fest?

c Schreiben Sie Kärtchen wie im Beispiel. Arbeiten Sie dann zu zweit und fragen Sie sich gegenseitig ab.

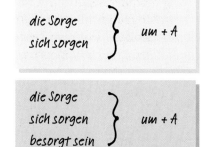

die Sorge
sich sorgen   } um + A

die Sorge
sich sorgen   } um + A
besorgt sein

4a Welche Substantive aus den drei Lesetexten haben ein passendes Adjektiv?

b Die Adjektive haben oft dieselbe Präposition wie das Substantiv. Welche Adjektive aus Aufgabe 4a werden mit einer Präposition gebraucht? Ergänzen Sie Ihre Kärtchen.

▶ Ü 3–5

5 Recherchieren Sie im Internet nach der Bedeutung und Wirkung anderer Farben. Stellen Sie diese im Kurs vor.

Mit Musik geht alles besser _____

1 Welche Rolle spielt Musik in Ihrem Leben? Stimmt es, dass mit Musik alles besser geht? Begründen Sie Ihre Meinung.

▶ Ü 1–2

2a Lesen Sie die Überschrift des Textes. Notieren Sie, welche Teilthemen dieser Text behandeln könnte.

Musik und Gesundheit, ...

b Lesen Sie den Text. Haben sich Ihre Erwartungen aus Aufgabe 2a bestätigt? Welche der von Ihnen vermuteten Teilthemen werden im Text genannt, welche nicht? Welche Themen im Text haben Sie überrascht?

Die Macht der Musik

1 Musik ist viel mehr als nur ein schöner Zeitvertreib. Musik kann Balsam für die Seele sein, aber auch die geistige und soziale Entwicklung von Kindern fördern. Selbst Erwachsene können
5 vom Musizieren profitieren – es mobilisiert das Gehirn und produziert Glückshormone. Kein Wunder, dass Musik heute von vielen Experten nicht nur als schönes Hobby angesehen, sondern in der Medizin auch als therapeutisches Hilfs-
10 mittel eingesetzt wird.

1 Tatsächlich verändert Musik den Herzschlag, den Blutdruck, die Atemfrequenz und die Muskelspannung des Menschen. Und sie beeinflusst den Hormonhaushalt. Je nach Musikart wer-
15 den verschiedene Hormone abgegeben. Ruhige Klänge zum Beispiel können die Ausschüttung von Stresshormonen verringern und die Konzentration von Schmerz kontrollierenden Hormonen im Körper erhöhen. Musik kann so tatsächlich
20 Schmerzen dämpfen. Folgerichtig wird sie deshalb heute schon in der Medizin in den verschiedensten Bereichen therapeutisch eingesetzt. Vor allem in der Psychiatrie und in der Schmerztherapie leistet sie nützliche Dienste. Aber auch in der
25 Rehabilitation von Schlaganfallpatienten und in der Altersheilkunde kann sie ein wertvolles Hilfsmittel sein. Denn Musizieren kann wie ein Jungbrunnen für das Gehirn sein, weil dabei neue Nervenverschaltungen gebildet werden.

30 **2** Fast unbestritten ist die pädagogische Bedeutung des Musikunterrichts. Fächer wie Deutsch oder Mathematik werden zwar in den Lehrplänen bevorzugt, weil man sie für wichtiger hält, um die Schüler ins Erwerbsleben zu integrieren. Aber
35 Modellversuche haben gezeigt, dass Musikunter-

richt auch einen Beitrag zur sozialen Entwicklung der Kinder leistet. In einer Langzeitstudie an mehreren Berliner Grundschulen (nach ihrem Initiator Prof. Dr. Hans Günther Bastian
40 „Bastian-Studie" genannt), hat sich die soziale Kompetenz der beteiligten Kinder deutlich gesteigert. Die Zahl der Schüler, die ausgegrenzt wurden, hatte abgenommen, während der Anteil der Kinder, die keine einzige Ablehnung durch
45 ihre Klassenkameraden erhielten, doppelt so hoch wie an konventionellen Schulen war.

Außerdem herrschte an diesen Schulen ein merklich ruhigeres, aggressionsfreieres Klima.

Wie ist das zu erklären? Gemeinsames Musi-
50 zieren erfordert fein abgestimmtes Aufeinander-Hören. Musik schult so auch die Wahrnehmung des anderen. Und so lernen die Kinder auch, zum Beispiel auf den Stimmklang der anderen zu hören und so die Stimmung eines Menschen zu be-
55 urteilen.

3 Man nimmt an, dass Musik den Abbau im Gehirn alter Menschen verhindern kann, weil alle Neuverschaltungen, die zwischen den Nervenzellen im Gehirn durch Musik entstehen, dem
60 Menschen auch erhalten bleiben. Auf jeden Fall aber hat Musik einen Trainingseffekt für das Gedächtnis. Alle am Hören und am Lautebilden beteiligten Hirnpartien werden durch Musik trainiert und stimuliert. Für sogenannte tonale Spra-
65 chen, also Sprachen, deren Verständnis sehr stark von akustischen Feinheiten abhängt, wie zum Beispiel beim Chinesischen, ist das auch schon belegt worden. Außerdem wirkt Musik als Gedächtnisstütze. Aus diesem Grund werden auch
70 Kirchenlieder gesungen: damit man ihren Inhalt besser im Gedächtnis behält. Mit Anatomiestu-

denten wurde versucht, diese Erkenntnis nach-
zuvollziehen. Man ließ die Studenten ihren Stoff
singen, und diese haben ihn tatsächlich besser
75 behalten!

4 Musik kann Emotionen auslösen, sie kann beim
Zuhörer regelrechte „Gänsehaut" verursachen.
Außerdem verbindet sich Musik manchmal mit persönlichen Ereignissen. Wird sie
80 wieder gehört, dann kommen auch die Erinnerungen an erlebte Situationen wieder, genauso
wie dabei empfundene Gefühle. So reicht ein
Weihnachtslied oft aus, um jemanden in „Weih-
nachtsstimmung" zu versetzen. In diesem Zu-
85 sammenhang funktioniert Musik wie eine Art
Sprache, in der bestimmte Ereignisse kodiert
sind. Das zeigt sich besonders deutlich bei
Filmmusik, zum Beispiel Horror- oder Span-
nungsmusik. Auf diese Weise kann Musik auch
90 zielgerichtet eingesetzt werden.

c Finden Sie für die Abschnitte 1–4 eine passende Überschrift.

Abschnitt 1: _____

Abschnitt 2: _____

Abschnitt 3: _____

Abschnitt 4: _____ ▶ Ü 3

3a Lesen Sie Abschnitt 1 noch einmal. Unterstreichen Sie dabei die Hauptinformationen und
notieren Sie sie in Stichpunkten.

Die Macht der Musik

Abschnitt 1

1. Einfluss auf den Körper ———▶ 1. Herzschlag, 2. …

2. Folgen ———▶ …

3. Einsatz ———▶ …

b Notieren Sie jetzt die Hauptinformationen zu den Abschnitten 2–4. Eine Hilfe zum zweiten
Abschnitt finden Sie im Arbeitsbuch auf Seite 107. ▶ Ü 4

4 Schreiben Sie für den Text „Die Macht der Musik" anhand Ihrer Notizen eine Zusammenfassung. Nutzen Sie den Redemittelkasten.

Zusammenfassungen einleiten	Informationen wiedergeben	Zusammenfassungen abschließen
In dem Text geht es um … Der Text handelt von … Das Thema des Textes ist … Der Text behandelt die Frage, …	Im ersten/zweiten/nächsten Abschnitt geht es um … Anschließend/Danach/ Im Anschluss daran wird beschrieben/dargestellt/ darauf eingegangen, dass … Eine wesentliche Aussage ist … Der Text nennt folgende Beispiele: …	Zusammenfassend kann man sagen, dass … Als Hauptaussage lässt sich festhalten, dass …

Sprache und Gefühl

1a Kleine Wörter – große Wirkung: Hören Sie den Beginn eines Dialogs in fünf Varianten. Worin unterscheiden sich die Dialoge?

b Hören Sie noch einmal und ergänzen Sie die Lücken in den Varianten 1–5.

○ Wollen wir heute den neuen Film mit Johnny Depp sehen?

● Kino? Das ist eine tolle Idee.

1. Kino? Das ist _____ eine tolle Idee.   4. Kino? Das ist _____ eine tolle Idee.

2. Kino? Das ist _____ eine tolle Idee.   5. Kino? Das ist _____ eine tolle Idee.

3. Kino? Das ist _____ eine tolle Idee.

c Welche Variante passt zu welchem Bild? Ordnen Sie zu und begründen Sie.

2a Hören Sie die Fortsetzung des Dialoges und ergänzen Sie den Text mit Modalpartikeln aus dem Kasten.

Ja
also
denn
eben
doch
einfach
mal
schon
ruhig

● Kino? Das ist eigentlich eine tolle Idee. Aber ich bin so müde. Können wir _____ nicht zu Hause fernsehen?

○ Das darf _____ nicht wahr sein! Immer, wenn ich _____ ausgehen möchte, bist du zu kaputt. Dann gehe ich _____ mit Elke aus. Bleib du _____ zu Hause.

● Das ist _____ nicht fair! Ich möchte _____ mit dir ausgehen. Aber _____ lieber am Wochenende.

○ Ist _____ gut. Dann gehe ich heute mit Elke _____ nur einen Wein trinken und wir gehen am Samstag ins Kino.

● Äh, Samstag? Du weißt doch, dass …

b Wie geht der Dialog weiter? Schreiben und spielen Sie eine Fortsetzung.

3a Lesen und hören Sie die Sätze. Welche Begriffe aus dem Kasten passen?

3.21

| Überraschung Bitte Ärger Freude Bestätigung Aufforderung Vermutung |
| Bedauern Resignation Begeisterung Vorwurf Enttäuschung Aufmunterung ... |

1. Kannst du mir mal zehn Euro leihen? _____

2. Wenn du mir nicht hilfst, dann muss ich es _____

   eben alleine machen.

3. Sie wird den neuen Job wohl annehmen. _____

4. Harry? Den kennt doch jeder. _____

5. Was ist denn das? _____

6. Das ist ja super! _____

7. Ich habe eigentlich schon etwas vor. _____

8. Sie können ruhig reinkommen. _____

b Ergänzen Sie die Regel.

Ⓖ

Äußerungen – Emotionen – gesprochenen – verstärken

Modalpartikeln werden vor allem in der _____ Sprache gebraucht.

Sie können in _____ je nach Bedeutung _____

und Einstellungen _____ .

c Wählen Sie zwei Äußerungen aus Aufgabe 3a aus und verändern Sie die Bedeutung, indem Sie die Modalpartikeln und/oder die Intonation verändern. ▶ Ü 1

4 Manche Modalpartikeln können kombiniert werden. Lesen Sie die Sätze laut. Was verändert sich?

Das ist nicht wahr!   Was habe ich falsch gemacht?

Das ist doch nicht wahr!   Was habe ich eigentlich falsch gemacht?

Das ist doch wohl nicht wahr!   Was habe ich denn eigentlich falsch gemacht? ▶ Ü 2

5 Schreiben Sie einfache Sätze und Fragen auf Zettel, die Sie einsammeln und neu verteilen. Lesen Sie erst ohne, dann mit Modalpartikeln vor. Welche passen? Wie verändern sich die Bedeutung und die Betonung?

Mach das Fenster zu.

Mach doch das Fenster zu.

Mach mal das Fenster zu.

Mach ruhig das Fenster zu.

Gefühle und Emotionen _____

1a Liebe – ein großes Gefühl. Was kann man alles lieben? Sammeln Sie im Kurs.

3.22

b Hören Sie ein Lied der Gruppe Rosenstolz und ergänzen Sie die Wörter im Text.
Nacht – Gesicht – Farben – Wort – Frage – Blick – Liebe

1 Hast du nur ein _____ zu sagen
nur einen Gedanken
dann lass es _____ sein
Kannst du mir ein Bild beschreiben
mit deinen _____
dann lass es Liebe sein

2 Wenn du gehst
Wieder gehst
Schau mir noch mal ins _____
sag's mir oder sag es nicht
Dreh dich bitte nochmal um
und ich seh's in deinem _____
Lass es Liebe sein
lass es Liebe sein

3 Hast du nur noch einen Tag
nur eine _____
dann lass es Liebe sein
Hast du nur noch eine _____
die ich nie zu fragen wage
dann lass es Liebe sein

4 Wenn du gehst
Wieder gehst
Schau mir noch mal ins Gesicht
sag's mir oder sag es nicht
Dreh dich bitte nochmal um
und ich seh's in deinem Blick
Lass es Liebe sein
lass es Liebe sein

5 Das ist alles was wir brauchen
noch viel mehr als große Worte
Lass das alles hinter dir
fang nochmal von vorne an

Denn Liebe ist alles
Liebe ist alles
Liebe ist alles
Alles was wir brauchen

Liebe ist alles …

Lass es Liebe sein

Das ist alles was wir brauchen …

c Wie könnte das Lied heißen? Machen Sie Vorschläge.

d Welche Strophen passen zu den Aussagen? Manchmal passen mehrere.

	Wir verraten unsere Gefühle, wenn wir uns in die Augen sehen.		Liebe leben ist wichtiger als leere Versprechungen.
	Wenn wir lieben, können wir alles ändern.		Die Liebe sollte immer unser Handeln bestimmen.

▶ Ü 1–2

2a Nicht nur die Liebe, auch die Angst ist ein großes Gefühl.
Was wissen Sie über die Angst?
Sammeln Sie Informationen zu:

Situationen   körperliche Reaktionen   Verhalten

3.23

b Ein Vortrag zum Thema Emotionen. Hören Sie den ersten
Beitrag zum Thema Angst. Welche Ihrer Informationen
aus Aufgabe 2a wurden genannt?

c Hören Sie den Beitrag noch einmal und beantworten Sie
die Fragen zu zweit.

A Angst und Gefahr

1. Wie reagiert der Körper bei Angst?

2. Wozu ist die Angst gut?

3. Was passiert, wenn wir einer Gefahr nicht ausweichen können?

B Angst und Stress

4. Wie reagieren wir, wenn Stress zum Dauerzustand wird?

5. Was passiert, wenn wir die Stresssituation beeinflussen können?

C Objekte der Angst

6. Welche Objekte können das sein? Nennen Sie mindestens vier.

7. Welchen Zusammenhang gibt es zwischen Wissen, Fantasie und Angst?

d Fassen Sie Ihre Ergebnisse im Kurs zusammen.

3a Erarbeiten Sie nun einen zweiten Beitrag selbst. Was wissen Sie über die Neugier? Notieren Sie.

3.24

b Hören Sie den Beitrag. Welche Informationen stimmen mit Ihren Notizen überein?

c Hören Sie den Beitrag noch einmal und formulieren Sie zu zweit mindestens je eine Frage
wie in Aufgabe 2c zu den folgenden Themen:

A Neugier und das menschliche Suchsystem
B Neugier bei Kindern
C Neugier und Gehirnfunktion

d Arbeiten Sie in Gruppen. Tauschen Sie Ihre Fragen mit einem anderen Paar. Hören Sie den
Text noch einmal und bearbeiten Sie die Fragen. Vergleichen Sie dann in der Gruppe die
Fragen und die Lösungen.

▶ Ü 3–5

Gefühle und Emotionen

4a Stellen Sie sich vor, Sie müssen eine wichtige Entscheidung treffen. Entscheiden Sie mehr nach Gefühl oder mit dem Verstand?

b Lesen Sie den Text „Richtig entscheiden". Markieren Sie Tipps für Unentschlossene, die im Text genannt werden.

Richtig entscheiden

1 Manche Menschen zögern, hadern, quälen sich durch schlaflose Nächte – und schieben Entscheidungen möglichst lange auf, bis der Lauf der Dinge uns die Wahl schon abgenommen
5 hat. Wieso ist unsere Fähigkeit, einen Entschluss zu fassen, eigentlich so unterschiedlich ausgeprägt?

„Jeder Mensch bezieht Verstand und Gefühlsimpulse in unterschiedlichem Maße in seine Entscheidungen ein", erklärt Maja Storch,
10 Psychologin und Leiterin des Instituts für Selbstmanagement und Motivation in Zürich. „Und die Verteilung auf diesen Waagschalen beeinflusst, wie lange wir für eine Entscheidung brauchen und ob wir überhaupt zu einem Ergeb-
15 nis kommen."

Die psychologische und neurologische Forschung ist sich mittlerweile einig: Neben dem Verstand, der Fakten sammelt und logisch das Für und Wider abwägt, besitzen wir alle noch ein
20 zweites, unbewusst arbeitendes Entscheidungssystem, das auf Gefühlen beruht.

Aber was läuft falsch bei chronischer Unentschlossenheit oder der Tendenz zu unbefriedigenden Entschlüssen? „Das haben wir davon, wenn
25 wir unsere Emotionen nicht zu Wort kommen lassen", sagt Storch. Derartig „Verkopfte" verheddern sich meist im Abwägen unzähliger Argumente und Gegenargumente – und machen sich selbst damit entscheidungsunfähig. Einen
30 anderen Entscheidungstyp nennt die Psychologin „den Zerrissenen": Er nimmt seine Gefühle zwar wahr, unterdrückt sie aber und bezieht sie nicht in seine Entscheidungen mit ein. Diese Menschen neigen häufig zu Depressionen oder einer
35 Midlife-Crisis, denn sie fragen sich irgendwann: Soll das mein Leben gewesen sein? Weshalb haben meine eigenen Bedürfnisse darin kaum eine Rolle gespielt?

Doch so weit muss es erst gar nicht kommen.
40 Denn Entscheidungsfreude können wir trainieren. „Egal, mit welcher Frage Sie sich quälen: Machen Sie eine Affektbilanz", rät die Psychologin Storch. Nehmen wir etwa an, Sie stünden vor der Entscheidung: „Soll ich das Jobangebot
45 annehmen und in eine andere Stadt ziehen?" Dann stellen Sie sich alle Handlungsmöglichkeiten vor, die Ihnen einfallen – nacheinander, so lebendig wie möglich. Und fragen sich jeweils ganz konkret: „Welche Gefühle löst diese
50 Vorstellung in mir aus? Wichtig ist zunächst, die persönlichen Gefühlsreaktionen überhaupt wahrzunehmen", so Storch.

Gitte Härter, Coach mit Schwerpunkt Entscheidungsfindung, setzt auch an der grundsätz-
55 lichen Lebenseinstellung an, um Unentschlossenen zu helfen. Sie empfiehlt, sich auch einmal herauszuwagen aus der persönlichen Sicherheitszone. Optimales Übungsfeld ist der Alltag. Wer zum Beispiel im Restaurant am liebsten
60 wartet, bis die Begleitung ausgewählt hat, und dann das Gleiche bestellt, der sollte beim nächsten Mal ganz bewusst seine eigene Entscheidung vor dem anderen treffen. „Bei solchen Probeläufen geht es nicht um viel. Aber man kann
65 daran üben, klare Entscheidungen zu treffen – und auch mit möglichen negativen Konsequenzen umzugehen."

Grundsätzlich können sich alle Unentschlossenen entspannen: Die richtige Entscheidung im
70 Sinne einer perfekten gibt es nicht. Wir können lediglich nach bestem Wissen und Gewissen handeln – und eben auch nach bestem Gefühl. Eine Faustregel nennt Psychologin Maja Storch dennoch: „Entscheidungen, die keine positiven Em-
75 pfindungen und Tatendrang hervorrufen, sind in der Regel auch keine guten."

c Welche weiteren Tipps könnte man Menschen geben, die sich nur schwer entscheiden können?

5 Lesen Sie die E-Mail. Antworten Sie Susan und geben Sie ihr einen Rat, wie sie zu einer Entscheidung kommen kann.

Liebe/r ...,

ich habe Dir ja schon geschrieben, dass ich mit meinem Job nicht so zufrieden bin. Jetzt habe ich mich bei einer anderen Firma beworben und hatte auch schon ein sehr positives Vorstellungsgespräch. Die Bezahlung ist zwar nicht so gut, aber es gibt sehr interessante Projekte. Dabei wird viel Eigeninitiative und Kreativität gefordert. Die Ansprüche sind hoch, aber mir gefällt das.

Also das komplette Gegenteil von meinem momentanen Job. Die Leute hier sind zwar auch nett und das Geld stimmt, aber die Arbeit ist einfach nur Routine. Ich lerne auch nichts Neues. Natürlich wäre ein Jobwechsel nicht so leicht. Die neue Firma ist in Tübingen, das heißt also eine Wochenendbeziehung mit Tim und drei Stunden Fahrt zu Freunden und Familie.

Soll ich den Job wechseln? Was meinst Du? Du hast immer so gute Ideen!

Liebe Grüße,

Susan

Verständnis zeigen	
Ich kann gut verstehen, dass ... / Es ist ganz normal, dass ... / Es ist verständlich, dass ...	
Tipps geben	**Situationen einschätzen**
Ich rate Dir ... / Du solltest ...	Welches Gefühl hast Du, wenn Du ... denkst?
Ich würde Dir empfehlen, dass Du ...	Was macht Dich glücklich, traurig, ...?
Wie wäre es, wenn Du ...	Was sagt ... zu ...?
Hast Du schon mal über ... nachgedacht?	Wie geht es Dir bei dem Gedanken, ...?
An Deiner Stelle würde ich ...	Wie würde ... reagieren, wenn ...?

6a Arbeiten Sie zu zweit. Jeder/Jede bekommt eine Zeitungsnotiz. Lesen Sie die Zeitungsnotiz und die Fragen. Bereiten Sie Ihre Antworten alleine vor. Sie haben 15 Minuten Zeit.

A

Farben fördern Emotionen

Wer eine neue Wohnung einrichtet, sollte auf Farben in den Räumen achten.

Gelb schafft eine positive Stimmung und hebt die Laune. Grün hat eine beruhigende Wirkung. Dunkle Farben sollte man sparsam verwenden, da sie leicht depressiv wirken.

Vorsicht auch mit Rot. Diese Farbe kann aktivieren, aber auch leicht aggressiv machen. Weiß ist dagegen neutral, kann aber schnell für eine kalte Atmosphäre sorgen.

– Welche Aussage enthält die Meldung?
– Welche Beispiele fallen Ihnen dazu ein?
– Welche Meinung haben Sie dazu?
  Sprechen Sie ca. 3 Minuten.

B

Haustiere gegen Einsamkeit

Die Deutschen lieben ihre Haustiere. Hunde, Katzen, aber auch Vögel und Fische haben schon Kinder gelehrt, Verantwortung zu übernehmen und bewahren viele alleinstehende Menschen vor der Einsamkeit.

Gerade der Spaziergang mit dem Hund schafft viele soziale Kontakte und hält die Besitzer fit und aktiv. Bei kranken Menschen schaffen es oft die Haustiere wieder, deren Interesse an der Umwelt zu wecken.

– Welche Aussage enthält die Meldung?
– Welche Beispiele fallen Ihnen dazu ein?
– Welche Meinung haben Sie dazu?
  Sprechen Sie ca. 3 Minuten.

b Präsentieren Sie Ihrem/r Gesprächspartner/in Thema und Inhalt des Artikels. Nehmen Sie kurz persönlich Stellung.

Porträt

Tania Singer (* 08. Dezember 1969)

Psychologin – Forscherin

Nach dem Abitur studierte Tania Singer von 1989 bis 1996 Psychologie in Marburg und an der technischen Universität Berlin, zwischen 1993 und 1996 absolvierte sie zugleich einen Aufbaustudiengang in Medienberatung. Für ihre im Jahr 2000 abgeschlossene Promotion über Gedächtnistraining für sehr alte Menschen erhielt sie die Otto-Hahn-Medaille der Max-Planck-Gesellschaft.

Nach der Dissertation wechselte Singer 2002 zum Wellcome Department of Imaging Neuroscience in London. Seit 2006 baut die Forscherin an der Universität Zürich das Zentrum für soziale und neuronale Systeme auf.

Tania Singer, Psychologin

Tania Singer beschäftigt sich mit der Frage, wie Menschen im Miteinander ticken. Was machen Nervenzellen und Hormone, wenn wir uns in jemanden hineinversetzen, mit ihm fühlen? Und was geschieht im Hirn, wenn wir unfair behandelt werden, selbstlos verzichten oder auf Rache sinnen? „Am liebsten würd ich da reinkriechen", sagt Singer und tippt sich an die Schläfe. Was in den Köpfen ihrer Probanden vorgeht, muss sie aus Daten aus dem Kernspintomografen schließen. Die Isolation in der Röhre ist aber keine soziale Situation. Deshalb lässt Singer ihre Testpersonen im Scanner über eine Datenleitung mit anderen spielen. „Im Spiel schlagen die Emotionen schnell hoch, vor allem wenn es um Fairness und Geld geht. Man muss sich nur mal ansehen, wie die Leute bei Monopoly ausflippen."

Seit 2006 arbeitet Tania Singer im Zentrum für soziale und neuronale Systeme in Zürich. Es ist eng mit dem Institut für Empirische Wirtschaftsforschung des Ökonomen Ernst Fehr verbunden. „Vorher hatte ich überhaupt nichts mit Wirtschaft zu tun, ich war immer eher kulturell interessiert: Schauspiel, Tanz, Gesang", sagt Singer. Interessant findet die Psychologin an den Forschungsergebnissen der Neuroökonomen vor allem, dass Menschen viel mehr kooperieren als gedacht, sie handeln nicht nur egoistisch.

Die Professorin ist überzeugt: „Unser Hirn ist auf Zusammenarbeit geeicht."

Singer fand heraus, dass das Gehirn viel stärker auf faire als auf unfaire Mitspieler reagiert und sich diese auch besser merkt. Der Anblick von Fairplay-Anhängern aktiviert zudem das Belohnungszentrum. „Die Probanden hatten Spaß an der Zusammenarbeit", schließt Singer daraus. Ein möglicher Anreiz zur Kooperation könne unsere Fähigkeit sein, mit anderen zu fühlen – die Empathie. Was dabei im Kopf geschieht, zeigte sie am Beispiel Schmerz. Sie maß die Hirnaktivität von Frauen, während deren Partner mit leichten Stromstößen traktiert wurden. Es regten sich die Regionen, die auch bei der gefühlsmäßigen Verarbeitung von eigenem Schmerz anspringen: „Die Frauen fühlten mit."

Die Psychologin sagt von sich selbst, sie sei ein recht empathischer Mensch: „Ich fühle oft stark mit, was andere fühlen." Das liege vielleicht auch daran, dass sie ein Zwilling sei, ein eineiiger.

Mehr Informationen zu Tania Singer

Sammeln Sie Informationen über Persönlichkeiten aus dem In- und Ausland, die für das Thema „Emotionen und Gefühle" interessant sind, und stellen Sie sie im Kurs vor. Sie können dazu die Vorlage „Porträt" im Anhang verwenden.
Beispiele aus dem deutschsprachigen Bereich: Anna Freud – André Heller – Rosenstolz – Erich Fried – Erika Stucky

1 Adjektive, Verben und Substantive mit Präpositionen

A Das Substantiv, das Verb und das Adjektiv haben dieselbe Präposition.

Substantiv	Verb	Adjektiv	Präposition
die Abhängigkeit	abhängen	abhängig	von + D
die Aufregung	sich aufregen	aufgeregt	über + A
der Dank	danken	dankbar	für + A
die Sorge	sich sorgen	besorgt	um + A
der Vergleich	vergleichen	vergleichbar	mit + D

B Das Substantiv hat dieselbe Präposition wie das Verb.

sich ängstigen – die Angst	um + A	sich interessieren – das Interesse	für + A
antworten – die Antwort	auf + A	streiten – der Streit	mit + D
beginnen – der Beginn	mit + D	suchen – die Suche	nach + D
bitten – die Bitte	um + A	teilnehmen – die Teilnahme	an + D
denken – der Gedanke	an + A	vertrauen – das Vertrauen	auf + A
sich entschließen – der Entschluss	zu + D	verzichten – der Verzicht	auf + A
sich erinnern – die Erinnerung	an + A	wirken – die Wirkung	auf + A
sich entscheiden – die Entscheidung	für + A	zweifeln – der Zweifel	an + D

C Einige Substantive bilden nur ein Adjektiv mit derselben Präposition.

die Bekanntschaft – bekannt	mit + D	der Reichtum – reich	an + D
die Eifersucht – eifersüchtig	auf + A	die Wut – wütend	auf + A
der Neid – neidisch	auf + A	die Verwandtschaft – verwandt	mit + D

Woran erinnerst du dich gern?   – An meine Kindheit.   (Sache/Ereignis)
An wen erinnerst du dich gern?   – An meine Großmutter.   (Person)

Erinnerst du dich gern an deine Kindheit? – Ja, ich erinnere mich gern **daran**. (Sache/Ereignis)
Erinnerst du dich an deine Großmutter? – Ja, ich erinnere mich gut **an sie**. (Person)

2 Modalpartikeln

doch, aber, ja, eben, ruhig, einfach, mal, schon, denn, eigentlich, also, wohl

Modalpartikeln werden vor allem in der gesprochenen Sprache gebraucht. Sie können in Äußerungen je nach Betonung Emotionen und Einstellungen verstärken.
In Aussagesätzen stehen die Modalpartikeln meist nach dem Verb.
Die meisten Modalpartikeln können in Aussagen, Aufforderungen und Ausrufen verwendet werden.
Denn steht nur in Fragen.
Eigentlich und *also* in Fragen, Aussagen und Aufforderungen.
Einige Partikeln können kombiniert werden, z.B. *doch wohl, einfach mal,* oder *denn eigentlich.*

Die Bedeutung der Modalpartikeln ist vom Kontext und von der Betonung abhängig.
- Das ist *doch* nicht wahr! (Ausruf/Verärgerung)
- Du kannst ihn *doch* nicht anrufen. (Mahnung/Warnung)
- Das ist *doch* eine tolle Nachricht. (Freude/Überraschung)
- Nimm es *doch* nicht so schwer! (Mitleid/Rat)

Knut ist so süß!

1 a Welche Tierarten verbinden die meisten Menschen mit positiven Gefühlen, welche lösen eher Ekel oder Angst aus? Sammeln Sie im Kurs.

b Für welches Tier haben Sie persönlich die größte Sympathie? Was genau löst bei Ihnen die positiven Emotionen aus (das Äußere, die Bewegungen, das Verhalten, ...)?

2 a Sehen Sie den Film. Welche Bezeichnungen für den Eisbären Knut werden im Film verwendet? Notieren Sie.

Geburtstagskind, Knuddel-Bär, _____

_____

_____

b Welche Wörter in Aufgabe 2a sind eher emotional, welche sachlich?

1 3 a Sehen Sie die erste Filmsequenz und machen Sie Notizen zu den folgenden Fragen. Sprechen Sie dann im Kurs.

- Warum wächst Knut nicht bei seiner Mutter auf?

- Was macht Knut alles in der „Kinderstube"?

- Worum kümmert sich der Pfleger?

b Würden Sie selbst auch in den Zoo gehen, um Knut zu sehen? Warum oder warum nicht?

2  4 Sehen Sie die zweite Filmsequenz. Wer profitiert vom großen öffentlichen Interesse an Knut?

5a Wie erklären Sie sich die „Knutomanie" – das starke Mitgefühl für Knut?

b Kennen Sie andere Beispiele für eine außergewöhnliche emotionale Aufmerksamkeit für einen Menschen, ein Tier oder ein Ereignis? Berichten Sie.

6 Die Aufzucht Knuts durch Menschen hat auch eine emotionale Diskussion über den Tierschutz und artgerechte Haltung in Zoos ausgelöst. Lesen Sie einige Meinungen dazu und diskutieren Sie im Kurs Ihre eigenen Standpunkte.

„Die Menschen sollten sich daran gewöhnen, die Tiere dieses Planeten nur noch im Zoo zu sehen. In wenigen Jahren haben wir vielleicht auch den letzten Tieren ihre natürlichen Lebensräume zerstört. Froh sollten wir sein über jeden neugeborenen Knut!"

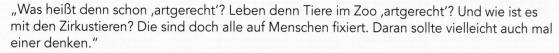

„Die Handaufzucht ist nicht artgerecht, sondern ein grober Verstoß gegen das Tierschutzgesetz! Eigentlich müsste der Zoo das Bärenbaby töten."

„Was heißt denn schon ‚artgerecht'? Leben denn Tiere im Zoo ‚artgerecht'? Und wie ist es mit den Zirkustieren? Die sind doch alle auf Menschen fixiert. Daran sollte vielleicht auch mal einer denken."

„Ich finde diesen kleinen Knuddelbären auch süß! Andererseits tut er mir auch leid: Weil er von Pflegern aufgezogen wird, lernt er nicht, mit seinen Artgenossen zusammenzuleben. Er wird immer einzeln leben müssen, ohne Spielkameraden. Jetzt ist es zu spät!"

„Ich finde es gut, dass der Bär wohlbehütet aufwächst. Sicherlich wird es ihm nie an Futter und Liebe fehlen. Ich freue mich auch für den Zoo – das bedeutet mehr Besucher und mehr Eintrittsgelder, wovon auch die anderen Tiere des Zoos profitieren. Gut so!"

Ein Blick in die Zukunft

🔘 **1a** Hören Sie das Hörspiel und ordnen Sie die Bilder in der richtigen Reihenfolge.

3.25

b Erzählen Sie, was in dem Hörspiel passiert.

2 Welche weiteren Bereiche im Alltag können sich in der Zukunft verändern? Sammeln Sie im Kurs Ideen.

Verkehrsmittel, Mode, …

3 Wie sieht ein normaler Montagmorgen in der Zukunft aus? Schreiben Sie in Gruppen eine kurze Geschichte.

Alternative Energie – Chance für die Zukunft?

1a Welche Energieformen kennen Sie? Sammeln Sie im Kurs.

b Lesen Sie zuerst den Text in der Mitte und fassen Sie ihn zusammen.

c Arbeiten Sie zu zweit. Jede/r wählt zwei Texte. Lesen Sie die Texte und informieren Sie Ihren Partner / Ihre Partnerin über den Inhalt.

Energiequelle Sonne
Die Sonne liefert der Erde und ihren Bewohnern seit Millionen von Jahren lebensnotwendiges Licht. Sie ist eine nahezu endlose Energiequelle. Ob mithilfe von Sonnen-kollektoren Wasser erwärmt wird oder mittels Solarzellen Strom gewonnen wird, schon heute ist der Einsatz dieser Techniken weit verbreitet. Allerdings steht bei dieser Technik außer Frage, dass sie vergleichsweise teuer ist.

Energiequelle Biomasse
Es klingt vielversprechend: Energie aus Rohstoffen gewinnen, die immer wieder nachwachsen. Die Energie, die in Pflanzen gespeichert ist, wird frei, wenn Mais, Raps, Weizen oder Gras verbrannt wer-den. Raps- oder Sonnenblumenöl spielen außerdem bei der Gewinnung von Bio-Diesel eine wichtige Rolle.

Ob wir wollen oder nicht, wir müssen zur Kenntnis nehmen, dass spätestens in 50 Jahren Schluss sein wird, mit Erdgas und Erdöl in großen Mengen. Was dann? Diese Prognose versetzt viele Menschen in Aufregung. Aber viele Wissenschaftler suchen nach alternativen Energieformen, um von den her-kömmlichen Energiequellen unabhängig zu werden. Sonnenkraft, Wasser-kraft, Erdwärme, Windenergie oder nachwachsende Rohstoffe finden große Beachtung, da sie im Prinzip unbegrenzt zur Verfügung stehen. Natürlich nicht überall gleichermaßen: Wind gibt es nun mal nicht in allen Regionen und auch die Erdwärme ist in manchen Gegenden besser zugänglich als in anderen, je nach geologischen Gegebenheiten. Um die Chancen für die Zukunft zu ergreifen, ist es sinnvoll, alle Energiequellen je nach geografi-scher Lage anzuzapfen und effektiv zu nutzen.

Energiequelle Bodenwärme
Unter unseren Füßen kocht es, und wenn man bedenkt, dass wir sozusagen auf einem Hexenkessel stehen, wun-dert es kaum, dass Wissenschaftler darauf kamen, die Wärme im Inneren der Erde als Energiequelle zu nutzen. Bis zu 4000 Grad Celsius heiß ist der flüssige Kern unse-res Planeten, der die Erdkruste erwärmt. In neuester Zeit findet die Idee, mit Erdwärme zum Beispiel Häuser zu heizen, immer mehr Anhänger. Die Geothermie gilt als absolut klima- und umweltfreundliche Technologie, die ständig und fast überall verfügbar ist.

Energiequelle Wind
Wer mit Wind Strom gewinnen möchte, muss in Kauf nehmen, dass er mal weht, und mal einfach nicht. Der Wind ist eben keine konstante Größe. Dennoch haben Wissenschaftler erstaunliche Fortschritte gemacht und können ziemlich genaue Windvorher-sagen geben, auf die sich dann die Kraftwerks-betreiber stützen können. In Zeiten mit geringerem Windaufkommen muss dann eben auf zusätzliche Energie aus anderen Quellen zurückgegriffen werden.

 d Wählen Sie eine alternative Energieform und recherchieren Sie weitere Informationen. Berichten Sie über Ihre Ergebnisse.

2a Welche alternativen Energieformen werden in Ihrem Land genutzt?

b Wie kann man Energie sparen? Notieren Sie zu zweit drei Möglichkeiten und vergleichen Sie im Kurs.

▶ Ü 1

3a In den Texten finden Sie einige Nomen-Verb-Verbindungen. Welches Verb gehört zu welchem Nomen? Ordnen Sie in der linken Spalte zu.

| nehmen | versetzen | nehmen | ~~stehen~~ | spielen | stehen | finden |

Ⓖ

Nomen-Verb-Verbindung	Verb (+ Adjektiv) mit gleicher Bedeutung
1. außer Frage _stehen_____	_(zweifellos) richtig sein_____
2. eine Rolle _____	_____
3. zur Kenntnis _____	_____
4. in Aufregung _____	_____
5. Beachtung _____	_____
6. zur Verfügung _____	_____
7. in Kauf _____	_____

b Nomen-Verb-Verbindungen haben oft die Bedeutung eines Verbs. Ordnen Sie die Verben der jeweils passenden Nomen-Verb-Verbindung aus Aufgabe 3a zu.

| bemerken | vorhanden sein / für jdn. da sein | wichtig sein | aufregen |
| akzeptieren | ~~(zweifellos) richtig sein~~ | beachtet werden | |

4 Ergänzen Sie die Nomen-Verb-Verbindungen in dem Text.

auf den Markt bringen – zur Folge haben – zur Verfügung stehen – einen Beitrag leisten

Öl und Gas werden uns in der Zukunft nicht mehr unbegrenzt _____.

Das _____ auch _____, dass alternative Energieformen mehr ge-

fördert werden. Aber jeder kann _____, wenn es darum geht, Energie

zu sparen. So findet man im Internet zahlreiche Seiten, auf denen man sich über die verschie-

denen Möglichkeiten informieren kann. Auch immer mehr energiesparende Geräte werden

_____.

▶ Ü 2–3

5 Arbeiten Sie zu zweit. Nennen Sie eine Nomen-Verb-Verbindung. Ihr Partner / Ihre Partnerin bildet damit einen Satz. Dann tauschen Sie. Jede/Jeder bildet mindestens drei Sätze.

▶ Ü 4

aufs Spiel setzen

Wir dürfen unsere Zukunft nicht aufs Spiel setzen.

In 50 Jahren ...

1a Möchten Sie wissen, wie sich Ihr Körper in 40 oder 50 Jahren anfühlt? Wie einfach oder beschwerlich das Leben als 70-Jährige(r) sein wird? Diskutieren Sie im Kurs.

b Lesen Sie den Text und erklären Sie, wie der Age-Anzug funktioniert und was er bewirkt.

Age-Anzug – Reise in das Jahr 2050

1 Sie sind noch jung? Wollen Sie wissen, wie Sie sich im Jahr 2050 fühlen? Vielleicht herausfinden, wie sich das anfühlt, mit 67 noch zu arbeiten? Der Age-Anzug macht's möglich.

5 Friedrich Fontaine, Georg Schmitt und Daniel Pätzug stehen am Anfang ihres Berufslebens: „Ich bin der Friedrich, ich bin 19 Jahre alt, lerne Straßenbauer und bin im 2. Lehrjahr." – „Ich bin der Georg, bin 21 Jahre und lerne Stuckateur." –
10 „Ich bin der Daniel, bin 18 Jahre und lerne Fliesenleger im 2. Lehrjahr." Jung und dynamisch – körperliche Arbeit? Kein Problem! Noch – über vierzig knochenharte Berufsjahre liegen vor ihnen – irgendwelche Politikerpläne, die Arbeitszeit
15 bis zur Rente vielleicht sogar noch hochzusetzen, gar nicht mal mitgerechnet. Wie sich ein fast 70-Jähriger dann fühlt – wir wollen den Test machen. Ab ins Jahr 2050. Die Firma, für die Beate Baltes arbeitet, hat für so eine Schockalterung eigens
20 einen Spezialanzug entwickelt.

Zeitreise im eigenen Körper
„Jetzt werden wir die Situation leicht verändern und aus dem jüngeren Menschen einen etwas älteren machen. In diesem Anzug sind all die
25 Elemente drin, die die Folgen des Alters simulieren", sagt Beate Baltes. Als Erstes die Manschetten. Sie versteifen die Gelenke. Die Handschuhe simulieren die im Alter typischen Beschwerden, wie Arthritis oder Rheumafinger. Der Overall ist
30 mit Gewichten gefüllt. Die Tester spüren, wie es sich anfühlt, wenn im Alter die Muskelkraft nachlässt, Arme und Beine schneller müde werden.

Und das Gehör???
„Wie bitte?", fragt Georg. „Ach der Helm",
35 der macht Hören und Sehen deutlich schwieriger. Die Handwerker kommen in die Jahre. Alle Elemente des Anzugs sind wissenschaftlich ausgeklügelt, simulieren optimal, wie sich der Körper im Seniorenalter anfühlt. Zum Schluss kommt die
40 Maske. Die verengt das Sichtfeld und trübt altersgerecht das Augenlicht. Friedrich ist von der Alters-Erfahrung erstaunt. „Das habe ich mir irgendwie anders vorgestellt, so halt älter, aber doch irgendwie normal." Bei der Arbeit kommt
45 Friedrich der wirkliche Alters-Realitäts-Schock: „Oje, oh, geht ja fast gar nicht."

Arbeiten mit 70? Wohl kaum!
Fliesenleger Daniel kämpft vor allem mit den rheumageplagten Fingern: „Das fühlt sich an, wie
50 tausend Nadelstiche in der Hand, und ich kann kaum noch richtig zugreifen. Und die Knie, Gelenke tun richtig weh. Und die Fugen sind überall verschwommen." Straßenbauer Friedrich sieht keine Chance für die Arbeit im Alter: „Geht
55 echt nicht mit dem Hinknien. Das ist schlimm mit den Beinen." Und Georg unser künftiger Stuckateur bekommt nichts mehr auf die Reihe. Dahin ist das wichtige Fingerspitzengefühl. „Oh, das Rausholen geht schon schwerer. Also sonst
60 sehe ich besser, wo die Löcher sind, jetzt erkenne ich das nicht mehr so richtig."

c Was vermuten Sie, wie sehen die drei Testpersonen ihrem Älterwerden entgegen? Tauschen Sie sich mit einem Partner / einer Partnerin aus und lesen Sie dann den Text zu Ende.

Die Tester sind froh, dass sie noch jung sind

„Das geht einfach nicht, weil es in den Knien
65 wehtut und ich die Arme nicht richtig krumm machen kann. Wenn ich das mit 70 noch machen müsste, würde ich auswandern!", sagt Friedrich.

O.k., o.k. – Schluss mit dem Experiment – und nun? „Einfach Klasse, also ohne das Ding ist alles
70 einfach, ja federleicht. Also die nächsten 50 Jahre, die werde ich noch genießen, bis ich so weit bin", sagt Daniel.

d Für welche Wirtschafts- oder Industriebereiche könnte der Age-Anzug besonders interessant sein? Sammeln Sie Vorschläge.

Ich denke, der Age-Anzug ist interessant für die Planung von neuen Wohnungen. Er kann zum Beispiel helfen, die Einrichtung von Küchen oder Badezimmern so zu machen, dass es für ältere Leute komfortabel ist.

…

2a Hören Sie die Anmoderation einer Gesprächsrunde über das Thema „Unsere Zukunft – was wollen wir wirklich darüber wissen?". Welche Gäste sind als Gesprächspartner im Studio?
3.26

Frau Manuela Krämer arbeitet als …

…

b Hören Sie nun die Gesprächsrunde und kreuzen Sie an, ob die folgenden Aussagen richtig oder falsch sind.
3.27

	r	f
1. Herr Freitag findet zwar, dass die Aussichten auf ein Leben im Alter nicht sehr positiv sind, aber dennoch ist er froh über seine Erfahrungen mit dem Age-Anzug, weil er seine Beweglichkeit jetzt mehr schätzen kann.	☐	☐
2. Frau Dr. Meissner erklärt, dass Patienten, die unter Zukunftsangst leiden, gerne jung sterben möchten.	☐	☐
3. Frau Krämer würde, wenn sie die Entscheidung noch einmal treffen könnte, den ausführlichen Gesundheitscheck auf keinen Fall noch einmal machen.	☐	☐
4. Die Teilnehmer an der Gesprächsrunde empfehlen, einen „Luxus-Gesundheitscheck" nur dann zu machen, wenn man sich gut überlegt hat, ob man auch eventuell negative Ergebnisse wissen möchte.	☐	☐

c Wählen Sie einen der genannten Punkte und hören Sie die Diskussion noch einmal. Geben Sie die zu „Ihrem Punkt" genannten Informationen wieder.

Formen von Zukunftsängsten

Was passiert beim „Luxus-Gesundheitscheck"?

Wozu braucht man einen Age-Anzug in der Automobilindustrie?

Was ist ein Computertomograf?

▶ Ü 1

3 Stellen Sie sich vor, Sie könnten einmal in Ihrem Leben eine Zeitreise machen. In welches Jahr würden Sie reisen? In die Zukunft oder in die Vergangenheit? Begründen Sie Ihre Entscheidung.

▶ Ü 2

Was bringt die Zukunft?

1a Was vermuten Sie, welche Berufe werden in 30 Jahren erfolgreich sein? Sammeln Sie im Kurs.

b Sehen Sie sich die Präsentationsfolien für einen Vortrag zum Thema „Berufe der Zukunft" an. Ordnen Sie die Überschriften den Folien zu.

Zukunft der Arbeit – Was ist Zukunft und ist sie vorhersagbar? – Arbeitsbedingungen der Zukunft – Wandel der Arbeitswelt

---

Zukunft ist ...
... die Fortsetzung der Gegenwart
... überraschend, unkalkulierbar
... offen

Zukunfts-Prognosen sind ...
... in 3 Jahren: 90% Fortsetzung der aktuellen Entwicklung, 10% nicht planbar
... in 30 Jahren: 40% Fortsetzung der aktuellen Entwicklung, 60% nicht planbar

1

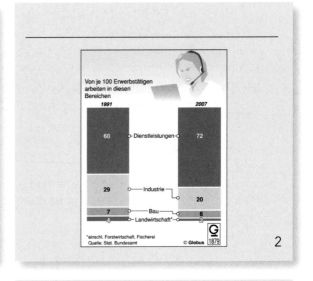

2

3

– Zunahme der selbstständigen Tätigkeiten
(nicht bei einer Firma fest angestellt)
– erfordert hohes Maß an Flexibilität, da
häufig projektbezogen und Arbeitsange-
bote oft kurzfristig und befristet
– 60-Stunden-Wochen sind normal
– auch wochenweise Freizeit (nach Projekt-
abschluss) nicht selten
– Privatleben zu planen wird schwierig
– hohe Investitionen in die eigene Weiterbildung

4

c Suchen Sie sich einen Partner / eine Partnerin. Jeder/Jede beschreibt eine Grafik.

Die Grafik auf der zweiten Folie zeigt, ...   Man kann deutlich sehen, dass ...
Zwischen den Jahren ... und ... / von ... bis ... ist ... stetig gestiegen / hat zugenommen / ist gewachsen.
Zwischen ... und ... hat die Zahl der ... abgenommen / fällt die Zahl der ... / gibt es immer weniger ...

d Formulieren Sie nun mit Ihrem Partner / Ihrer Partnerin zu jeder Folie drei bis fünf Sätze für eine kurze Präsentation. Die Redemittel im Arbeitsbuch auf Seite 119 helfen Ihnen dabei.

Mit der ersten Folie möchte ich kurz darauf eingehen, was eigentlich „Zukunft" bedeutet und wie genau
▶ Ü 1   *daher Zukunfts-Prognosen sein können. ...*

e Halten Sie zusammen mit Ihrem Partner / Ihrer Partnerin Ihren Kurzvortrag vor einer anderen Zweiergruppe. Hören Sie dann deren Kurzpräsentation und vergleichen Sie Ihre Präsentationen.

2a Lesen Sie Aussagen über die Entwicklungen am Arbeitsmarkt. Welchen Aussagen stimmen Sie zu?

1 In meinen Augen hat die Regierung Arbeitnehmer besser zu schützen! Es kann nicht sein, dass in Zukunft die Firmen keine Verantwortung mehr für ihre Mitarbeiter übernehmen.

2 Ich kann schon verstehen, dass immer mehr Firmen Projekte an externe Anbieter vergeben. Schließlich können sie sich so nicht nur die besten Leute für ein Projekt aussuchen, sondern sie können diese externen Anbieter auch die Kosten für Weiterbildungsmaßnahmen zahlen lassen.

3 Ich denke, man braucht sich vor der Zukunft nicht zu fürchten – qualifizierte Leute waren auf dem Arbeitsmarkt schon immer gefragt und werden immer gefragt bleiben.

4 In der Firma, in der ich arbeite, lässt man die Mitarbeiter noch selber entscheiden, welche Projekte sie übernehmen wollen und welche man an Freiberufler übergibt. Das finde ich einen guten Weg.

5 Ich denke, es ist zu überlegen, wie man mit der Entwicklung umgeht. Wenn sich der Arbeitsmarkt so stark verändert, dann muss man Konzepte entwickeln, wie die Menschen gut damit leben können.

6 Ich bin der Ansicht, die Probleme der Zukunft sind gut zu bewältigen, wenn wir uns darauf vorbereiten und trotzdem flexibel bleiben.

b Markieren Sie die modalverbähnlichen Verben in 2a. Ergänzen Sie die passende Umschreibung *müssen – nicht müssen – können* in der Übersicht.

sein + zu + Infinitiv	_____ / _____	Ⓖ
haben + zu + Infinitiv	_____	
nicht(s) brauchen + zu + Infinitiv	_____	

c *lassen* + Infinitiv: Welche Umschreibung passt? Kreuzen Sie an.

Sie lassen Anbieter die Kosten zahlen.	☐ ... **erlauben** Anbietern, die Kosten zu zahlen.	Ⓖ
	☐ ... **veranlassen** Anbieter, die Kosten zu zahlen.	
Man lässt die Mitarbeiter entscheiden.	☐ ... **erlaubt** den Mitarbeitern zu entscheiden.	
	☐ ... **veranlasst** Mitarbeiter zu entscheiden.	

▶ Ü 2–4

d Was kann man tun, um den beschriebenen Entwicklungen gerecht zu werden oder die Entwicklung zu ändern? Fassen Sie die Vorschläge entsprechend Ihrer Meinung in Sätze.

für Firmen, die Verantwortung für ihre Mitarbeiter übernehmen, werben – das positive Image einer „traditionellen" Firmenpolitik pflegen – für gute Ausbildungsmöglichkeiten sorgen – selbstständiges Arbeiten schon in der Schule fördern – sich stets weiterbilden – ...

Ich denke, der Staat und die Gemeinden haben die Schulausbildung zu verbessern.

Ich glaube, die Schulausbildung braucht nicht verbessert zu werden, weil ...

Roboter – Unsere Zukunft?

1a Beschreiben Sie die Bilder. Was stellen sie dar? Wie finden Sie das?

3.29

b Hören Sie den ersten Abschnitt eines Radiobeitrags und beantworten Sie die Fragen.

1. Woher kommt das Wort „Roboter"?
2. Wann tauchen Roboter erstmals in Literatur/Film auf?
3. Was zeichnet einen Roboter aus?
4. Was können Roboter, was können sie nicht so gut?

3.30

c Hören Sie den zweiten Abschnitt des Beitrags.

5. Für welche Art von Arbeit wurden Roboter schon in den 60er-Jahren eingesetzt?
6. Welche bekannten Beispiele für einen Robotereinsatz in der heutigen Zeit werden genannt?

▶ Ü 1   7. Welche weiteren Einsatzgebiete für Roboter gibt es?

d Kennen Sie noch andere Bereiche, in denen Roboter tätig sind?
Wo werden Ihrer Meinung nach in Zukunft verstärkt Roboter eingesetzt?

2a Lesen Sie die Meldungen und schreiben Sie zu zweit für jede Meldung eine Überschrift.
Vergleichen Sie im Kurs.

> **A** Die Überalterung der Gesellschaft und die massiven Einsparungen, die dem Gesundheitswesen auferlegt werden, werden nach Ansicht der EU dafür sorgen, dass sich künftig weniger Krankenhausmitarbeiter um noch mehr Patienten kümmern müssen. Den entstehenden Problemen will man nun mit Roboterpflegern begegnen, deren Entwicklung im Rahmen eines EU-finanzierten Projektes gefördert wird.

B Intelligente Maschinen sollen bis zum Jahr 2013 zumindest in den Industrieländern in jedem Haushalt Standard sein und die Bewohner von lästiger Haushaltsarbeit entlasten. Doch entgegen landläufiger Vorstellungen werden die Roboter nicht wie Menschen in Metallgestalt aussehen, sondern können beliebige Formen aufweisen. Das prophezeit Bill Gates in der US-amerikanischen Wissenschaftszeitschrift „Scientific American".

D Automobil ist ein griechisch-lateinisches Mischwort und bedeutet wörtlich „selbst-beweglich". Das trifft für das Auto der Zukunft zu: Es wird sich selbst bewegen, der Mensch ist nur Passagier. Daran glaubt der Chef des amerikanischen Autobauers General Motors (GM) fest – und hat schon gleich einen Prototypen mit nach Las Vegas gebracht.

C Vision Robotics will die Obsternte in den USA weiter mechanisieren. Wurden bisher auf den Orangen-Plantagen noch Tausende von Erntehelfern zum Pflücken der vitaminreichen Früchte benötigt, so sollen in einigen Jahren Roboter die Arbeit erledigen. Vision Robotics arbeitet an einem Roboter-Duo, von denen der Erste die Orangenbäume nach Früchten absucht und ein dreidimensionales Modell mit der Position und Größe aller Orangen erstellt. Ein achtarmiger Pflücker soll diese anschließend schonend und schnell vom Baum holen.

E Wissenschaftler entwickeln autonome Roboter, die autistischen Kindern helfen sollen, grundlegende Interaktionsformen und nonverbale Kommunikation zu erlernen. Autistische Kinder nehmen oft keinen Kontakt mit anderen Menschen auf, aber spielen mit einfachen Spielzeugen oder gehen gerne mit Techniken wie Computern um. Roboter gelten als Möglichkeit, die „Kluft zwischen einem vorhersagbarem Spielzeug und der unvorhersagbaren Welt menschlicher Kontakte zu überbrücken".

b Wie beurteilen Sie die jeweilige Innovation? Bilden Sie Gruppen und sammeln Sie mögliche Vor- und Nachteile. Vergleichen Sie im Kurs. Welcher Roboter wird am positivsten bewertet?

etwas beurteilen / argumentieren
Ich halte ... für gut/schlecht/..., denn ...   Für ... spricht ... / Dafür spricht ...
Gegen ... spricht ... / Dagegen spricht ...   Eine gute/schlechte Idee ist ..., da ...
Ein wichtiger/entscheidender Vorteil/Nachteil ist ...   Man muss auch bedenken, dass ...
... ist sicherlich sinnvoll / ... macht gar keinen Sinn, weil ...   Ein Argument für/gegen ... ist ...
Man darf nicht vergessen, dass ...   Besonders hervorzuheben ist auch ...

Roboter – Unsere Zukunft?

3a Sie sind Mitglied der Projektgruppe „Zukunft und Technik". Überlegen Sie mit Ihrem Partner / Ihrer Partnerin, wo und wie man Roboter im Alltag am sinnvollsten einsetzen kann.

b Besprechen Sie im Kurs: Welcher Vorschlag hat Ihnen am besten gefallen?

4a Spielen Sie die Talkshow „Ein Thema – zwei Meinungen". Arbeiten Sie zu dritt. Lesen Sie die Rollenkarten und verteilen Sie die Rollen.

> **Herbert Malin, Talkmaster**
> Sie moderieren schon lange Talkshows. Sie stellen immer wieder wichtige Zwischenfragen und achten darauf, dass beide Diskussionspartner gleichermaßen zu Wort kommen. Außerdem können Sie erhitzte Gemüter hervorragend beruhigen.

> **Antonia Schmidt**
> Ihrer Meinung nach ist nicht jeder Fortschritt positiv. Sie denken, dass es nicht gut ist, wenn in der Berufswelt Menschen durch Roboter ersetzt werden. Auch in anderen Bereichen setzen Sie lieber auf fühlende und denkende Menschen.

> **Ben Teschke**
> Sie sind begeisterter Technikfan und von allen Fortschritten auf dem Gebiet der Robotik begeistert. Sie finden, es ist ein großer Vorteil, dass Roboter den Menschen immer mehr Arbeit abnehmen können.

b Suchen Sie Argumente für Ihre Meinung.

c Sehen Sie sich den Redemittelkasten an und notieren Sie weitere Redemittel, die Sie verwenden wollen (z.B. Redemittel zur Meinungsäußerung, Argumentation, ...).

ein Gespräch leiten	um das Wort bitten	sich nicht unterbrechen lassen
Was meinen Sie dazu?	Ich möchte dazu etwas sagen/fragen/ergänzen.	Ich möchte noch eins sagen: ...
Können Sie das näher erläutern?	Dürfte ich dazu bitte auch etwas sagen?	Lassen Sie mich bitte ausreden.
Würden Sie dem zustimmen?	Entschuldigen Sie, wenn ich Sie unterbreche, aber ...	Augenblick noch, ich bin gleich fertig.
Gut, dass Sie das ansprechen.	Ich verstehe das, aber ...	Ich bin noch nicht fertig.
Kommen wir noch einmal zurück zu der Frage / zu der These, ...	Kann ich dazu bitte auch etwas sagen?	Darf ich den Satz noch abschließen, bitte?
Sie haben vorhin gesagt, dass ...	Das mag stimmen, aber ...	
Ich nehme an, Sie sehen das anders.		

d Spielen Sie die Talkshow.

5a Lesen Sie folgende Werbeanzeige. Welche Erwartungen haben Sie an den Kurs? Notieren Sie.

> **Workshop „Wir bauen einen Roboter"**
> Die Idee für alle Hobby-Bastler: Bauen Sie Ihren eigenen Wunschroboter. Workshops jedes erste Wochenende im Monat, Samstag und Sonntag von 10–18 Uhr. Wir stellen das Material und helfen bei der Planung und Durchführung. Melden Sie sich jetzt an!
>
> Begrenzte Teilnehmerzahl: 10 Personen pro Workshop. Begleitung durch erfahrene Ingenieure. Und das alles für wenig Geld: 130 Euro alles inklusive.
> Robo – Workshops, Kurze Gasse 10, 20095 Hamburg, Tel.: 040–35849090

– *am Ende einen Roboter mit nach Hause zu nehmen*

– *gut betreut zu sein in einer kleinen Gruppe ...*

b Ordnen Sie die Überschriften den Redemitteln zu.

Forderungen stellen – Problem schildern – Erwartungen beschreiben

einen Beschwerdebrief schreiben	
	In Ihrer Anzeige beschreiben Sie ... Die Erwartungen, die Sie durch die Anzeige wecken, sind ... Durch Ihre Anzeige wird der Eindruck geweckt, dass ...
	Leider musste ich feststellen, dass ... Meines Erachtens ist es nicht in Ordnung, dass ... Ich finde es völlig unangebracht, dass ...
	Ich muss Sie daher bitten, ... Ich erwarte, dass ... Deshalb möchte ich Sie auffordern ...

TELC

c Sie haben an dem Workshop teilgenommen und waren leider gar nicht zufrieden. Der Kurs war überbelegt, statt 10 Teilnehmern waren dort 21 Teilnehmer. Es gab nicht genügend Material für alle und die Helfer waren keine erfahrenen Ingenieure, sondern Studenten.

Schreiben Sie einen Brief an den Anbieter, in dem Sie sich über die unerfreulichen Zustände beschweren. Ihr Brief sollte mindestens zwei der folgenden Punkte und einen weiteren Aspekt enthalten:
– Fordern Sie einen Teil Ihres Geldes zurück
– Ihre Erwartungen nach Lektüre der Werbeanzeige
– Grund des Schreibens
– Beispiele für die schlechten Bedingungen im Workshop

Bevor Sie den Brief schreiben, überlegen Sie sich eine passende Reihenfolge der Punkte, eine passende Einleitung und einen passenden Schluss. Vergessen Sie nicht Absender, Anschrift, Betreffzeile, Anrede und Schlussformel. Schreiben Sie 150–200 Wörter. ▶ Ü 2–3

Die Fraunhofer-Gesellschaft und Joseph von Fraunhofer

(1787–1826)

Die „Fraunhofer-Gesellschaft zur Förderung der angewandten Forschung e.V. (FhG)", ist eine der größten Organisationen für angewandte Forschungs- und Entwicklungsdienstleistungen in Europa.

Die Gesellschaft wurde 1949 gegründet und besteht aus zahlreichen Instituten, die sich alle zur Aufgabe gemacht haben, anwendungsorientierte Forschung zum direkten Nutzen für Unternehmen und zum Vorteil der Gesellschaft zu betreiben. Zahlreiche zukunftsweisende Innovationen von Produkten und Verfahren gehen auf Forschungs- und Entwicklungsarbeiten in Fraunhofer-Instituten zurück. Eine der bekanntesten Fraunhofer-Entwicklungen ist das Audiodatenkompressionsverfahren MP3.

Joseph von Fraunhofer, Physiker und Astronom

Die Gesellschaft ist nach Joseph von Fraunhofer benannt, einem zukunftsweisenden Forscher, der am 6. März 1787 in Straubing geboren wurde und in einfachen Verhältnissen aufwuchs. Seine Eltern starben sehr früh, sodass er schon mit zwölf Jahren Vollwaise war.

Von seinem Vormund wurde Joseph für eine sechs Jahre dauernde Glaserlehre nach München geschickt. Als er vierzehn Jahre alt war, stürzte in einem Aufsehen erregenden Unglück das Haus seines Lehrherren ein und insgesamt 41 Menschen wurden darunter begraben, auch Joseph. Nur er, sein Lehrmeister Weichselberger und dessen Frau konnten lebend aus den Trümmern geborgen werden. Angesichts dieser Katastrophe versammelten sich viele Menschen an der Unglücksstelle, unter ihnen auch Kurfürst Maximilian IV. (der spätere König Max Joseph I) und Joseph von Utzschneider (Mitinhaber des Mathematisch-Mechanischen Instituts). Die Geretteten wurden gefeiert und erhielten vom Kurfürsten ein großzügiges Geldgeschenk. Von Utzschneider hingegen wurde auf den jungen Joseph aufmerksam und bot ihm einen Ausbildungsplatz in seinem Institut an.

Fraunhofers Begabung zahlte sich aus und mit nur 22 Jahren wurde er Leiter der Optischen Glashütte des Mathematisch-Mechanischen Instituts in Benediktbeuern. Nur fünf Jahre später leitete er das ganze Institut und weitere fünf Jahre später erhielt er eine Professur an der Bayerischen Akademie der Wissenschaften. Mit 36 Jahren wurde er zum Professor und Konservator der Mathematisch-Physikalischen Sammlungen in München berufen.

Im Alter von nur 39 Jahren starb Joseph von Fraunhofer am 7. Juni 1826 an einer Lungenkrankheit.

Er ging mit seinen Arbeiten als Physiker, Optiker und Astronom in die Geschichte der Naturwissenschaften ein. So waren es z.B. seine Vermessungsinstrumente, die erstmals eine exakte Landvermessung möglich machten.

Mehr Informationen zu Joseph von Fraunhofer

Sammeln Sie Informationen über Persönlichkeiten aus dem In- und Ausland, die für das Thema „Zukunft" interessant sind, und stellen Sie sie im Kurs vor. Sie können dazu die Vorlage „Porträt" im Anhang verwenden.
Beispiele aus dem deutschsprachigen Bereich: Herbert W. Franke – Andreas Eschbach – Max Planck – Martina Zitterbart – Armin Binz

1 Nomen-Verb-Verbindungen

Nomen-Verb-Verbindungen sind feste Verbindungen zwischen einem Nomen und einem Verb, zu denen Artikel oder Präpositionen dazukommen können. In einer Nomen-Verb-Verbindung hat das Verb meist seine ursprüngliche Bedeutung verloren und nur noch eine grammatische Funktion. Die Hauptbedeutung liegt beim Nomen. Oft ist das Nomen von dem Verb abgeleitet, das der Bedeutung der Verbindung entspricht: *eine Frage stellen* → *fragen*.
Es gibt aber auch viele Verbindungen, die eine ganz andere Bedeutung haben: *in Kauf nehmen* → ~~*kaufen*~~ *akzeptieren*.

Nomen-Verb-Verbindungen werden häufig in der Schriftsprache verwendet.
*Wir müssen die Endlichkeit von Erdgas und Erdöl **zur Kenntnis nehmen**.*
*Viele alternative Energieformen **stehen** unbegrenzt **zur Verfügung**.*

Einige Nomen-Verb-Verbindungen sind auch in der gesprochenen Sprache häufig.

Das spielt doch keine Rolle.	*Kannst du mal schnell Bescheid sagen?*
Darf ich eine Frage stellen?	*Nimm doch bitte auch mal Rücksicht auf mich.*
Sie müssen einen Antrag stellen.	*Das kommt überhaupt nicht in Frage.*

2 Modalverbähnliche Verben

a *sein / haben / nicht(s) brauchen* + *zu* + Infinitiv

Einige Verben können mit *zu* + Infinitiv stehen und haben dann eine ähnlich Bedeutung wie Modalverben.

sein + zu + Infinitiv

*Der Umgang mit der Entwicklung **ist** zu **überlegen**.*	*Der Umgang mit der Entwicklung **muss** überlegt werden / **sollte** überlegt werden.*
*Die Probleme **sind** gut zu **bewältigen**.*	*Die Probleme **können** gut bewältigt werden.*

haben + zu + Infinitiv

*Die Regierung **hat** Arbeitnehmer besser **zu schützen**.*	*Die Regierung **muss** Arbeitnehmer besser schützen.*

nicht(s) brauchen + zu + Infinitiv

*Man **braucht nichts zu machen**.*	*Man **muss** nichts machen.*
*Sie **brauchen nicht anzurufen**.*	*Sie **müssen** nicht anrufen.*

Auch in Verbindung mit *nur* oder *erst* steht *brauchen* mit *zu* + Infinitiv:
*Du **brauchst nur anzurufen**. Du **brauchst erst anzurufen**, wenn du zu Hause bist.*

b lassen + Infinitiv

*Firmen **lassen** externe Anbieter die Kosten zahlen.*	*Firmen **veranlassen**, dass externe Anbieter die Kosten zahlen (müssen).*
*Man **lässt** die Mitarbeiter **entscheiden**.*	*Man **erlaubt** den Mitarbeitern zu entscheiden.*

Der Schatz im Eis

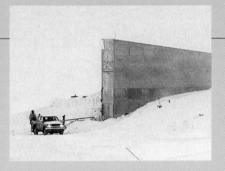

1 Wenn Sie wüssten, dass morgen eine globale Katastrophe kommt – welche fünf Pflanzen würden Sie für eine Rettungsaktion vorschlagen? Begründen Sie Ihre Wahl.

2a Sehen Sie den Film. Worum geht es?

b Welche Nomen aus dem Film bezeichnen die neue Samenbank auf Spitzbergen? Kreuzen Sie an.

☐ das Arktische Meer   ☐ das Samenmuster

☐ der Bunker   ☐ die Schatzkammer

☐ der Permafrost   ☐ die Sortenvielfalt

☐ das Saatgutlager   ☐ der Tresor

☐ die Lebensversicherung für die Menschheit

c Für welche Notfälle wird man die Samen später vielleicht brauchen? Nennen Sie die Fälle, die im Film genannt werden, und ergänzen Sie eventuell noch weitere.

3a Bilden Sie drei Gruppen und lesen Sie die Fragen. Notieren Sie zuerst in Ihren Gruppen, was Sie sich nach dem ersten Sehen gemerkt haben.

b Sehen Sie den Film noch einmal und ergänzen Sie noch weitere Informationen.

c Tauschen Sie die Ergebnisse der Gruppen im Kurs aus.

Gruppe A

a Was kann man zur Besiedlung der Inselgruppe Spitzbergen sagen?

b Wie sind die klimatischen und geologischen Bedingungen dort?

c Wie war das Wetter am Abend vor der Eröffnung der Samenbank?

Gruppe B

d Warum wurde der Samenbunker auf Spitzbergen gebaut?

e Wer hat das Projekt entwickelt und wer unterstützt es?

f Woher kommen die Samenmuster? Wie viele sind es / werden es später sein?

Gruppe C

g Wie werden die Samen verpackt?

h Wie werden sie im Bunker gelagert?

4 Bilden Sie Gruppen oder Paare und bereiten Sie entsprechend der Gruppen-Rolle Ihre Argumente für eine Diskussion vor. Diskutieren Sie dann die verschiedenen Meinungen zur Samenbank auf Spitzbergen.

Vertreten Sie in der Diskussion Ihren Standpunkt, aber gehen Sie auch auf die Argumente der anderen ein.

Gruppe A

Sie finden, dass die Samenbank der einzige Weg für die Menschen ist, um nach einer Katastrophe überleben zu können.

Gruppe B

Zwar halten Sie die Samenbank für notwendig, aber Sie glauben, dass nur die reichen Länder die Kontrolle darüber haben und über die Nutzung der Samen entscheiden werden.

Gruppe C

Sie sind gegen die Samenbank, denn statt so viel Geld in dieses Projekt zu stecken, sollte das Geld lieber für konkrete Umweltschutzprojekte verwendet werden.

Gruppe D

Sie wollen nicht in die natürliche Entwicklung eingreifen. Wenn der Mensch seine Umwelt zerstört, dann ist das eben so. Es passiert immer, dass bestimmte Arten aussterben – warum nicht auch der Mensch!

Redemittel _____

Hier finden Sie die Redemittel aus Aspekte 1 (Niveau B1+) und Aspekte 2 (Niveau B2) in einer Übersicht. Die Verweise geben an, in welchen Kapiteln die Redemittel behandelt wurden:

B1+K1M2 = Aspekte 1 (Niveau B1+), Kapitel 1, Modul 2
B2K10M4 = Aspekte 2 (Niveau B2), Kapitel 10, Modul 4

1. Meinungen ausdrücken / argumentieren / diskutieren

etwas beurteilen	B1+K1M2 / B1+K5M2 / B2K10M4

Ich halte … für gut/schlecht/…
Für … spricht … / Dafür spricht …
Gegen … spricht … / Dagegen spricht …
Eine gute/schlechte Idee ist …
Ein wichtiger/entscheidender Vorteil/
Nachteil ist …

… ist sicherlich sinnvoll / … macht gar keinen Sinn.
Man muss auch bedenken, dass …
Man darf nicht vergessen, dass …
Ein Argument für/gegen … ist …
Besonders hervorzuheben ist auch …

eine Geschichte positiv/negativ bewerten	B1+K7M4 / B2K6M4

etwas positiv bewerten
Die Geschichte gefällt mir sehr.
Ich finde die Geschichte sehr spannend.
Eine sehr lesenswerte Geschichte.
Die Geschichte ist gut durchdacht und überraschend.
Ich finde die Geschichte kurzweilig und sehr unterhaltsam.
Die Geschichte macht mich neugierig.
Die Geschichte ist gut erzählt.
Ich bin gespannt auf …
Ich kann die Geschichte gut verstehen.

etwas negativ bewerten
Ich finde die Geschichte unmöglich.
Die Geschichte ist voller Widersprüche.
Für mich ist die Geschichte Unsinn.
Die Geschichte ist nicht mein Geschmack.
Ich finde die Geschichte verwirrend.
Ich finde die Geschichte komisch/seltsam.
Die Geschichte ist schlecht erzählt.
Ich finde die Geschichte langweilig.
Ich kann die Geschichte schlecht verstehen.

Meinungen ausdrücken	B1+K1M2 / B1+K1M4 / B1+K2M4 / B2K1M2 / B2K1M4

Meiner Meinung nach …
Meiner Meinung nach ist das Unsinn, denn …
Ich bin der Meinung/Ansicht/Auffassung, dass …
Ich bin da geteilter Meinung. Auf der einen Seite …, auf der anderen Seite …
Ich stehe auf dem Standpunkt, dass …

Ich denke/meine/glaube/finde, dass …
Ich denke, man kann das (nicht) so sehen, denn …
Ich bin davon überzeugt, dass …
Ich finde, dass man zwar einerseits …, andererseits ist es aber auch wichtig zu sehen, dass …

Zustimmung ausdrücken

B1+K1M4 / B1+K8M2 / B1+K9M2 / B2K1M4

Der Meinung bin ich auch.
Ich bin ganz deiner/Ihrer Meinung.
Das stimmt. / Das ist richtig. / Ja, genau.
Da hast du / haben Sie völlig recht.
Ja, das kann ich mir gut vorstellen.
Ja, das ist richtig.
Ja sicher!

Selbstverständlich ist das so, weil …
Ja, das sehe ich auch so.
Ich stimme dir/Ihnen zu.
Der ersten Aussage kann ich völlig zustimmen,
da/weil …
Ich denke, diese Einstellung ist falsch, denn …
Ich finde, … hat recht, wenn er/sie sagt, dass …

Widerspruch ausdrücken

B1+K1M2 / B1+K1M4 / B2K1M4

Das stimmt meiner Meinung nach nicht.
Der Meinung bin ich auch, aber …
Das ist nicht richtig.

Das ist sicher richtig, allerdings …
Ich sehe das (etwas/völlig/ganz) anders, denn …
Da muss ich dir/Ihnen aber widersprechen.

Zweifel ausdrücken

B1+K1M4 / B1+K9M2 / B2K1M4

Also, ich weiß nicht …
Ob das wirklich so ist?
Stimmt das wirklich?
Es ist unwahrscheinlich, dass …
Ich glaube/denke kaum, dass …

Wohl kaum, denn …
Ich bezweifle, dass …
Ich habe da so meine Zweifel.
Ich sehe das (schon) anders, da …

Vermutungen ausdrücken

B1+K6M4 / B1+K7M4 / B1+K8M3

Ich kann/könnte mir gut vorstellen, dass …
Es könnte (gut) sein, dass …
Ich vermute/glaube/nehme an, dass …
Es kann sein, dass …

Es ist denkbar/möglich/vorstellbar, dass …
Vielleicht/Wahrscheinlich/Vermutlich ist …
… wird … sein.
… sieht so aus, als ob …

argumentieren

B1+K1M2 / B1+K5M2

Für mich ist es wichtig, dass …
Ich finde es …
Es ist (ganz) wichtig, dass …
Dabei wird deutlich, dass …
… haben deutlich gezeigt, dass …

… spielt eine wichtige Rolle bei …
… ist ein wichtiges Argument für …
… hat deutlich gezeigt, dass …
… macht klar, dass …
Außerdem muss man bedenken, dass …

Redemittel

um das Wort bitten / das Wort ergreifen

Entschuldigen Sie, wenn ich Sie unterbreche, …
Dürfte ich dazu bitte auch etwas sagen?
Ich möchte dazu etwas sagen/fragen/ergänzen.
Kann ich dazu bitte auch einmal etwas sagen?
Ich verstehe das schon, aber …
Ja, aber …
Glauben/Meinen Sie wirklich, dass …?
Das mag stimmen, aber …

sich nicht unterbrechen lassen

Lassen Sie mich bitte ausreden.
Ich möchte nur noch eines sagen …
Einen Moment bitte, ich möchte nur noch …
Darf ich bitte den Satz noch abschließen?
Ich bin noch nicht fertig.
Augenblick noch bitte, ich bin gleich fertig.

ein Gespräch leiten

Was meinen Sie dazu?
Können Sie das näher erläutern?
Würden Sie dem zustimmen?
Gut, dass Sie das ansprechen.

Kommen wir noch einmal zurück zu der Frage /
zu der These, …
Ich nehme an, Sie sehen das anders/genauso.

2. etwas vorschlagen

einen Vorschlag machen

Wie wäre es, wenn wir …?
Wir könnten doch …
Vielleicht machen wir es so: …
Hast du nicht Lust …?
Mein Vorschlag wäre …
Ich finde, man sollte …
Was halten Sie von folgendem Vorschlag: … ?
Wenn es nach mir ginge, würde …
Um … zu … muss/müssen meiner Meinung
nach vor allem …
Könnten Sie sich vorstellen, dass …?

einen Gegenvorschlag machen

Das ist sicherlich keine schlechte Idee, aber
kann man nicht …
Gut, aber man sollte überlegen, ob es nicht
besser wäre, wenn …
Okay, aber wie wär's, wenn wir es anders
machen. Und zwar …
Ich habe einen besseren Vorschlag. Also …
Anstatt … sollte/könnte man …
Ich würde lieber … als …

einem Vorschlag zustimmen

Das hört sich gut an.
Einverstanden, das ist ein guter Vorschlag.
Ja, das könnte man so machen.
Ich finde diese Idee sehr gut.
Ich kann diesem Vorschlag nur zustimmen.

einen Vorschlag ablehnen

Das halte ich für keine gute Idee.
Ich halte diesen Vorschlag für nicht durchführbar.
Das kann man so nicht machen.
Das lässt sich nicht realisieren.
So geht das auf keinen Fall!

zu einer Entscheidung kommen

Lassen Sie uns Folgendes vereinbaren: …
Darauf könnten wir uns vielleicht einigen.
Wie wäre es mit einem Kompromiss: …
Was halten Sie von folgendem Kompromiss: …
Wären alle damit einverstanden, wenn wir …

Ratschläge und Tipps geben

B1+K2M4 / B1+K3M4 / B1+K5M3 / B1+K5M4 / B1+K7M4 / B2K9M4

Am besten ist …
Du solltest … / Du könntest … /
Du musst …
Man darf nicht …
Da sollte man am besten …
Ich kann dir/euch nur raten …
Ich würde dir raten/empfehlen …
Am besten ist/wäre es …
Auf keinen Fall solltest du …
Wenn du mich fragst, dann …
Mir hat sehr geholfen, …
Es lohnt sich, …
Empfehlenswert ist, wenn …

Überleg dir das gut.
Sag mal, wäre es nicht besser …
Verstehe mich nicht falsch, aber …
Wir schlagen vor …
Wir geben die folgenden Empfehlungen: …
Sinnvoll/hilfreich/nützlich wäre, wenn …
Dabei sollte man beachten, dass …
Es ist besser, wenn …
Wie wäre es, wenn …?
Hast du schon mal über … nachgedacht?
An deiner Stelle würde ich …

3. Gefühle, Wünsche und Ziele ausdrücken

Gefühle und Wünsche ausdrücken

B2K2M4 / B2K4M4

Ich denke, dass …
Ich würde mir wünschen, dass …
Ich freue mich, wenn …
Mir geht es …, wenn ich …
Ich glaube, dass …

Ich fühle mich …, wenn …
Für mich ist es schön/gut/leicht …
Mir ist aufgefallen, dass …
Ich frage mich, ob …
Für mich ist es schwierig, wenn …

Verständnis/Unverständnis ausdrücken

B1+K3M4 / B1+K7M4

Ich kann gut verstehen, dass …
Es ist ganz normal, dass …
Ich verstehe … nicht.

Ich würde anders reagieren.
Es ist verständlich, dass …

Situationen einschätzen

B2K9M4

Welches Gefühl hast du, wenn du an …
denkst?
Was macht dich glücklich/traurig/ …?
Was sagt … zu deinen Gefühlen?

Wie geht es dir bei dem Gedanken, …?
Wie würde … reagieren, wenn …?
Was sagt … zu …?

Glückwünsche ausdrücken B1+K1M4 / B2K7M4

Herzlichen Glückwunsch!
Ich bin sehr froh, dass …
Ich freue mich sehr/riesig für dich/euch.

Das ist eine tolle Nachricht!
Es freut mich, dass …

Ziele ausdrücken B1+K5M1

Ich hätte Spaß daran, …
Ich hätte Lust, …
Ich hätte Zeit, …
Ich wünsche mir, …

Ich habe vor, …
Für mich wäre es gut, …
Es ist notwendig, …
Für mich ist es wichtig, …

4. berichten und beschreiben

eigene Erfahrungen ausdrücken B1+K3M4 / B2K1M1

Ich habe ähnliche Erfahrungen gemacht, als …
Wir haben gute/schlechte Erfahrungen
gemacht mit …
Mir ging es ganz ähnlich, als …
Bei mir war das damals so: …
Wir haben oft bemerkt, dass …
Es ist ein gutes Gefühl, … zu …

… erweitert den Horizont.
Man lernt … kennen und dadurch … schätzen.
Man lernt sich selbst besser kennen.
Ich hatte Probleme mit …
Es ist schwer, … zu …
Mir fehlt …

über interkulturelle Missverständnisse berichten B2K1M3

In … gilt es als sehr unhöflich, …
Ich habe gelesen, dass man in … nicht …
Von einem Freund aus … weiß ich, dass
man dort leicht missverstanden wird, wenn
man …

Als ich einmal in … war, ist mir etwas sehr
Unangenehmes/Lustiges passiert. …
Wir hatten einmal Besuch von Freunden aus …
Wir konnten nicht verstehen, warum/dass …

einen Gegensatz ausdrücken B1+K3M4 / B2K1M1

Im Gegensatz zu Doris mache ich …
Während Doris …, habe ich …

Bei mir ist das ganz anders.
Während Peter abends …, mache ich …

einen Begriff erklären B2K4M2

Meiner Meinung nach bedeutet …, dass …
Unter … verstehe ich, …

Für mich ist ein Mensch …, wenn er …

recherchierte Ereignisse vorstellen B2K8M2

Ich werde von … berichten.
Ich habe … ausgesucht, weil …
Ich fand … besonders interessant.

Eigentlich finde ich … nicht so
interessant, aber …
Das erste/zweite Ereignis passierte …

historische Daten nennen B2K8M2

Im Jahr …
Am …
Vor 50, 100, … Jahren …

… Jahre davor/danach …
… begann/endete/ereignete sich …

eine Grafik beschreiben B1+K2M2 / B2K10M3

Einleitung
Die Grafik zeigt …
Die Grafik informiert über …
Die Grafik gibt Informationen über …
Die Grafik stellt … dar.
Die Angaben erfolgen in Prozent.

Hauptpunkte beschreiben
Auffällig/Bemerkenswert/Interessant ist, dass …
Die meisten … / Die wenigsten …
An erster Stelle … / An unterster/letzter Stelle
steht/stehen/sieht man …
Am wichtigsten …
… Prozent sagen/meinen …

Die Grafik unterscheidet …
Im Vergleich zu …
Verglichen mit …
Im Gegensatz zu …
Während …, zeigt sich …
Ungefähr die Hälfte …
Die Grafik auf der zweiten Folie zeigt, …
Man kann deutlich sehen, dass …
In den Jahren von … bis … ist … stetig
gestiegen / hat … zugenommen / ist …
gewachsen.
Seit … nimmt die Zahl der … ab /
fällt die Zahl der … / gibt es immer weniger …
Die Zahl der … ist wesentlich/erheblich höher
als …

Redemittel

Einleitung
Das Thema meines Vortrags/Referats / meiner Präsentation lautet/ist ...
Ich spreche heute zu dem Thema ... / zu Ihnen über ...
Ich möchte heute etwas über ... erzählen.
Ich möchte Ihnen heute neue Forschungsergebnisse zum Thema ... vorstellen.

Strukturierung
Mein Vortrag besteht aus drei Teilen: ...
Mein Vortrag ist in drei Teile gegliedert: ...
Zuerst möchte ich über ... sprechen und dann etwas zum Thema ... sagen. Im dritten Teil geht es dann um ... und zum Schluss möchte ich noch auf ... eingehen.
Ich möchte auf vier wesentliche Punkte / Punkte, die mir wesentlich erscheinen, eingehen.

Übergänge
Soweit der erste Teil. Nun möchte ich mich dem zweiten Teil zuwenden.

Nun spreche ich über ...
Ich komme jetzt zum zweiten/nächsten Teil.

auf Folien verweisen
Ich habe einige Folien/Power-Point-Folien zum Thema vorbereitet.
Auf dieser Folie sehen Sie ...
Auf dieser Folie habe ich ... für Sie ... dargestellt/zusammengefasst.
Hier erkennt man deutlich, dass ...
Wie Sie hier sehen können, ist/sind ...

Schluss
Ich komme jetzt zum Schluss.
Zusammenfassend möchte ich sagen, ...
Abschließend möchte ich noch erwähnen, ...
Ich hoffe, Sie haben einen Überblick über ... erhalten.
Lassen Sie mich zum Schluss noch sagen / noch einmal darauf hinweisen, dass ...
Das wären die wichtigsten Informationen zum Thema ... gewesen. Gibt es noch Fragen?
Vielen Dank für Ihre Aufmerksamkeit.
Wenn Sie noch Fragen haben, bin ich gerne für Sie da.

5. zusammenfassen

Zusammenfassungen einleiten
In dem Text geht es um ...
Der Text handelt von ...
Das Thema des Textes ist ...
Der Text behandelt die Frage, ...

Informationen wiedergeben
Im ersten/zweiten/nächsten Abschnitt geht es um ...

Anschließend/Danach/Im Anschluss daran wird beschrieben/dargestellt/darauf eingegangen, dass ...
Eine wesentliche Aussage ist ...
Der Text nennt folgende Beispiele: ...

Zusammenfassungen abschließen
Zusammenfassend kann man sagen, dass ...
Als Hauptaussage lässt sich festhalten, dass ...

Informationen zusammenfassen

über vergangene Zeiten berichten

Damals war es so, dass …
Anders als heute, war es damals nicht möglich, …
Wenn man früher … wollte, musste man …
Häufig/Meistens war es normal, dass …
In dieser Zeit …

von einem historischen Ereignis berichten

Es begann damit, dass …
Die Ereignisse führten dazu, dass …
Die Meldung / Das Ereignis … hatte zur Folge, dass …
Nachdem … bekannt gegeben worden war, …
Dank … kam es (nicht) zu …
Zunächst meldete … noch, dass …, aber …

ein Ereignis kommentieren

Meines Erachtens war besonders erstaunlich/ überraschend, dass …
Ich denke, … ist auch für andere Länder interessant/wichtig, weil …
Die Ereignisse zeigen, dass/wie …
Für mich persönlich hat … keine besondere Bedeutung, denn …

6. erzählen

Spannung aufbauen

Schlagartig wurde ihm/ihr klar/bewusst …
Ihm/Ihr blieb vor Schreck der Atem stehen.
Ihm/Ihr schlug das Herz bis zum Hals.
Wie aus dem Nichts stand plötzlich …
Was war hier los?
Warum war es auf einmal so …?
Was war das?

Ohne Vorwarnung war … da / stand … vor ihm/ihr …
Eigentlich wollte … gerade …, als aus heiterem Himmel …
Damit hatte er/sie nicht im Traum gerechnet: …
Was soll er/sie jetzt nur machen?

7. formelle Briefe

einen Beschwerdebrief schreiben

Erwartungen beschreiben

In Ihrer Anzeige beschreiben Sie …
Die Erwartungen, die Sie durch die Anzeige wecken, sind …
Durch Ihre Anzeige wird der Eindruck geweckt, dass …

Problem schildern

Leider musste ich feststellen, dass …
Meines Erachtens ist es nicht in Ordnung, dass …
Ich finde es völlig unangebracht, dass …

Forderung stellen

Ich muss Sie daher bitten, …
Ich erwarte, dass …
Deshalb möchte ich Sie auffordern …

einen Leserbrief verfassen B2K5M4

Einleitung

Mit großem Interesse habe ich Ihren
Artikel „ …" gelesen.
Ihr Artikel „ …" spricht ein interessantes/
wichtiges Thema an.

eigener Standpunkt / eigene Erfahrungen

Ich vertrete die Meinung / die Ansicht / den
Standpunkt, dass …
Aufgrund dieser Argumente bin ich der
Meinung, …
Meine Erfahrung hat mir gezeigt, dass …
Aus meiner Erfahrung heraus kann ich nur
unterstreichen, …

Beispiele anführen

Lassen Sie mich folgendes Beispiel anführen …
Man sieht das deutlich an folgendem Beispiel: …
Ein Beispiel dafür/dagegen ist …
An folgendem Beispiel kann man besonders
gut sehen, …

Pro-/Contra-Argumente anführen

Dafür/Dagegen spricht …
Einerseits/Andererseits …
Ein wichtiges Argument für/gegen … ist …

zusammenfassen

Insgesamt kann man sehen, …
Zusammenfassend lässt sich sagen, …
Abschließend möchte ich sagen, …

ein Bewerbungsschreiben verfassen B2K3M4

Einleitung

Sie suchen …
In Ihrer oben genannten Anzeige …
Da ich mich beruflich verändern möchte …

Vorstellung der eigenen Person

Nach erfolgreichem Abschluss meines …
In meiner jetzigen Tätigkeit als … bin ich …

Bisherige Berufserfahrung/Erfolge

Ein Praktikum bei der Firma … hat mir gezeigt,
dass …

Erwartungen an die Stelle

Mit dem Eintritt in Ihr Unternehmen verbinde
ich die Erwartung, …

Eintrittstermin

Die Tätigkeit als … könnte ich ab dem …
beginnen.

Schlusssatz und Grußformel

Über eine Einladung zu einem persönlichen
Gespräch freue ich mich sehr.
Mit freundlichen Grüßen

8. telefonieren

sich vorstellen und begrüßen
Ja, guten Tag, mein Name ist …
Guten Tag, hier spricht …
Guten Tag, … am Apparat.
…, mein Name.

falsch verbunden
Entschuldigung, mit wem spreche ich?
Oh, da habe ich mich verwählt, Verzeihung.
Ich glaube, ich bin falsch verbunden,
entschuldigen Sie.

sich verbinden lassen
Könnten Sie mich bitte mit Herrn/Frau …
verbinden?
Ich würde gern mit … sprechen.
Könnten Sie mir vielleicht die Durchwahl
geben?

eine Nachricht hinterlassen
Könnte ich eine Nachricht für … hinterlassen?
Könnten Sie Herrn/Frau … bitte Folgendes
ausrichten: …

das Gespräch einleiten
Ich rufe an wegen …
Ich rufe aus folgendem Grund an: …
Ich hätte gern Informationen zu …

Fragen stellen
Ich würde gern wissen, …
Mich würde auch interessieren, …
Wie ist das denn, wenn …
Ich wollte auch noch fragen, …

sich vergewissern
Könnten Sie das bitte wiederholen?
Ich bin mir nicht ganz sicher, ob ich Sie richtig
verstanden habe.
Wie war das noch mal?
Habe ich Sie richtig verstanden: …
Sie meinen also, … / Kann man also sagen,
dass …

auf Fragen antworten
Ja, also, das ist so: …
Dazu kann ich Ihnen Folgendes sagen: …
Das wird folgendermaßen gehandhabt: …

kurze Zusammenfassung/Rückversicherung
Gut, können wir Folgendes festhalten: …
Wir verbleiben also so: …

das Gespräch beenden und sich verabschieden
Das war's auch schon. Vielen Dank.
Gut, vielen Dank für die Auskunft.
Das hat mir sehr geholfen, vielen Dank.
Ich melde mich dann noch mal.
Auf Wiederhören.

Hier finden Sie die Grammatik aus Aspekte 1 (Niveau B1+) und Aspekte 2 (Niveau B2) in einer Übersicht. Die Verweise geben an, in welchen Kapiteln die entsprechenden Grammatikphänomene behandelt wurden: B1+ K8 = Aspekte 1 (Niveau B1+), Kapitel 8   B2 K7 = Aspekte 2 (Niveau B2), Kapitel 7

Verb

Konjunktiv II   B1+ K8

Man verwendet den Konjunktiv II, um:

Bitten höflich auszudrücken	*Könnten Sie mir das bitte genau beschreiben?*
Irreales auszudrücken	*Hätten Sie die Ware doch früher abgeschickt.*
Vermutungen auszudrücken	*Es könnte sein, dass er einen Defekt hat.*

Die meisten Verben bilden den Konjunktiv II mit den Formen von *würde* + Infinitiv.

ich **würde** anrufen	wir **würden** anrufen
du **würdest** anrufen	ihr **würdet** anrufen
er/es/sie **würde** anrufen	sie/Sie **würden** anrufen

Die Modalverben und die Verben *haben*, *sein* und *brauchen* bilden den Konjunktiv II mit den Formen des Präteritums und Umlaut. Die erste und die dritte Person Singular haben im Konjunktiv II immer die Endung **-e**.

ich w**ä**re, h**ä**tte, m**ü**sste, …	wir w**ä**ren, h**ä**tten, m**ü**ssten, …
du w**ä**r(e)st, h**ä**ttest, m**ü**sstest, …	ihr w**ä**r(e)t, h**ä**ttet, m**ü**sstet, …
er/es/sie w**ä**re, h**ä**tte, m**ü**sste, …	sie/Sie w**ä**ren, h**ä**tten, m**ü**ssten, …

Merke: ich s**o**llte, du s**o**lltest, …; ich w**o**llte, du w**o**lltest, …

Viele unregelmäßige Verben können den Konjunktiv II wie die Modalverben bilden, meistens verwendet man jedoch die Umschreibung mit *würde* + Infinitiv.

Ich käme gerne zu euch. / Ich würde gerne zu euch kommen.

Konjunktiv II der Vergangenheit   B2 K7

Eine Handlung in der Vergangenheit wurde **nicht** realisiert.

Bildung   *hätte/wäre* + Partizip II
*Wenn ich das vorher **gewusst hätte**, **wäre** ich nicht in Urlaub **gefahren**.*

Konjunktiv II der Vergangenheit mit Modalverben

Bildung   *hätte* + Infinitiv + Modalverb im Infinitiv
*Sie **hätten** mal besser auf Ihre Ernährung **achten sollen**.*

Wortstellung im Nebensatz

*Er sagte, dass ich besser auf meine Ernährung **hätte achten sollen**.*

Das Verb *haben* im Konjunktiv steht **vor** den Infinitiven, das Modalverb steht am Ende.

Verwendung des Konjunktiv I

In der indirekten Rede verwendet man den Konjunktiv I, um deutlich zu machen, dass man die Worte eines anderen wiedergibt. Die indirekte Rede mit Konjunktiv wird vor allem in der Wissenschaftssprache, in Zeitungen und in Nachrichtensendungen verwendet. In der gesprochenen Sprache wird in der indirekten Rede auch häufig der Indikativ gebraucht.

Konjunktiv I: Infinitivstamm + Endung

	sein	*haben*	Modalverben	andere Verben
ich	sei	habe > hätte	könne	sehe > würde sehen
du*	sei(e)st	habest	könnest	sehest
er/es/sie	sei	habe	könne	sehe
wir	seien	haben > hätten	können > könnten	sehen > würden sehen
ihr*	sei(e)t	habet	könnet	sehet
sie/Sie	seien	haben > hätten	können > könnten	sehen > würden sehen

* Der Konjunktiv I wird meistens in der 3. Person verwendet – die Formen in der 2. Person sind sehr ungebräuchlich – hier wird meist der Konjunktiv II verwendet.
Konjunktiv I entspricht den Formen des Indikativs.   ➜ Verwendung des Konjunktiv II / *würde* + Infinitiv

*Er sagt, die Leute **haben** keine Zeit.*   ➜ *Er sagt, die Leute **hätten** keine Zeit.*

Konjunktiv I der Vergangenheit

Im Konjunktiv I gibt es nur eine Vergangenheitsform. Sie wird mit dem Konjunktiv I von *haben* oder *sein* und dem Partizip II gebildet.
*Man sagt, Gutenberg **habe** den Buchdruck **erfunden** und Zeppelin **sei** der Erfinder der Luftschifffahrt **gewesen**.*

Einige Verben können mit *zu* + Infinitiv stehen und haben dann eine ähnliche Bedeutung wie Modalverben.

sein + *zu* + Infinitiv

*Der Umgang mit der Entwicklung **ist zu** **überlegen**.*	*Der Umgang mit der Entwicklung **muss** überlegt werden / **sollte** überlegt werden.*
*Die Probleme **sind** gut zu **bewältigen**.*	*Die Probleme **können** gut bewältigt werden.*

haben + *zu* + Infinitiv

*Die Regierung **hat** Arbeitnehmer besser **zu** **schützen**.*	*Die Regierung **muss** Arbeitnehmer besser schützen.*

nicht(s) brauchen + zu + Infinitiv

Man **braucht nichts zu machen.**	Man **muss** nichts machen.
Sie **brauchen nicht anzurufen.**	Sie **müssen** nicht anrufen.

Auch in Verbindung mit *nur* oder *erst* steht *brauchen* mit *zu* + Infinitiv:
Du **brauchst nur anzurufen.** Du **brauchst erst anzurufen**, wenn du zu Hause bist.

lassen + Infinitiv   B2 K10

Auch das Verb *lassen* kann mit einem weiteren Infinitiv stehen.

Bedeutung

Firmen **lassen** Anbieter die Kosten zahlen.	Firmen **veranlassen**, dass Anbieter die Kosten zahlen (müssen).
Man **lässt** die Mitarbeiter **entscheiden.**	Man **erlaubt** den Mitarbeitern zu entscheiden.

Passiv   B1+ K10; B2 K5

Verwendung

Man verwendet das **Passiv**, wenn ein Vorgang oder eine Aktion im Vordergrund steht (und nicht eine handelnde Person).
Das **Aktiv** verwendet man, wenn wichtig ist, wer oder was etwas macht.

Bildung des Passivs *werden* + Partizip II

Präsens	*Die Begeisterung wird geweckt.*	werde/wirst/wird ... + Partizip II
Präteritum	*Die Begeisterung wurde geweckt.*	wurde/wurdest/wurde ... + Partizip II
Perfekt	*Die Begeisterung ist geweckt worden.*	bin/bist/ist ... + Partizip II + worden
Plusquamperfekt	*Die Begeisterung war geweckt worden.*	war/warst/war ... + Partizip II + worden

Die meisten Verben mit Akkusativ können das Passiv bilden. Der Akkusativ im Aktiv-Satz wird im Passiv-Satz zum Nominativ.

Aktiv-Satz   **Passiv-Satz**

Der Architekt (plant) *Wohnungen.*	*Wohnungen* (werden) *(vom Architekten)* (geplant.)
Nominativ Akkusativ	Nominativ (von + Dativ)

Andere Ergänzungen bleiben im Aktiv und im Passiv im gleichen Kasus.

Er schenkt meinem Sohn eine Wohnung.			*Meinem Sohn wird eine Wohnung geschenkt.*	
Nominativ	Dativ	Akkusativ	Dativ	Nominativ

Handelnde Personen oder Institutionen werden mit *von* + Dativ angegeben, Umstände und Ursachen mit *durch* + Akkusativ.

Passiv mit Modalverben

Modalverb + Partizip II + *werden* im Infinitiv
*Die Wohnungen **müssen geplant werden**.*

Passiversatzformen   B1+ K10; B2 K5

man

*Hier baut **man** Häuser.*   = *Hier werden Häuser gebaut.*

Passiversatzformen mit modaler Bedeutung

sein + Adjektiv mit Endung *-bar/-lich*
*Das Projekt ist nicht **finanzierbar**.*   = *Das Projekt **kann** nicht finanziert werden.*

sein + *zu* + Infinitiv
*Die Begeisterung der Kinder für die Wissenschaft **ist** frühzeitig **zu wecken**.*
= *Die Begeisterung der Kinder **muss/kann/soll** frühzeitig geweckt werden.*

sich lassen + Infinitiv
*Das Projekt **lässt sich** nicht **finanzieren**.*   = *Das Projekt **kann** nicht finanziert werden.*

Zeitformen:	
jetzt (Präsens)	*Das Projekt **lässt** sich nicht **finanzieren**.*
früher (Präteritum)	*Das Projekt **ließ** sich nicht **finanzieren**.*
(Perfekt)	*Das Projekt **hat** sich nicht **finanzieren lassen**.*
in Zukunft (Futur)	*Das Projekt **wird** sich nicht **finanzieren lassen**.*

Passiv mit *sein*   B2 K7

Passiv mit *werden*	**Passiv mit *sein***
*Der Mantel **wurde** mit EC-Karte bezahlt.*	*Der Mantel **ist** bezahlt.*
*Die EC-Karte **ist** gesperrt **worden**.*	*Die Karte **ist** gesperrt.*
↓	↓
Vorgang, Prozess	**neuer Zustand, Resultat eines Vorgangs**

Bildung   *sein* + Partizip II

Präsens	*Die Karte ist gesperrt.*	*sein* im Präsens
Präteritum	*Die Karte war gesperrt.*	*sein* im Präteritum

Nomen-Verb-Verbindungen sind feste Verbindungen zwischen einem Nomen und einem Verb, zu denen Artikel oder Präpositionen dazukommen können. In einer Nomen-Verb-Verbindung hat das Verb meist seine ursprüngliche Bedeutung verloren und nur noch eine grammatische Funktion. Die Hauptbedeutung liegt beim Nomen. Oft ist das Nomen von dem Verb abgeleitet, das der Bedeutung der Verbindung entspricht: *eine Frage stellen* ➔ *fragen.*
Es gibt aber auch viele Verbindungen, die eine ganz andere Bedeutung haben:
in Kauf nehmen ➔ ~~kaufen~~ *akzeptieren.*

Nomen-Verb-Verbindungen werden häufig in der Schriftsprache verwendet.
*Wir müssen die Endlichkeit von Erdgas und Erdöl **zur Kenntnis nehmen.***
*Viele alternative Energieformen **stehen** unbegrenzt **zur Verfügung.***

Einige Nomen-Verb-Verbindungen sind auch in der gesprochenen Sprache häufig.
Das spielt doch keine Rolle. / Darf ich eine Frage stellen? / Sie müssen einen Antrag stellen. Kannst du mal schnell Bescheid sagen? / Nimm doch bitte auch mal Rücksicht auf mich.

➔ siehe Liste der Nomen-Verb-Verbindungen im Arbeitsbuch

Adjektiv

Typ 1: bestimmter Artikel + Adjektiv + Substantiv

	maskulin	neutrum	feminin	Plural
Nominativ	der mutig**e** Mann der	das mutig**e** Kind das	die mutig**e** Frau die	die mutig**en** Helfer die
Akkusativ	den mutig**en** Mann den			
Dativ	(mit) dem mutig**en** Mann dem	(mit) dem mutig**en** Kind dem	(mit) der mutig**en** Frau der	(mit) den mutig**en** Helfern den
Genitiv	(die Geschichte) des mutig**en** Mannes des	(die Geschichte) des mutig**en** Kindes des	(die Geschichte) der mutig**en** Frau der	(die Geschichte) der mutig**en** Helfer der

auch nach:
– Demonstrativartikel: *dieser, dieses, diese; jener, jenes, jene; derselbe, dasselbe, dieselbe*
– Fragewort: *welcher, welches, welche*
– Indefinitartikel: *jeder, jedes, jede; alle* (Plural!)

Typ 2: unbestimmter Artikel + Adjektiv + Substantiv

	maskulin	neutrum	feminin	Plural
Nominativ	ein mutig**er** Mann _der_	ein mutig**es** Kind _das_	eine mutig**e** Frau _die_	mutig**e** Helfer _die_
Akkusativ	einen mutig**en** Mann _den_			
Dativ	(mit) einem mutig**en** Mann _dem_	(mit) einem mutig**en** Kind _dem_	(mit) einer mutig**en** Frau _der_	(mit) mutig**en** Helfern _den_
Genitiv	(die Geschichte) eines mutig**en** Mannes _des_	(die Geschichte) eines mutig**en** Kindes _des_	(die Geschichte) einer mutig**en** Frau _der_	(die Geschichte) mutig**er** Helfer _der_

im Singular ebenso nach:
– Negationsartikel: _kein, keine, kein_
– Possessivartikel: _mein, meine, mein, …_
Im Plural nach Negationsartikel und Possessivartikel immer **-en**.

Typ 3: Nullartikel + Adjektiv + Substantiv

	maskulin	neutrum	feminin	Plural
Nominativ	mutig**er** Mann _der_	mutig**es** Kind _das_	mutig**e** Frau _die_	mutig**e** Helfer _die_
Akkusativ	mutig**en** Mann _den_			
Dativ	(mit) mutig**em** Mann _dem_	(mit) mutig**em** Kind _dem_	(mit) mutig**er** Frau _der_	(mit) mutig**en** Helfern _den_
Genitiv	(trotz) mutig**en** Mannes _des_	(trotz) mutig**en** Kindes _des_	(trotz) mutig**er** Frau _der_	(trotz) mutig**er** Helfer _der_

auch nach:
– Zahlen
– Indefinitartikel im Plural: _einige, viele, wenige, etliche, andere, manche_

– Indefinitartikel im Singular: _viel, mehr, wenig_
– Relativpronomen im Genitiv: _dessen, deren_

Grammatik

Graduierung der Adjektive
B1+ K2

regelmäßig ohne Umlaut

Grundform	Komparativ	Superlativ
klein	kleiner	am kleinsten
hell	heller	am hellsten
billig	billiger	am billigsten

regelmäßig mit Umlaut

Grundform	Komparativ	Superlativ
warm	wärmer	am wärmsten
lang	länger	am längsten
jung	jünger	am jüngsten
klug	klüger	am klügsten
groß	größer	am größten

Adjektive auf -d, -t, -s, -ß, -sch, -st, -z

Grundform	Komparativ	Superlativ
breit	breiter	am breitesten
wild	wilder	am wildesten
heiß	heißer	am heißesten
hübsch	hübscher	am hübschesten
kurz	kürzer	am kürzesten

unregelmäßig

Grundform	Komparativ	Superlativ
gut	besser	am besten
viel	mehr	am meisten
hoch	höher	am höchsten
nah	näher	am nächsten

Merke: Auch das Adverb *gern* kann man steigern: gern – lieber – am liebsten

Vergleich
B1+ K2; B2 K2

genauso/so + Grundform + *wie*	*Dein Balkon ist **genauso groß wie** meiner.* *Meine Wohnung ist nicht **so groß wie** deine.*
Komparativ + *als*	*Deine Wohnung ist viel **heller als** meine.*
anders / anderer, anderes, andere + als	*Die neue Wohung ist ganz **anders** geschnitten **als** die alte.*
je + Komparativ … desto/umso + Komparativ	*Je **eindeutiger** die Signale sind,* (= Nebensatz) *desto/umso **besser** verstehen wir sie.* (= Hauptsatz)

Partizipien als Adjektive
B2 K8

Partizipien als Adjektive geben nähere Informationen zu Substantiven. Sie stehen zwischen Artikelwort und Substantiv. Die Partizipien können zusammen mit anderen Erweiterungen stehen (z.B. Adverbien oder Adjektiven). Partizipien als Adjektive kann man meist alternativ mit einem Relativsatz umschreiben.

Partizip als Adjektiv	Relativsatz
*Die Passagiere müssen die **anfallenden** Arbeiten gerecht aufteilen.*	*Die Passagiere müssen die Arbeiten, **die anfallen**, gerecht aufteilen.*

Bildung: Partizip als Adjektiv

Beschreibung von Gleichzeitigem **Partizip I + Adjektivendung** *Die Zuschauer leiden mit bei einem gnaden- los **tobenden** Sturm.*	bei Umformung in einen Relativsatz: **Relativsatz im Aktiv** *Die Zuschauer leiden mit bei einem Sturm, der gnadenlos **tobt**.*
Beschreibung von Vorzeitigem **Partizip II + Adjektivendung** *Alle feiern gemeinsam ein lange geplantes Bordfest.*	bei Umformung in einen Relativsatz: **Relativsatz im Passiv** *Alle feiern gemeinsam ein Bordfest, **das lange geplant worden ist**.*

Pronominaladverb (daran, dafür, ...) und Fragewort (woran, wofür, ...)

woran, wofür, worüber, ...	daran, darauf, darüber, ...	B1+ K6
***Worüber** freust du dich?* ***Woran** nimmt er teil?*	*Ich freue mich **über die neue Stelle**.* *Er nimmt **an einer Schulung** teil.*	*Ich freue mich **darüber**.* *Er nimmt **daran** teil.*

da.../wo... mit r, wenn die Präposition mit einem Vokal beginnt: auf → darauf/worauf

eine Sache / ein Ereignis: mit Pronominaladverb/Fragewort
○ *Erinnerst du dich **an das Gespräch**?*   ● ***Woran** soll ich mich erinnern?*
                                              ● *Natürlich erinnere ich mich **daran**.*

eine Person / eine Institution: mit Präposition + Pronomen
○ *Erinnerst du dich **an Sabine**?*   ● ***An wen** soll ich mich erinnern?*
                                        ● *Natürlich erinnere ich mich **an sie**.*

Pronominaladverb + Nebensatz / Infinitiv mit zu
*Ich freue mich darüber, **dass** du die neue Stelle bekommen hast.*
*Er freut sich darauf, in Urlaub **zu fahren**.*

→ siehe Liste der festen Präpositionen mit Verb/Adjektiv/Substantiv im Arbeitsbuch

Pronomen

Relativpronomen   B1+ K7; B2 K4, B2 K6

	Singular			Plural
Nominativ	der	das	die	die
Akkusativ	den	das	die	die
Dativ	dem	dem	der	**denen**
Genitiv	**dessen**	**dessen**	**deren**	**deren**

Genus und Numerus des Relativpronomens richten sich nach dem Bezugswort, der Kasus nach dem Verb im Relativsatz oder der Präposition.

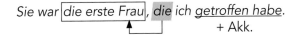

Sie war die erste Frau, *die* ich <u>getroffen habe</u>.
+ Akk.

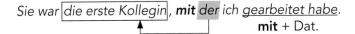

Sie war die erste Kollegin, **mit** *der* ich <u>gearbeitet habe</u>.
mit + Dat.

Relativpronomen im Genitiv

Wir verstehen die Sprache, deren Klang ganz anders ist, nicht.

= Wir verstehen die Sprache nicht. Der Klang dieser Sprache ist ganz anders.

Nach dem Relativpronomen im Genitiv folgt ein Substantiv ohne Artikel.

Relativpronomen *wo, wohin, woher*

Gibt ein Relativsatz einen Ort, eine Richtung oder einen Ausgangspunkt an, kann man alternativ zum Relativpronomen auch *wo, wohin, woher* verwenden.

Ich habe Anne in der englischen Kleinstadt kennengelernt,
... wo wir gearbeitet haben.   ... wohin ich gezogen bin.   ... woher mein Kollege kommt.

Bei Städte- und Ländernamen benutzt man immer *wo, wohin, woher.*
Pablo kommt aus Sao Paulo, wo auch seine Familie lebt.

Relativpronomen *was*

Bezieht sich das Relativpronomen auf einen ganzen Satz oder stehen die Pronomen *etwas, alles* und *nichts* im Hauptsatz, dann verwendet man das Relativpronomen *was.*

Meine Kinder sehen ihre Großeltern höchstens einmal im Jahr, was ich wirklich schade finde.

Mit Maja kann ich alles nachholen, was ich verpasst habe.

Es gibt eigentlich nichts, was mich an ihm stört.

Relativpronomen *wer*

Nominativ	wer	Relativsätze mit *wer* beschreiben eine unbestimmte Person näher. Der Nebensatz beginnt mit dem Relativpronomen *wer,* der Hauptsatz mit dem Demonstrativpronomen *der.* Wenn beide Pronomen im gleichen Kasus stehen, kann das Demonstrativpronomen entfallen.
Akkusativ	wen	
Dativ	wem	
Genitiv (selten)	wessen	

Jemand hat solche
Eintragungen.

Wer solche Eintragungen hat,
(Nominativ)

Er hat sich seine Zukunft verbaut.

[der] hat sich seine Zukunft verbaut.
(Nominativ)

Jemand kommt in sein Training. Ihn bringt er nicht zur Polizei.

Wer *in sein Training kommt,* **den** *bringt er nicht zur Polizei.*
(Nominativ) (Akkusativ)

Indefinitpronomen   B2 K5

Indefinitpronomen beschreiben Personen, Orte sowie Zeiten und Dinge, die nicht genauer definiert werden. So erhalten die Aussagen mit Indefinitpronomen einen allgemeinen Charakter.
Nur die Indefinitpronomen, die Personen bezeichnen, sind deklinierbar.

Nominativ	man/einer	niemand	jemand	irgendwer
Akkusativ	einen	niemanden*	jemanden*	irgendwen
Dativ	einem	niemandem*	jemandem*	irgendwem

* In der gesprochenen Sprache wird im Akkusativ und Dativ auch die Form des Nominativ benutzt:

○ Hast du *jemand* getroffen, den du kennst?   ● Nein, *niemand.*

Indefinitpronomen	**Negation**
Person: man, jemand, einer, irgendwer	→ niemand, keiner
Ort: irgendwo, irgendwoher, irgendwohin	→ nirgendwo, nirgendwoher, nirgendwohin
Zeit: irgendwann	→ nie, niemals
Dinge: irgendwas, etwas	→ nichts

Das Wort *es*   B2 K2

obligatorisches *es* steht bei:

Wetterverben	*es nieselt, es regnet, es hagelt, es schneit, es gewittert, es stürmt*
festen lexikalischen	*Wie geht es dir/Ihnen?, es geht um …, es ist gut/schlecht/schön …,*
Verbindungen mit *es*	*es gibt …, es kommt darauf an …, es handelt sich um …*

es, das durch ein Subjekt ersetzt werden kann

Es kann auch als Subjekt bei Verben stehen, wenn kein Subjekt genannt werden kann/soll. Wird
das Subjekt genannt, entfällt *es*:

Es hat geklingelt. → *Der Postbote / Jemand / … hat geklingelt.*

Wie gefällt es Ihnen? → *Wie gefällt Ihnen die Feier / der Abend / das Theater / …?*

es als Platzhalter auf Position 1

Im Aussagesatz muss die erste Position immer besetzt sein, damit das Verb auf Position 2 stehen kann. Ist die Position 1 von einem anderen Satzglied oder einem Nebensatz besetzt, entfällt *es*.

Es	*ist*	*wirklich eine hohe Kunst, ein Gespräch zu eröffnen.*
Es	*sind*	*noch nicht viele Leute da.*

Ein Gespräch zu eröffnen,	*ist*	*wirklich eine hohe Kunst.*
Viele Leute	*sind*	*noch nicht da.*

Es steht auch häufig in Sätzen mit unpersönlichem Passiv, um die Position 1 zu besetzen:
Es wurde viel gegessen. ➜ *Gegessen wurde viel.*

es als Akkusativ-Ergänzung

In Hauptsätzen steht *es* oft auch als Akkusativ-Ergänzung und verweist dann auf einen Nebensatz mit *dass* oder Infinitiv mit *zu*. Wenn der Nebensatz vorangestellt ist, entfällt *es*.

Ich kann es kaum glauben, dass er wieder zu spät kommt. ➜ *Dass er wieder zu spät kommt, kann ich kaum glauben.*
Er findet es ärgerlich, wieder zu spät zu kommen. ➜ *Wieder zu spät zu kommen, findet er ärgerlich.*

Präpositionen

Präpositionen   B1+ K8, K9; B2 K6

	Zeit	Ort	Grund/ Gegengrund	Art und Weise
mit Dativ	ab, an, aus, bei, in, nach, seit, vor, von … bis, von … an, zu, zwischen	von, aus, zu, ab, nach, bei	aus, vor	mit, aus, nach, bei
mit Akkusativ	bis, für, gegen, um, über	bis, durch, gegen, um	durch	ohne
mit Dativ oder Akkusativ (Wechsel- präpositionen)		in, an, auf, neben, zwischen, über, unter, vor, hinter		
mit Genitiv	während, innerhalb, außerhalb	inmitten, unweit, entlang, innerhalb außerhalb	dank, infolge, wegen, aufgrund, angesichts, anlässlich, trotz	

Die Präpositionen *dank, trotz, wegen* werden in der gesprochenen Sprache auch mit dem Dativ verwendet.

Feste Präpositionen bei Adjektiven, Substantiven und Verben ➜ siehe Liste im Arbeitsbuch

Partikeln

Modalpartikeln   B2 K9

doch, aber, ja, eben, ruhig, einfach, mal, schon, denn, eigentlich, also, wohl

Modalpartikeln werden vor allem in der gesprochenen Sprache gebraucht. Sie können in Äußerungen je nach Betonung Emotionen oder Einstellungen verstärken.

In Aussagesätzen stehen die Modalpartikeln meist nach dem Verb.

Denn steht nur in Fragesätzen, *eigentlich* und *also* in Fragen, Aussagen oder Aufforderungen.

Einige Partikeln können kombiniert werden, z.B. *doch wohl, einfach mal,* oder *denn eigentlich.*

Die **Bedeutung** ist vom Kontext und von der Betonung abhängig.
z.B.:
> Das ist **doch** nicht wahr! (Ausruf/Verärgerung)
> Du kannst **ihn** doch nicht anrufen. (Mahnung/Warnung)
> Das ist **doch** eine tolle Nachricht. (Freude/Überraschung)
> Nimm es **doch** nicht so schwer! (Mitleid/Rat)

Negation

Negationswörter   B2 K1

etwas	↔	nichts	schon/bereits einmal	↔	noch nie
jemand	↔	niemand	immer	↔	nie
irgendwo/überall	↔	nirgendwo/nirgends	(immer) noch	↔	nicht mehr
schon/bereits	↔	noch nicht			

Negation mit Wortbildung   B2 K1

miss-	verneint Verben, Substantive und Adjektive
un-, in-, des-/dis-, a-/ab-, non-	verneinen Substantive und Adjektive
-los/-frei, -leer	verneinen Adjektive

Position von *nicht*   B2 K1

Wenn *nicht* einen ganzen Satz verneint, steht es im Satz ganz hinten oder vor dem zweiten Teil der Satzklammer (z.B. Partizip, Infinitiv, trennbarer Verbteil), vor Adjektiven (*gut, schön, teuer, früh,* …) und vor Präpositional-Ergänzungen (*Ich interessiere mich nicht für …*) sowie lokalen Angaben (*Er ist heute nicht hier.*).

Wenn *nicht* einen Satzteil verneint, steht es direkt vor diesem Satzteil (*Ich habe nicht gestern angerufen, sondern heute!*).

Wortstellung im Satz

Dativ- und Akkusativ-Ergänzungen   B2 K1

Dativ vor Akkusativ   *Ich gebe dem Mann die Schlüssel.*

ABER:

Akkusativ-**Pronomen vor** Dativ   *Ich gebe sie dem Mann / ihm.*

Reihenfolge der Angaben im Mittelfeld   B2 K1

Für die Reihenfolge der Angaben im Mittelfeld gibt es keine festen Regeln, aber meistens gilt die Reihenfolge:

temporal (wann?) – **ka**usal (warum?) – **mo**dal (wie?) – **lo**kal (wo? woher? wohin?): tekamolo

Ich	bin	Mittelfeld				gezogen.
		vor einigen Jahren	aus beruflichen Gründen	spontan	nach Neuseeland	
		temporal	**kausal**	**modal**	**lokal**	

Will man eine Angabe betonen, so ändert sich die Reihenfolge. Man kann z.B. das, was man betonen möchte, auf Position 1 stellen.

***Aus beruflichen Gründen** bin ich vor einigen Jahren spontan nach Neuseeland gezogen.*

Reihenfolge von Angaben und Ergänzungen im Mittelfeld   B2 K1

Gibt es im Satz außer den Angaben auch Ergänzungen, steht die Dativ-Ergänzung vor oder nach der temporalen Angabe und die Akkusativ-Ergänzung vor der lokalen Angabe. Präpositional-Ergänzungen stehen normalerweise nach den Angaben, am Ende des Mittelfelds.

Ich	habe	Mittelfeld					geschickt.
		meiner besten Freundin	jeden Tag	aus Heimweh	mehrere E-Mails	ins Büro	
		Dativ	**temporal**	**kausal**	**Akkusativ**	**lokal**	

oder

Ich	habe	jeden Tag	meiner besten Freundin	aus Heimweh	mehrere E-Mails	ins Büro	geschickt.
		temporal	**Dativ**	**kausal**	**Akkusativ**	**lokal**	

Nebensätze

Nebensatztypen   B1+ K2; B2 K3, B2 K4, B2 K7

Kausalsätze (Grund)	da, weil	Sie bleiben in der Wohnung, **da/weil** sie günstig ist.
Konzessivsätze (Gegengrund)	obwohl	Sie bleiben in der Wohnung, **obwohl** sie klein ist.
Konsekutivsätze (Folge)	..., sodass ...	Sie haben eine neue Wohnung gefunden, **sodass** sie bald umziehen können.
	so..., dass ...	Die Wohnung ist **so** klein, **dass** sie umziehen müssen.
Finalsatz (Absicht, Zweck)	um ... zu / damit	Ich rufe an, **um** dir die Änderungen durch**zu**geben.
		Ich rufe an, **damit** du Bescheid weißt.
alternative oder adversative Bedeutung (Gegensatz)	anstatt ... zu / anstatt dass	**(An)statt** lange zu telefonieren, könntest du mir eine Mail schicken.
		(An)statt dass wir telefonieren, schreib ich dir lieber eine Mail.
	während	**Während** die anderen für die gleiche Arbeit gutes Geld verdienen, geht man als Praktikant meistens ohne einen Cent nach Hause.
Einschränkung	ohne ... zu / ohne dass	Wir haben lange telefoniert, **ohne** über die Änderungen **zu** sprechen.
		Wir haben lange telefoniert, **ohne dass** ich nach den Änderungen gefragt habe.
Modalsatz (Art und Weise)	dadurch, dass	Das kann zum Beispiel **dadurch** geschehen, **dass** die Menschen sich viel zu lange vor dem Computer aufhalten.
	indem	Materielle Dinge lassen sich erschaffen, **indem** man auf den Knopf drückt.
irrealer Vergleichssatz mit Konjunktiv II	als ob	Mein Chef tut immer so, **als ob** das völlig normal wäre.
	als wenn	Es sieht so aus, **als wenn** Judo mir wirklich etwas gebracht hätte.

um ... zu, ohne ... zu, (an)statt ... zu: nur bei gleichem Subjekt in Haupt- und Nebensatz

Temporalsatz   **B1+ K9; B2 K3**

Frage	Bedeutung	Konnektor	Beispiel
Wann?	Gleichzeitigkeit A gleichzeitig mit B	wenn, als, während	*Als Thomas Cook 1845 die ersten Reisen organisierte (A), legte er den Grundstein für Pauschalreisen (B).* *Wenn man eine Pauschalreise bucht (A), erhält man noch heute den Hotelvoucher (B).* *Während Thomas Cook 1872 sein erstes Büro in Kairo eröffnete (A), begann in Liverpool die erste organisierte Weltreise (B).*
	Vorzeitigkeit A vor B mit Zeitenwechsel	nachdem	*Das Unternehmen verkauft die ersten Flugtickets (B), nachdem es weltweit Marktführer geworden ist (A).* *Nachdem das Unternehmen weltweit Marktführer geworden war (A), verkaufte es ab 1919 auch die ersten Flugtickets (B).*
	Nachzeitigkeit A nach B	bevor	*Bevor Thomas Cook im Jahre 1871 das Unternehmen „Thomas Cook & Son" gründete (A), führte er den Hotelvoucher ein (B).*
Seit wann?	Zeitraum vom Anfang der Handlung	seit, seitdem	*Seitdem Thomas Cook 1869 die erste Reise auf dem Nil anbot, stieg die Nachfrage nach organisierten Schiffsreisen.*
Wie lange? Bis wann?	Zeitraum bis zum Ende der Handlung	bis	*Thomas Cook führte das Unternehmen erfolgreich, bis er es 1879 seinem Sohn übergab.*

Indirekter Fragesatz   **B1+ K4**

Der indirekte Fragesatz klingt oft höflicher und offizieller. Er wird häufig in schriftlichen Texten verwendet (z.B. in Anfragen).

Direkter Fragesatz	**Indirekter Fragesatz**
W-Frage: *Warum spielst du Schach?*	Indirekter Fragesatz eingeleitet mit W-Wort: *Meine Schwester fragt, warum du Schach spielst.*
Ja-/Nein-Frage: *Spielst du Schach?*	Indirekter Fragesatz eingeleitet mit ob: *Mein Bruder fragt, ob du Schach spielst.*

Zweiteilige Konnektoren
B2 K3

Aufzählung:	Ich muss mich **sowohl** um Design **als auch** um die Finanzierung kümmern. Hier habe ich **nicht nur** nette Kollegen, **sondern auch** abwechslungsreiche Aufgaben.
„negative" Aufzählung:	Aber nichts hat geklappt, **weder** über die Stellenanzeigen in der Zeitung, **noch** über die Agentur für Arbeit.
Vergleich:	**Je** mehr Absagen ich bekam, **desto** frustrierter wurde ich.
Alternative:	**Entweder** man kämpft sich durch diese Praktikumszeit **oder** man findet wahrscheinlich nie eine Stelle.
Gegensatz/ Einschränkung	Da verdiene ich **zwar** nichts, **aber** ich sammle wichtige Berufserfahrung. **Einerseits** bleiben diese Kontakte oft oberflächlich, **andererseits** kann man auch wirklich wichtige berufliche Kontakte herstellen.

Textzusammenhang
B2 K6

In Wien steht ein weltberühmtes Schloss, das Schloss Schönbrunn. Dieses Schloss zählt zum UNESCO Weltkulturerbe. Seine weitläufigen Parkanlagen und das Schlossgebäude sind eine viel besuchte Sehenswürdigkeit in Wien.

Eine der bekanntesten Bewohnerinnen des Schlosses war Kaiserin Elisabeth, genannt Sissi. Sie heiratete im Alter von nur 17 Jahren Kaiser Franz Joseph, hatte aber Probleme mit dem strengen Leben am Kaiserlichen Hof. Besonders ihre Schwiegermutter war nicht einfach, weil diese aus Sissi eine würdige Kaiserin machen wollte.
Sissi war es damals nicht möglich, sich durchzusetzen, sodass ihr sogar die Erziehung ihrer eigenen Kinder untersagt wurde. Zuerst wurde sie krank, dann begann sie zu reisen, z.B. nach Kreta. Hier erholte sie sich.

Trotzdem blieb sie Zeit ihres Lebens unglücklich und wohl auch deshalb wurde ihr Leben mehrfach sehr erfolgreich verfilmt.

Sicherlich liegt es auch mit an den berühmten Sissi-Verfilmungen, dass Schloss Schönbrunn eine der ersten Sehenswürdigkeiten ist, woran Wien-Touristen denken.

Artikelwörter machen deutlich, ob ein Wort im Text bereits genannt wurde. Possessivartikel verweisen auf andere Substantive.
bestimmter Artikel: *der, das, die*
Demonstrativartikel: *dieser, dieses, diese*
Possessivartikel: *sein, sein, seine, …*
Pronomen verweisen auf Substantive, Satzteile oder ganze Sätze.
Personalpronomen: *er, es, sie, …*
Possessivpronomen: *seiner, seines, seine, …*
Relativpronomen: *der, das, die, …*
Indefinitpronomen: *man, niemand, jemand, …*
Demonstrativpronomen: *dieser, dieses, diese …*

Orts- und Zeitangaben machen Zeitbezüge deutlich und ordnen die Ereignisse räumlich ein.
Temporaladverbien: *damals, …*
Verbindungsadverbien: *zuerst, dann, …*
Andere Zeitangaben: *in diesem Moment, …*
Lokaladverbien: *hier, dort, …*
Konnektoren geben Gründe, Gegengründe Bedingungen, Folgen usw. wieder.
weil, denn, deshalb, obwohl, trotzdem, …

Pronominaladverbien mit *da(r)*- und *wo(r)*- stehen für Sätze und Satzteile.
darüber, daran, darauf, …; woran, worauf, …
Synonyme und Umschreibungen vermeiden Monotonie und machen den Text interessanter.
Schloss Schönbrunn – Hauptattraktion der Stadt Wien – das imposante Bauwerk – Palast

Prüfungsvorbereitung ────────────────────────

Prüfungsvorbereitung in Aspekte 2 Lehrbuch (LB) und Arbeitsbuch (AB)

Im Lehrbuch sowie im Arbeitsbuch finden Sie Aufgaben, die auf die Prüfungen zum B2-Niveau des Goethe-Instituts und von TELC vorbereiten.
Im Arbeitsbuch finden Sie auf der eingelegten CD-ROM je einen kompletten Übungstest.

Niveau B2	Goethe-Zertifikat	TELC Zertifikat Deutsch Plus
Leseverstehen		
Aufgabe 1	**AB** Kapitel 3, S. 37f., Ü1	**LB** Kapitel 4, S. 60f., A2 **AB** Kapitel 8, S. 94f., Ü1
Aufgabe 2	**LB** Kapitel 3, S. 45, A2, **AB** Kapitel 9, S. 111f. Ü5a	**LB** Kapitel 3, S. 45, A2 **AB** Kapitel 9, S. 111f., Ü5a
Aufgabe 3	**LB** Kapitel 6, S.97ff., A4b **AB** Kapitel 4 S. 51f., Ü2e	**AB** Kapitel 10, S. 122ff., Ü3
Aufgabe 4	**AB** Kapitel 2, S. 28, Ü3a **AB** Kapitel 7, S. 84, Ü4	–
Leseverstehen		
Sprachbausteine	–	**AB** Kapitel 1, S. 9, Ü2, (Teil 1) **AB** Kapitel 2, S. 21, Ü3, (Teil 2) **AB** Kapitel 4, S. 48, Ü4, (Teil 2) **AB** Kapitel 7, S. 88, Ü4a, (Teil 1)
Hörverstehen		
Aufgabe 1	**LB** Kapitel 3, S. 46f., A2	**LB** Kapitel 8, S. 125, A2
Aufgabe 2	**LB** Kapitel 5, S. 76f., A2b	**LB** Kapitel 2, S. 32, A2a
Aufgabe 3	–	**LB** Kapitel 7, S. 112, A1b
Schriftlicher Ausdruck		
Aufgabe 1	**LB** Kapitel 5, S. 83, A5c	**LB** Kapitel 3, S. 51, A4b (Bewerbungsschreiben) **LB** Kapitel 5, S. 83, A5c (Leserbrief) **LB** Kapitel 10, S. 163, A5c (Beschwerdebrief)
Aufgabe 2	**AB** Kapitel 1, S. 13, Ü3 **AB** Kapitel 10, S. 118, Ü2	–
Mündlicher Ausdruck		
Aufgabe 1	**LB** Kapitel 9, S. 147, A6 **AB** Kapitel 5, S. 56, Ü1c	**LB** Kapitel 6, S. 99, A6b
Aufgabe 2	**LB** Kapitel 7, S. 115, A5b	**LB** Kapitel 2, S. 29, A2e
Aufgabe 3	–	**LB** Kapitel 1, S. 19, A6 **AB** Kapitel 8, S. 100, Ü4
Übungstest *Österreichisches Sprachdiplom Deutsch (ÖSD)* auf der Langenscheidt-Homepage		

Lösungen zum Quiz Kapitel 5, S. 72/73

1. Eurasien misst <u>54,4 Millionen</u> km².
2. Der <u>Gepard</u> ist das schnellste Säugetier der Welt.
3. Eine Mücke schlägt pro Sekunde <u>1.000-mal</u> mit ihren Flügeln.
4. Der Durchmesser des sichtbaren Universums beträgt 25 Milliarden <u>Lichtjahre</u>.
5. Für jeden Schritt aktiviert der Mensch 54 <u>Muskeln</u>.
6. Katzen verschlafen etwa <u>50%</u> ihres Lebens.
7. Ein <u>Femtometer</u> ist die kleinste Längeneinheit. Sie entspricht 10^{-15} m.
8. In <u>Deutschland</u> werden alle 60 Sekunden 18.060 Liter Bier getrunken.
9. Der Hundertjährige Krieg währte <u>113</u> Jahre.
10. Als die älteste Schrift wird heute die <u>Keilschrift</u> betrachtet.

Lösungen und Auswertung zum Test Kapitel 7, S. 104/105

Lösungen

A
1 alle Monate
2 Monika
3 zwei Äpfel
4 drei Minuten
5 neun Schafe

B
1 Cousine
2 Cousine
3 Vater
4 acht

C
1 Joghurt und Quark (Milchprodukte)
2 Madrid und Berlin (Hauptstädte)
3 Physik und Biologie (Naturwissenschaften)
4 Gold und Silber (Edelmetalle)

D
1 C
2 H
3 M
4 M

E
1 dünn
2 vergessen
3 Wasser
4 brüllen

F
1 Freitag
2 Samstag
3 28.12.
4 Donnerstag

Auswertung

20–25 Punkte:

Sie sind außergewöhnlich gut darin, mathematisch-logische und sprachliche Probleme zu lösen. Sie zerlegen die kompliziertesten Zusammenhänge in kleine, leicht verdauliche Häppchen. Ihre Schnelligkeit wird dabei nur von Ihrem Einfallsreichtum übertroffen. Sie lernen systematisch und verfügen über einen messerscharfen Verstand. Kurz um, Sie beherrschen die Kunst der Präzision.

15–20 Punkte:

Die Auswertung Ihrer Antworten hat gezeigt, dass Sie Talent im Erkennen und im Verarbeiten sprachlicher und mathematischer Informationen haben. Leider sind Sie dabei manchmal zu schnell und denken oft ein Problem nicht bis zum Ende durch. Konzentrieren Sie sich und vergessen Sie nicht, Ihre Lösungen zu überprüfen.

unter 15 Punkte (= unter 60%):

Versuchen Sie den Test noch einmal und machen Sie sich, eventuell mithilfe anderer, den Lösungsweg bewusst. Vielleicht hilft es, sich die Aufgabe durch eine Skizze oder eine kleine Zeichnung zu verdeutlichen. Gehen Sie ganz systematisch vor, überlegen Sie Schritt für Schritt und kommen Sie nicht vorschnell zu einer Lösung.

Lösungen zu Kapitel 8, S. 127 ⎯⎯⎯⎯⎯⎯⎯⎯⎯⎯⎯⎯

„Wilhelm Tell ist der wichtigste Freiheitskämpfer der Schweiz."

Der Dichter Friedrich Schiller machte mit seinem Drama „Wilhelm Tell" (1804) den Jäger aus dem Schweizer Ort Bürglen zum Helden des Schweizer Freiheitskampfes. Allerdings gibt es keine Belege dafür, dass Wilhelm Tell tatsächlich gelebt hat und auch der Landvogt namens Geßler, den Wilhelm Tell der Sage nach ermordet hat und dadurch den Freiheitskampf entfachte, ist in keiner historischen Akte oder Urkunde erwähnt.

„Charles Lindbergh flog als erster Mensch über den Atlantik."

Im Mai 1927 flog Charles Lindbergh von New York nach Paris – und brauchte dafür über 33 Stunden. Dieser Flug war ein großes Medienereignis und das durchaus gewollt, denn Geschäftsleute aus St. Louis zahlten den Flug der Maschine, die auf den Namen „Spirit of St. Louis" getauft wurde. Sicherlich war dieser Flug der seinerzeit meist beachtetste Flug über den Atlantik und Lindbergh war der erste Mensch, der diese Strecke alleine flog. Aber schon acht Jahre vorher wurde der Atlantik zum ersten Mal überflogen, zunächst mit sechs Zwischenlandungen und einen Monat später, im Juni, bereits nonstop von zwei Engländern. Insgesamt haben bereits 66 Männer den Atlantik auf dem Luftweg überquert, bevor Charles Lindbergh diese Reise als erster Alleinflieger unternahm.

„Der Treibstoff ‚Benzin' ist nach Carl Benz, dem Pionier der Autoindustrie, benannt."

Der berühmte Ingenieur Carl Benz war zwar Pionier der Autoindustrie, das Wort ‚Benzin' aber gab es schon, bevor Carl Benz das Licht der Welt erblickte. Vermutlich ist der Begriff arabischen Ursprungs und geht auf das Wort ‚Benoeharz' zurück, aus dem Benzin ursprünglich gewonnen wurde.

Vorlage für eigene Porträts

Bilder

Name	
Vorname(n)	
Nationalität	
geboren am	
Beruf(e)	
bekannt für	
wichtige Lebensstationen	
gestorben am	
Informationsquellen (Internet, ...)	

Quellenverzeichnis

Bilder

S. 8 shutterstock.com (l.); Sven Williges (o.r.); Helen Schmitz (M.l.); Ute Koithan (M.r.); Fotolia (u.)

S. 9 Dieter Mayr (o.l., u.M.); Heike Bühler (o.r.); shutterstock.com (M.l., M.r., u.r.); Fotolia (u.l.)

S. 10 Gaynor Ramsey

S. 12 Bettina Lindenberg (u.M.); DB AG/Hans-Joachim Krumnow (o.r.)

S. 14 shutterstock.com

S. 16 Ullstein Bild

S. 18 Koko N'Diabi Roubatou Affo-Tenin (o); iStockphoto (M.); Sandeep Singh Jolly (u.)

S. 20 Ullstein Bild

S. 21–22 ZDF 37° Sendung „Nichts wie weg ? – Von Auswanderern und Rückkehrern."*

S. 24 akg images (B); shutterstock.com (C o., u.l.); iStockphoto (C u.r.)

S. 25 Dieter Mayr (D); Fotolia (E l.); shutterstock.com (E M.); Corel Stock Photo Library (E r.)

S. 26 Bettina Lindenberg

S. 28 shutterstcock.com

S. 30 Fotolia

S. 32 Corbis (o.l.); Fotolia (u.l.); shutterstock.com (r.)

S. 35 Dieter Mayr

S. 36 Marion Nitsch (l.); Archiv Circus Knie (r.)

S. 38–39 ZDF „Hypokrathes Gesundheitsmagazin"*

S. 40–41 Dieter Mayr

S. 42 Fotolia (o.l.); shutterstock.com (o.M., o.r., M.l., u.r.); Ullstein (M., u.l.); iStockphoto (M.r.)

S. 45 shutterstock.com

S. 46 Benno Grams (l.); Getty (M.); photothek.net GbR (r.)

S. 48 Daniel Schmidt

S. 52 Ullstein Bild (l.); Vario Press Photoagentur (r.)

S. 54–55 ZDF Menschen „JobInn"*

S. 56 Karsten Weyerhausen / Lappan Verlag GmbH (l.); Wolf-Rüdiger Marunde (r.)

S. 57 Tom Körner (o.); Sperzel (M.); Gerhard Glück (u.)

S. 58 picture-alliance/dpa

S. 60 Fotolia

S. 62 Andrea Pfeifer (o.); Secon Life (u.)

S. 63 Helen Schmitz

S. 66 Brinkhoff/Mögenburg

S. 67 Dieter Mayr

S. 68 Ullstein Bild

S. 70–71 ZDF Drehscheibe „Weltfrauentag"*

S. 72 Polyglott (1); iStockphoto (2.l.); shutterstock (2.M., r.; 3, 5); Corel Stock Photo Library (4)

S. 73 Helen Schmitz (6); iStockphoto (7); Mauritius Bildagentur (8); akg-images (9); shutterstock.com (10);

S. 74 shutterstock.com

S. 80 Sven Williges

S. 82 shutterstock.com

S. 84 Interfoto

S. 86 Wörterbuchauszug: Bibliographisches Institut & F.A. Brockhaus AG, Mannheim

S. 86–87 ZDF NEUES „Digitale Demenz"*

S. 88 akg-images (l.); Georg Baselitz Die Beine sitzen, 2008 Privatsammlung München (r.);

S. 89 VG Bild-Kunst, Bonn 2008 (o., M.); akg-images (u.)

S. 90 shutterstock.com (o.); akg-images (u.)

S. 92 Pechstein Hamburg/Tökendorf – akg-images

S. 96 picture-alliance/dpa

S. 97 Cecilie Dressler Verlag GmbH & Co.KG

S. 100 picture-alliance/dpa

S. 102–103 ZDF Menschen – Das Magazin „Tanztheater ‚Die Anderen'"*

S. 104–105 shutterstock.com

S. 106 Sabine Reiter (1); Visa Inc. (2); shutterstock.com (3)

S. 108 Langenscheidt Bildarchiv

S. 110 Ullstein Bild

S. 112 shutterstock.com

S. 115 Getty (l.); LevOlkha – Fotolia.com (r.)

S. 116 Ullstein Bild

S. 118–119 ZDF „Großstadt-Artisten"*

S. 120 picture-alliance/dpa (1, 3, 4); Süddeutsche Zeitung Bilderdienst (2)

S. 121 Süddeutsche Zeitung Bilderdienst (5); Ullstein Bild (8)

S. 122 Klaus Andrews/Caligari Film München

S. 124 AP (o.); akg-images (u.)

S. 126 shutterstock.com (l., o., r); akg-images (M.)

S. 128 Hagen Koch (A); Dajana Marquardt (B); dtv (u.)

S. 129 picture-alliance/dpa (o.); Polyglott (u.)

S. 130 Ullstein Bild (o.); picture-alliance/dpa (u.)

S. 131 AP

S. 132 Ullstein Bild

S. 134 Karte Berlin: Theiss Heidolph

S. 134–135 ZDF Spezial „Das Ende der Mauer"*

S. 137 shutterstock.com

S. 139 shutterstock.com

S. 140 Visum

S. 144 Corel Stock Photo Library (o.); picture-alliance/dpa (u.)

S. 145 shutterstock.com

S. 146 shutterstock.com

S. 148 Tania Singer

S. 150–151 ZDF Drehscheibe „Happy Birthday, Knut"*

S. 154 shutterstock.com

S. 156 Visum

S. 158 Grafik: Wandel in der Arbeitswelt. Globus; Grafik: Die Zukunft der Arbeit. Globus